ESPIRAL DE MUDANÇAS

*Que esta história
possa despertar a
sua poderosa
Espiral Pessoal!
Sigamos juntos!
Lufe Gomes*

LUFE GOMES

ESPIRAL DE MUDANÇAS

O poder da transformação **pessoal** e **profissional**

Esta é uma obra de ficção baseada em fatos reais. Qualquer semelhança com nomes, pessoas, fatos ou situações da vida real terá sido mera coincidência.

EDITORA RESPONSÁVEL
Flavia Lago

PREPARAÇÃO DE TEXTO
Edison Veiga

REVISÃO
Júlia Sousa
Natália Chagas Máximo

CAPA
Diogo Droschi

DIAGRAMAÇÃO
Larissa Carvalho Mazzoni

Dados Internacionais de Catalogação na Publicação (CIP)
Câmara Brasileira do Livro, SP, Brasil

Gomes, Lufe
Espiral de mudanças : o poder da transformação pessoal e profissional / Lufe Gomes. -- São Paulo : Gutenberg, 2021.

ISBN: 978-65-8655-345-1

1. Autoajuda 2. Comportamento - Modificação 3. Conduta de vida 4. Desenvolvimento pessoal 5. Literatura brasileira 6. Mudança 7. Realização pessoal 8. Reflexões I. Título.

20-52977 CDD-B869.9

Índices para catálogo sistemático:
1. Vida cotidiana : Reflexões : Literatura brasileira B869.9

Cibele Maria Dias - Bibliotecária - CRB-8/9427

A **GUTENBERG** É UMA EDITORA DO **GRUPO AUTÊNTICA**

São Paulo
Av. Paulista, 2.073, Conjunto Nacional,
Horsa I. Sala 309 . Cerqueira César
01311-940 São Paulo . SP
Tel.: (55 11) 3034 4468

Belo Horizonte
Rua Carlos Turner, 420
Silveira . 31140-520
Belo Horizonte . MG
Tel.: (55 31) 3465 4500

www.editoragutenberg.com.br
SAC: atendimentoleitor@grupoautentica.com.br

Existem coisas
que só você pode fazer,
então, vá lá e faça!

Aeroporto

O CORAÇÃO BATIA FORTE. O estômago revirava. Eu estava preocupado, angustiado, desesperado e com um nó na garganta na sala de embarque do Aeroporto Internacional de São Paulo. Em poucos minutos, eu seria reduzido à condição de passageiro. Não era apenas o início de uma viagem, era *a* viagem – aquela que mudaria toda a minha vida.

Corri para o banheiro e joguei água fria no meu rosto. Precisava me acalmar. Respirei fundo. Olhei ao redor. Alívio. Ninguém parecia sequer notar a minha presença.

De volta à sala de embarque, pensava em todas as transformações recentes, em tudo o que tinha me levado àquele momento. Minha respiração começava a ofegar novamente. A cabeça parecia que ia explodir. Eu respirava fundo. Tentava recuperar o equilíbrio mental.

Levantei-me e passei a andar de um lado para o outro. Meus olhos embaçaram. Entrei em pânico. Não queria chorar na frente dos outros, ainda mais de desconhecidos.

Naquele momento, tive vontade de ligar para alguém que fizesse eu não me sentir tão solitário. Procurei meu celular no bolso. Onde estava? Eu não o tinha mais.

Fiquei ainda mais nervoso. Será que aquilo era real? Estava em um momento tão importante de recomeço que, além do celular, eu já não tinha mais nada do que possuía antes. Era o ponto zero.

Comprei um cartão telefônico na lojinha da sala de espera. Eu decidi arriscar. Fui correndo ao telefone público e liguei para meu irmão mais velho, João Carlos. Estava desesperado. Afinal, em poucos minutos, ouviria a chamada para o embarque e tudo seria ainda mais difícil.

Confesso que quis desistir. Seria possível mandar retirar todas as bagagens do avião? Não, eu não queria. Não poderia. Isso faria com que me sentisse um completo fracassado. Não tinha mais volta. Precisava, sim, seguir com tudo o que tinha planejado.

Quase no último toque, meu irmão atendeu.

Eu não conseguia organizar as palavras. Não me contive. Agarrado ao gancho do telefone público do aeroporto, chorei, chorei e chorei.

Minha aflição se resumiu a isso: lágrimas e soluços.

Foi intenso, mas não mais do que todos os sonhos que eu tinha tido até então. Sonhos que estavam prestes a se tornarem realidade.

Não era pouco. Eu estava mudando completamente de vida. Desafiando as crenças de todos ao meu redor. Contrariando os conselhos que haviam me dado – sem que eu solicitasse.

– Alô! – Era João Carlos, tentando conversar e fazer com que eu voltasse a mim.

– Oi... – falei meio engasgado. – Estou com medo. Muito! Estou me sentindo sozinho. E se nada der certo? O que foi que inventei de fazer?

Meu pavor era real. Eu não fazia a menor ideia do que me esperava do outro lado do Atlântico. Um idioma desconhecido. Costumes diferentes dos meus. A incerteza de encontrar alguma forma decente para sobreviver.

Quando me via naquela situação, eu não conseguia compreender meu percurso até aquele momento. Não parecia que era eu o protagonista de tamanha decisão, de tantas rupturas. Era a própria vida que havia me guiado, me levado àquela viagem inusitada. O intangível do sonho me amedrontava.

Meu nome é Lufe Gomes e, admito, eu me achava um louco. Afinal, somente um louco abandonaria a família, os amigos, a carreira e toda uma vida confortável em busca de algo que nem sabia o que era. Apenas um louco se lançaria em meio a um redemoinho descontrolado. E isso tudo aos 30 anos – seria bem diferente se eu tivesse uma década a menos e pudesse me gabar da condição de um jovem aventureiro.

Ao entrar naquele avião, eu recomeçaria do zero. Era como se houvesse a possibilidade de *resetar* a vida. Era como viver duas vidas diferentes dentro de uma só existência. Eu iria experimentar.

– Lufe? Lufe? – Meu irmão tentava me tirar daquele transe.

– Oi? – respirava ansioso, com lágrimas escorrendo sem parar.

– Escuta. Isso é importante! – João Carlos, sereno, transmitia calma e sabedoria. – A coragem e a determinação de meu irmão em seguir seus sonhos sempre inspiraram a todos nós. Ele sempre foi um vencedor em tudo aquilo que se propôs a fazer.

Eu fiquei em silêncio. Saboreava as palavras. Acalmava-me.

– Existe uma coisa por lá que somente você pode fazer – prosseguiu meu irmão. – E mais ninguém pode fazer isso por você. É por isso que está sendo levado pela vida. Respira fundo! Coragem! Vá lá e faça! Simples assim!

Vá lá e faça. Vá lá e faça! Era isso. Essas palavras ecoavam em minha cabeça. Como um mantra. *Vá lá e faça!* Isso fez com que me reconectasse a tudo aquilo em que eu sempre acreditei.

Ainda estava me despedindo quando os créditos do cartão acabaram. Fiquei imóvel com o gancho na mão. Era mesmo como se todo aquele mundo que eu conhecia como meu estivesse agora ficando para trás.

Fechei os olhos. A cabeça encostada na parede. Coragem.

Uma tranquila voz feminina falava ao microfone, ecoando no salão e me acordando do transe: era hora de embarcar. Abri os olhos. Enxuguei as lágrimas. Respirei, enchendo os pulmões e colocando a coluna firme e ereta. Em poucos minutos, como um guerreiro prestes a encarar a maior batalha de sua vida, entrei naquele avião como se passasse por um poderoso portal.

Estava a caminho de Londres e do desconhecido que me esperava por lá.

Trinta anos e duas malas

– VOCÊ NÃO NASCEU AQUI nesta rua, nem neste bairro, nem nesta cidade. Muito menos neste estado ou neste país! Você nasceu neste planeta, meu filho! Tem só uma vida inteira para viver! Se tem o desejo de conhecer onde nasceu, saiba que foi neste mundo. Então, vá lá e descubra, veja, sinta, viva. Tudo isso lhe pertence!

Na sonolência do voo, era em meus pais que eu pensava. Eles costumavam me encorajar a sair do ninho. O que é sair do ninho senão me aninhar ao redor do mundo, afinal? Desde criança eu sonhava em ser um desbravador, encantado por descobertas, conquistas e viagens.

– Você pode viver várias vidas em uma só – definia minha mãe.

Eu sempre acreditei nisso. Já tinha vivido a vida de criança, a de jovem, a de universitário, a de recém-formado, a de pós-graduado, a de novato no emprego e a de reconhecido profissionalmente. A vida de viajante, a de namorado, a de solteiro, a de festeiro, a de filho, a de amigo. Nos últimos anos, entretanto, vivia uma vida de angústias, desilusões e desânimos. Queria mudar meu rumo. Começar algo novo. Sentir o encantamento outra vez. Talvez fosse a famosa crise dos 30 anos.

Por que algo estava me levando para outro país?

Uma coisa era certa: queria um encontro comigo mesmo, com minha essência interior. Sempre acreditei que certa força iluminada colocava as pessoas em minha vida. Devia haver um propósito maior. Era o que eu procurava. Estava convencido de que tal força usava as mais diferentes formas para se comunicar com cada indivíduo. Por isso, eu também desejava desenvolver a habilidade de escutar e enxergar com sabedoria os sinais que a vida me mostraria a partir daquele momento.

Firmei um pacto comigo mesmo. A primeira regra era começar de um ponto zero. A outra era o compromisso de deixar, o tempo todo, a mente aberta para captar o que fosse importante para meu amadurecimento.

Além da minha busca pessoal, profissional e espiritual, nada mais deveria me preocupar.

Inebriado pelo sono, eu adormeci no avião com esses pensamentos. Acordei com a luz do sol em meu rosto e a movimentação dos comissários trazendo o café da manhã. Londres estava perto. Ao avistar as primeiras imagens da cidade lá embaixo, me dei conta de que jamais havia planejado viver na Inglaterra. Não fazia ideia dos reais motivos que tinham me atraído até ali.

Eu simplesmente queria mudar de vida, me encontrar, me conhecer.

Deixei todas as coisas para trás. Desfiz minha casa e doei tudo que eu tinha para minhas irmãs. Vendi o carro, desapeguei completamente da parte material e, agora, todos os meus pertences cabiam em apenas duas malas de viagem.

O fim – ou melhor, o começo

DOIS AMIGOS ME ESPERAVAM no aeroporto. Arthur, que é inglês, e Annabela, a sua namorada italiana.

– Ei, aonde você vai? – perguntou ele, ao me ver puxando o trinco da porta do carro.

– Ué, vou entrar no carro...

– Lado errado – riu Annabela. – Este é o lado do motorista!

A famosa mão-inglesa foi só uma – e das mais corriqueiras – das tantas e tantas novidades às quais eu teria que me adaptar. Eu já começava a reagir às quebras de paradigmas. Estar dentro de um carro e me ver como se andássemos na contramão era a metáfora para o fim das verdades universais e para o começo da enxurrada de novas informações.

Minha mente estava aberta, mais do que nunca. No caminho, eu pensava na força superior que sempre sinto em minha vida. E em como eu tinha conhecido Arthur; uma história curiosa.

Eu vivia em Florianópolis, capital de Santa Catarina, na região Sul do Brasil. Apesar de ser uma ilha fantástica, com 42 praias belíssimas, estava insatisfeito. Achava que meu ciclo por lá já tinha se esgotado. Queria novos horizontes, novos desafios e, principalmente, buscar minha essência mais verdadeira.

Profissionalmente, eu estava bem. Dirigia dois programas da emissora de TV local, posição esta que me garantia conforto financeiro. Vivia em frente à Lagoa da Conceição, considerada o coração da ilha e um dos lugares mais cobiçados pelo mercado imobiliário. Dirigia um carro novo e tinha convites para as melhores festas da cidade.

O glamour, entretanto, não me trazia felicidade. Quando eu estava sozinho, me sentia vazio. Sentia dores, chorava e buscava uma nada saudável reclusão.

Meus momentos de paz espiritual vinham apenas de caminhadas pela Praia Mole e ao redor da Lagoa. Eram meus refúgios. Minhas salas de terapia. Eram os lugares onde me isolava do mundo em busca de respostas. Comecei a meditar. Pedia ao universo que a vida desse uma reviravolta. Eu queria ousar, arriscar, recomeçar... Queria sentir ânimo outra vez, êxtase. Não sabia como, nem exatamente o quê. Mas pedia.

Alguns meses depois, fui chamado até a diretoria da TV em que trabalhava. Era um dia tenso, em que a empresa realizava um corte drástico de funcionários para redução de despesas.

– Lufe, você sabe que estamos enfrentando um momento complexo, não sabe? – perguntou-me Evandro, o diretor geral, naquele malemolente início para amaciar o começo de uma difícil conversa.

– Sim, eu sei. E imagino que você não esteja nada bem, não é? Afinal, sua posição no dia de hoje é tão terrível quanto a das pessoas com quem tem conversado... – Eu transparecia nervosismo, mas busquei forçar o xeque-mate. – Pois comigo você pode se despreocupar, Evandro. Vá direto ao assunto.

– Precisamos demiti-lo. Hoje – disse ele, sem meias-palavras.

Pode parecer estranho, mas eu tive de me esforçar para não dar um grito. De felicidade. De alforria. Eu estava pensando em pedir demissão havia tanto tempo... A empresa tomou a iniciativa frente ao meu medo, às minhas inseguranças. De quebra, com uma excelente compensação financeira.

– Agora eu vou ganhar o mundo! – sussurrava para mim mesmo.

É isso. Fui demitido. Saí da empresa com a alma leve. E o bolso cheio.

Se eu havia demorado tanto para começar minha mudança, agora não havia mais o que esperar. O barco estava descendo a correnteza, e eu queria fluir naquele movimento. Não seria maluco de parar antes de chegar ao destino. Era o momento de olhar apenas para a frente, me esquecendo de vez das oportunidades do passado.

– Você está com esse ar de satisfação porque ainda não caiu na real – provocou-me a produtora de um programa.

– Por que você diz isso?

– Ah, Lufe, porque não é possível que esteja realmente feliz. Você foi demitido. De-mi-ti-do. Não sabe o que vai fazer da vida. Nem como vai sobreviver a partir de agora.

– Mas é por isso mesmo que estou feliz. Você não vê?

– Como assim?

– Fico eufórico só de imaginar que eu não sei o que fazer nem como sobreviver. Estou no ponto zero. Acho isso lindo. Tudo o que virá será inédito. Toda uma vida nova pode se abrir para mim a partir deste momento, entende? Considero isso um presente que estou recebendo. Uma chacoalhada. A chacoalhada que eu pedi muito. Às vezes, é só assim que nós acordamos e, então, seguimos para a próxima etapa.

– Mas você estava no topo da sua carreira aqui. Não existe nada melhor do que o trabalho que você tinha.

– Exatamente por isso. Entendeu agora o meu ponto de vista?

– Não... não entendi.

– Existe alguma coisa em mim que precisa explorar, conquistar. Se não existe nada melhor aqui do que o que eu já tinha, então, talvez, eu precisasse mesmo sair e continuar a buscar em outras praças, outros cantos, outras energias... Não consigo ficar parado.

– E você não está com medo?

– Medo? Tenho sim é tesão de viver tudo aquilo que eu ainda não vivi, de encontrar pessoas que ainda não conheci.

Eu tinha quase 30 anos e só conhecia Buenos Aires. Queria viajar, passar uma temporada fora do país, aprender um novo idioma. Boa parte dos meus amigos tinha feito um intercâmbio na juventude – essa era uma experiência que eu invejava, no bom sentido.

Pensei primeiro na Austrália. Para mim, era muito parecida com Florianópolis: azul, mar, surfistas... Decidi, entretanto, que não tinha pressa. Eu podia planejar com calma, apreciar um pouco a vida na cidade sem as agruras de um emprego.

Era hora de apenas acalmar minha mente, viver o presente e deixar os sinais de mudança me chamarem.

Numa dessas, já no clima de verão, me vi em uma festa de inauguração de um bar. Amigos, sorrisos, abraços, brindes de espumante... Acabei cumprimentando um homem que, por coincidência, havia visto no almoço daquele mesmo dia. Era alto, magro, cabelos pretos e lisos que iam até pouco acima dos ombros – mas eu não fazia ideia de sua identidade. Puxei conversa:

– Oi, tudo bem? Curtindo a festa?

– Sim! A festa *estar* muito bom! – falou ele, com sotaque inglês.

– Qual o seu nome? Você é de onde?

– Meu nome é Arthur. Sou de Londres.

– Legal! Estou planejando estudar inglês. Vou me mudar para a Austrália! – comentei, entusiasmado com a ideia que estava se concretizando em minha cabeça.

– Não, você não vai! – disse ele, deixando-me atônito diante de sua segurança e determinação.

– Desculpe, acho que eu não entendi – rebati, um tanto surpreso com a ousadia daquele desconhecido.

– Quis dizer que você não vai para a Austrália. Você vai para Londres!

– Como? – eu já estava gargalhando diante daquele gringo louco. – Lá não tem praia, como vou viver sem este azul ao meu redor?

– Você vai morar em Londres! – repetiu, em tom imperativo.

Será que eu estava recebendo uma espécie de mensagem? Quem afinal era aquela pessoa ali na minha frente? Aquele inglês tinha um olhar curiosamente reconfortante. Londres ressoou em minha cabeça, numa espécie de transe.

Aquele encontro ficou marcado em minha mente. Era como se, de alguma forma, eu estivesse recebendo uma direção clara para minha vida. Arthur e eu nos tornamos amigos naquela semana em que passava férias no Brasil. Mostrei a ele as maravilhas de Florianópolis, ao mesmo tempo em que ele me deixava sedento por conhecer a Inglaterra. Arthur gostava de meditar e praticar ioga. Já tinha viajado o mundo e vivenciado outras culturas, e isso nos fazia conversar muito sobre energias positivas que acabavam conduzindo as pessoas por caminhos interessantes.

No fim daquela semana, eu já tinha hospedagem – na casa de Arthur – garantida pelos primeiros 30 dias, caso eu me decidisse mesmo por Londres. Ele parecia mais entusiasmado do que eu, dizendo que tinha tudo para me dar bem com sua namorada italiana e seu pai, com quem vivia.

Pode parecer estranho, mas, depois de ter sido de fato convencido a ir para Londres, não fiz nada de imediato para concretizar esse plano. Estava convicto de que o caminho iria se desenhar naturalmente. Parecia que eu procurava por outros sinais.

E foi entre meditações diárias e um projeto de videodocumentário com um amigo que um novo recado do universo parecia apontar para a capital inglesa. Eu estava filmando na Praia Mole – ondas, surfistas, pessoas caminhando, a beleza natural... Era fim de tarde e uma festa animada começava com DJs tocando músicas eletrônicas com percussão. Muitos dançavam, ainda com os corpos molhados depois de um dia inteiro de banhos de mar. A magia do verão.

Avistei um jovem casal fazendo malabares próximo à água. O colorido dos dois era incrível e passei a filmá-los. A menina era loira, usava uma leve bata branca que combinava com sua pele clara, um pouco rosada pelo sol. Ele tinha barba e vestia uma bermuda cinza-claro.

Admirei-os profundamente. Tanto que, depois de registrar as cenas, segui observando-os, com a visão da alma. O que eles tinham de tão atraente? Por que, de toda a praia, aquele casal me encantava tanto? Por que aquela luz parecia diferente?

– Que cena linda vocês com essas fitas coloridas! – Tomei coragem e os abordei.

– Obrigado – ele respondeu, sem perder a concentração.

– Vocês não têm ideia da energia maravilhosa que sinto ao vê-los aqui neste pôr do sol...

– A gente tem noção, sim, acredite! – respondeu a menina, serenamente.

Permaneci em silêncio, com os olhos brilhando. Agora, as fitas coloridas pareciam se transformar em sons, e os sons, em cores. Era uma mistura de sensações que me hipnotizava. Estava completamente absorvido por aquele momento.

– Como vocês se chamam? – perguntei.

– Ele é o Rick, e eu sou Marianne – disse ela, parando os malabares e sentando-se de pernas cruzadas de frente para o mar.

– De onde vocês são? Não são de Floripa, não, né?

– Na verdade, estamos somente de férias – disse ele.

– Nós moramos em Londres – falou Marianne, virando-se para mim e sorrindo com os olhos, um tipo de olhar que parecia transparecer muito mais do que os lábios diziam.

Para mim, não havia mais dúvidas. Aquela cidade me chamava. Existia em Londres algo que eu precisava conhecer. Isso era certo.

– Parece que vamos nos encontrar por lá, pois estou indo morar na Inglaterra em poucos meses – afirmei com segurança, como se a verdade estivesse, enfim, se manifestando.

– Londres está lá, à sua espera – disse ele. – E nós ainda vamos nos encontrar muito.

Ela sorriu.

Juntaram suas coisas e se prepararam para partir. Escreveram seus contatos num pequeno pedaço de papel branco e me entregaram. Não disseram mais nada. Somente sorriram e se foram.

Continuei sentado ali, no meio da Praia Mole. Senti o vento da mudança em meu rosto, acompanhado pelo cheiro do mar que aguçava todos os meus sentidos. Nas mãos, a textura do pequeno papel branco. Olhava o oceano à minha frente – a Inglaterra estava lá do outro lado, longe.

Tive certeza de que tinha sido plantada uma semente em minha alma. Mais do que isso, eu tive a confiança de que tudo aconteceria muito em breve.

Data e feito!

CONVENCI-ME DE QUE o primeiro passo era fixar uma data. Determinei: início de agosto. Mas esbarrei em um primeiro e importantíssimo problema: eu não tinha dinheiro suficiente.

Sim, a indenização recebida com a demissão não bastava. Eu poderia vender meu carro, juntar as economias do banco... Mesmo assim, não daria. Pelo menos foi a conclusão que tive depois de conversar com um agente de viagens.

– É tão caro! – comentei com ele.

– Sim, Lufe. Mas preste atenção: esse valor cobre a escola, as passagens, além dos trâmites com documentos, vistos etc. Você ainda precisa se programar para alimentação, moradia, transporte...

Ele não parecia querer me desanimar. Mas eu me sentia arrasado. Estudar fora era realmente caro, muito além de minhas possibilidades. Estava vendo meu plano em risco. Será que eu deveria mesmo acreditar quando me diziam que meu sonho era irreal? Que aquele não seria o meu destino? Muitos amigos tentavam me demover da ideia.

Eu precisava acreditar em mim mesmo. Minha fé, afinal, não era inabalável?

Foi assim que, fragilizado, marquei um almoço com Paulo, um jornalista respeitado, e meu amigo.

– Que foi? Que cara é essa?

– Nada, não... Estou só fazendo uns cálculos mentais...

– Cálculos? Para o quê?

– Para minha viagem. Preciso de uma boa quantia até agosto.

– Espera aí. Você ainda não desistiu dessa bobeira? Está mesmo disposto a isso? E eu que pensava que você iria me dizer que já tinha conseguido outro emprego...

– Claro que não desisti. Você parece que não me conhece.

– Lufe, você não precisa fazer isso! – dizia Paulo.

– Como assim?

– Você não precisa fugir da cidade.

– Fugir, eu? Juro que não estou entendendo.

– Nós achamos que ainda está traumatizado com a demissão. Você é talentoso, criativo. Se ficar aqui, o mercado vai absorvê-lo. Fique.

– Nós quem?

– Todos nós. Às vezes conversamos sobre você. Estamos preocupados. Chegamos até a fazer apostas para ver se iria ou não nessa viagem.

– Apostas? Você não pode estar falando sério!

– Era de brincadeira, claro, mas pensa na loucura que está querendo fazer. Você não tem mais 20 anos. Acorda! Seu tempo já passou. Está na hora de parar de sonhar e colocar os pés no chão, sabia?

– Eu agradeço sua atenção, Paulo, mas acho sinceramente que estamos enxergando essa situação de dois pontos de vista bem diferentes.

– Escute meu conselho. Não saia da cidade, pois, se sair, quando voltar, ninguém mais vai se lembrar de você. Vai procurar emprego e não vai conseguir, pois outras pessoas já terão tomado seu lugar.

– Paulo, você é uma das pessoas que mais respeito, mas não consigo ouvi-lo desta vez. Não quero mais saber de trabalho. Aliás, o que quero é não precisar trabalhar nunca mais nessa vida.

– Como assim? Você deve ter ficado louco de vez.

– Quero e vou encontrar alguma coisa com a qual eu sinta tanto prazer e trabalhe com tanta naturalidade, que jamais terei de procurar emprego novamente. Existe um talento que é só meu, individual, único e que deve ser encontrado. Imagina se eu quero sair de uma situação onde estava infeliz, desiludido, para voltar ao mesmo lugar, Paulo? Você não se lembra de como eu andava triste nos últimos tempos?

– Por favor, não me leve a mal. Digo isso porque me preocupo com você, mas faça o que achar melhor. De qualquer forma, se mudar de opinião, não precisa ficar envergonhado de me procurar.

Não foi só o Paulo. Muitos outros amigos tiveram a mesma atitude, pareciam querer me salvar de um grande mal, como se meu sonho fosse uma loucura. Leandro, meu melhor amigo, foi o único que se opôs aos outros: ele me dava conselhos e encorajamento, colocava fogo e me estimulava. Nada que eu não esperasse. Leandro sempre gostou de ver as pessoas realizando seus sonhos.

Eu não iria desistir facilmente.

Uma semana depois, eu estava de volta à agência de viagens. Conversava mais uma vez com Cláudio, o agente. Eu queria analisar as possibilidades de cursos – e principalmente custos possíveis.

Ele me falava dos valores impeditivos sem nem saber que a cada palavra ele rasgava um pedacinho do meu sonho planejado com tanta esperança.

Tocou o telefone, ele pediu licença para atender.

Eu saí da mesa sob o pretexto de ir ao banheiro que ficava no segundo andar da agência de viagens.

Eu parei ao pé da escada em caracol e, antes de iniciar a subida, pude observar outros atendentes ajudando seus clientes. Todos bem mais jovens do que eu, acompanhados dos pais, sem se preocuparem com custos e despesas. Só sorrisos.

Tive um sentimento profundo de tristeza. A cena daqueles jovens, com seus pais ricos, era como uma mensagem para mim. Era como se eu escutasse todos aqueles amigos dizendo: "Eu não disse que isso não é para você?".

Momentos assim são muito importantes em nossas jornadas pessoais. São como encruzilhadas. Um caminho que você está seguindo, e que de repente lhe mostra duas direções a seguir. Eu estava lá, parado diante do primeiro degrau, vendo meu sonho desmoronando diante dos sorrisos de tantos outros.

Se essa encruzilhada tinha aparecido na minha vida, eu era a pessoa que devia decidir o caminho a seguir. Se precisava decidir, se o que me esperava dependia de mim... eu sabia bem o que fazer.

Fechei os olhos, respirei fundo e pedi ajuda. Sempre acreditei que há um time espiritual ao meu lado.

Comecei a subir a escada, meditando. Entreguei-me por completo ao divino que, certamente, me guiaria para o melhor caminho. Imaginava que cada degrau vencido era um obstáculo ultrapassado. Eu precisava acreditar.

Mentalizei uma situação positiva. Pedia por uma luz, um sinal, qualquer coisa.

Eu entrei no banheiro com o corpo vibrando, como se pudesse sentir toda essa energia de conexão. Permaneci ali em silêncio absoluto.

Quando comecei a descer a escada, fiquei surpreso com o que vi. Apenas alguns poucos minutos tinham se passado, mas a cena parecia outra. Meu coração estava mais leve e senti uma alegria sincera pelos jovens que estavam prestes a viajar. Olhei para cada um deles, e minha alma se alegrava imaginando as aventuras que viveriam. Um sentimento puro, verdadeiro e lindo.

Quando voltei à mesa do agente, já mais calmo, ele ainda estava ao telefone.

Eu o observava em silêncio, com a mente vazia, conectada ao presente. Não existia passado, não havia preocupação com o futuro. Eu estava inteiro ali, me sentindo completamente em sintonia com aquele instante e com aquela pessoa.

Assim que ele desligou o telefone, falei por impulso:

– Já te contei sobre um projeto que tenho muita vontade de realizar?

Eu nem pensava sobre as palavras que saíam de minha boca. Era algo natural. Eu não tinha projeto nenhum, mas continuei.

– Tenho uma proposta incrível de uma coluna on-line contando sobre a vida de estudantes brasileiros em intercâmbio no exterior. Adoraria aproveitar essa viagem para realizá-lo junto com você.

– Essa ideia é genial! Me traga esse projeto. Quem sabe não podemos fazer uma parceria?

– Está falando sério?

– Claro que sim! Acabamos de finalizar nosso novo site e quero ter algo inovador que cative a atenção dos meus clientes.

– Então se prepare, Cláudio, pois você vai adorar o projeto que criei.

– Me fale mais sobre ele.

– Agora eu não posso, me desculpe. Preciso sair, pois tenho um compromisso importante. Amanhã nos falamos. Combinado?

– Perfeito. Aguardo você.

Eu precisava sair dali imediatamente, pois ainda não tinha vislumbrado uma possibilidade real. Afinal, aquela conversa surgiu do nada, foi uma inspiração de última hora. A luz que eu tanto pedi começava a se revelar, mas ainda não fazia ideia do que poderia apresentar.

Fui correndo para casa. Minha mente voava e milhares de ideias estavam surgindo. Eu sentia que toda aquela energia criativa começava a me envolver.

Fechei as janelas do quarto.

Tranquei a porta.

Queria e precisava ficar sozinho.

Sentei-me em frente ao computador. Fechei os olhos e procurei acalmar a mente. Fiquei assim por um longo tempo. Quando despertei, já estava escurecendo.

Olhava para o computador com uma enorme página em branco. Queria um projeto que fizesse minha viagem acontecer, mas que também me desse orgulho – e propiciasse retorno aos outros envolvidos. Em silêncio, respirava calmamente.

De repente, digitei a primeira palavra, que puxou a segunda. Como num impulso de inspiração, comecei a escrever como um louco. Parecia estar em transe. As palavras foram saindo, saindo, enquanto meus olhos se enchiam de lágrimas. Sentia uma forte e poderosa energia de realização.

A madrugada já avançava quando finalizei o projeto.

Na manhã seguinte, fui até a agência e apresentei minha criação ao Cláudio, com uma animação contagiante.

– Aqui está o que você sempre quis!

– Espere, preciso ler com calma – ele respondeu, pegando os papéis e se mostrando muito interessado.

Eu não havia feito nenhuma proposta de retorno financeiro. Fiquei tão imerso nas ideias e no conceito que não pensei em como seria a negociação.

Cláudio continuava concentrado na leitura, enquanto eu orava em silêncio, pedindo para que o agente captasse toda a energia que havia sido escrita naqueles papéis.

– Lufe, preciso ser sincero com você...

Coração disparou, respiração a mil. Mas a fé, inabalável.

– O projeto é incrível, maravilhoso e realmente tenho interesse em participar, mas não posso oferecer dinheiro.

– Se você gosta do que proponho, como se vê participando? – perguntei, acreditando que tudo daria certo.

– Bem... Não posso oferecer muito e fico envergonhado, então sinta-se livre para recusar – disse ele timidamente.

– Não seja tolo, Cláudio. Somos parceiros. Me diga o que tem em mente. – Eu já estava nervoso com toda aquela história.

– Existe uma chance de estarmos juntos. Se você aceitar, posso dar as passagens e a escola em Londres como pagamento, assim como as despesas com o pedido de visto. Você só precisa se preocupar com a moradia. O que acha?

Meu coração foi parar na boca. A emoção e a vontade de chorar cresciam exponencialmente. Ele estava me dando tudo aquilo que eu não teria a possibilidade de comprar! Cláudio não sabia que eu estava sem dinheiro. Fez a proposta financeira como se fosse sua forma limitada de participar, sem saber que era do que mais precisava e que, talvez, fosse a única chance que eu tinha de continuar com meu sonho.

– Claro que sim, Cláudio. Se é assim que você pode, por mim estamos fechados!

– Fechados! – vibrou ele.

– Mas tenho outra sugestão – eu disse, sem acreditar no que estava dizendo.

– O quê?

– Posso vender outro patrocínio para financiar essa coluna?

Cláudio concordou. E saí imediatamente de lá. Por dentro, eu estava eufórico.

Telefonei para uma conhecida que era diretora de marketing de uma grande empresa de telefonia. Na minha empolgação e deslumbramento, acabei explicando tudo a ela em menos de cinco minutos. E qual não foi minha surpresa quando ela disse que eles estavam precisando, justamente, estimular as chamadas telefônicas entre pais e filhos que moravam no exterior usando seus serviços.

– Por que não vem aqui mostrar o projeto para o diretor da companhia? – sugeriu, entusiasmada.

Fui recebido pelo diretor da empresa e por todo o time de marketing.

Expliquei que iria morar em Londres e que escreveria de lá uma coluna on-line sobre as experiências de ser estudante vivendo num país diferente. Em minha coluna, daria informações úteis para quem planejava viajar, faria entrevistas com estudantes e escreveria muitas histórias que só são possíveis de viver quando se tem a coragem de se jogar numa aventura como aquela. A companhia de telefonia se encaixaria perfeitamente naquele projeto, pois seria a forma de contato dos estudantes com seus familiares e amigos no Brasil.

– Lufe, ontem foi lançado nacionalmente um novo programa de chamadas internacionais. Você apareceu com o projeto certo no momento ideal. Com isso, seremos os primeiros do Brasil a oferecer uma ação para promover esse serviço – falou a diretora de marketing.

Sincronias. Estava provado que existia uma força agindo para que tudo fluísse bem e em sintonia. As peças estavam se encaixando, e eu sabia que precisava estar conectado àquela espiral positiva.

O projeto foi aprovado imediatamente.

Quanto aprendizado continha nesses últimos dias!

Em um momento, todos duvidavam da viabilidade de meu sonho, menos eu. Enquanto tudo parecia me desacreditar, eu me conectava com o que mais acredito mover energias e, em menos de três dias, havia conseguido todo o financiamento necessário.

Eu estava no caminho.

Primeiras vezes

ARTHUR MORAVA COM O PAI em um belíssimo prédio em Notting Hill, uma das regiões mais lindas e conhecidas de Londres. Uma construção branca, de esquina e com apenas três andares. Eu não sabia como classificar seu período arquitetônico, mas sabia muito bem reconhecer que era algo belo.

Reparei nas floreiras arredondadas, nas janelas com rosas vermelhas muito bem cuidadas... Passamos por um pequeno portão preto e adentramos um jardim. Uma escada levava à porta principal. Ao chegar ao saguão, eu me senti viajando no tempo. Era todo azul, inclusive a escadaria que levava ao apartamento. Ao lado esquerdo, havia uma mesa dourada com tampo de mármore e os pés rebuscados. Tinha também um grande espelho dourado que deixaria qualquer colecionador de antiquários enlouquecido. O piso era acarpetado de cor azul-escuro e as escadas ao final do corredor tinham corrimão branco e um deslumbrante vitral florido.

Arthur pegou as correspondências que estavam em cima da mesa e subimos até o primeiro andar, onde ficava o apartamento de seu pai. Eu estava curioso. E também tímido, meio receoso. Afinal, ele estava recebendo com todo o carinho um brasileiro amigo do filho – sem nem ao menos conhecê-lo.

O gelo foi quebrado de imediato. Ver aquele homem abrindo a porta e me recebendo com um sorriso tão receptivo foi marcante. Ele tinha uma estatura semelhante à minha, cerca de 1,70 m. Era magro e visivelmente saudável, com músculos bem rijos para um homem daquela idade.

– Bom dia, seja muito bem-vindo à minha casa – disse, já se oferecendo para apanhar a mala que eu segurava.

Seu nome era Frank. Eu sorri, fingindo compreender o que ele havia dito. Percebi que tinha um ar de sabedoria e maturidade. O tom de sua voz logo me chamou atenção, assim como seu andar calmo com precisão de movimentos. Seu apertar de mãos também era forte.

– Me acompanhe, por favor – disse o Sr. Frank, dirigindo-se ao quarto.

Cheguei a pensar que o conhecia de algum lugar. Para minha surpresa – e certo constrangimento – me ofereceu seu próprio quarto, que em vão tentei recusar.

– Arthur, não... por favor. Não posso aceitar de forma alguma. Eu durmo muito bem no sofá da sala. Seu pai já é um senhor. Não o deixe fazer isso! – eu implorava, desesperado, ao ver aquele homem já idoso oferecendo a própria cama ao hóspede.

– Meu amigo, você ainda não conhece meu pai. Deixe-o fazer como quiser. Garanto que, se não fosse da sua vontade, ele não faria.

– Ok. Obrigado. *Thanks* – eu disse, olhando um pouco sem graça para o Sr. Frank.

– Vou deixá-lo sozinho por alguns instantes. Arrume suas coisas e nos vemos na cozinha. Vou preparar um almoço especial para sua chegada – traduziu Arthur.

O quarto tinha um estilo clássico. As cortinas eram floridas, com a base azul-marinho já desbotada pelo tempo e as flores bem vermelhas. O armário era de época, provavelmente herdado de algum parente do passado. As janelas, enormes, altas e brancas. Era ainda final do verão, e as árvores lá fora estavam cheias de folhas verdes.

Arthur e o Sr. Frank tinham estilos decorativos muito distintos. Enquanto o filho seguia o minimalismo, com objetos modernos e peças de design, o pai gostava de enfeites antigos e decoração com milhares de bibelôs e plantas de plástico. As áreas sociais eram todas revestidas de papéis de parede floridos. Eu, que me identificava muito com meu amigo, achava graça em todos aqueles exageros de decoração que me remetiam a um mundo nada real. Se estava vivendo um sonho, aquele cenário realmente me ajudava a fugir da realidade.

– Venha, o almoço está sendo servido.

Eu tentava, bem atrapalhado, conversar em inglês, e o Sr. Frank, em contrapartida, procurava entender o que eu expressava com palavras sem muito contexto nem senso de lógica.

Aquele primeiro momento, na cozinha, com aquelas pessoas desconhecidas, com uma língua totalmente diferente, e uma casa tão florida e surreal, se tornou ainda mais marcante quando ele serviu o almoço. Era uma comida indiana.

Eu nunca havia experimentado a culinária daquele país. O perfume dos condimentos invadiam meus sentidos e causavam explosões de emoções.

É fundamental perceber esses momentos únicos em nossas vidas. Únicos no sentido de que só vivemos intensamente quando temos a atitude de nos entregarmos de mente aberta às oportunidades e às experiências nunca vividas.

– Está gostando do tempero da comida? – perguntou ele, animado.

– Até que não, a temperatura está bem agradável aqui na Inglaterra – respondi, achando que estava arrasando em meu inglês.

Seu particular senso de humor ajudou na nossa sintonia. Como Arthur e Annabela estavam sempre ocupados com o trabalho, Sr. Frank acabou se tornando minha melhor companhia na cidade. Às vezes, penso que ele parecia um daqueles sábios de filmes de artes marciais – a qualquer momento me dava uma lição de vida.

Foi ele quem me ensinou a como comprar os passes de metrô, como pedir informações e como chegar até a escola. Ensinou-me até a fazer as compras de supermercado. Mais do que isso, também me provava que a humildade é uma das maiores virtudes. Afinal, aquele homem que havia cedido a sua própria cama para alguém muito mais jovem ainda cozinhava e gastava seu tempo tentando me ajudar.

O que eu não podia era me iludir com tanto conforto. Aquele carinho e receptividade eram uma bênção, mas tinham prazo para terminar. Havia combinado com Arthur: ficaria no máximo trinta dias. Precisava conseguir outro lugar em breve.

– Aproveite para conhecer Londres como turista durante este mês que está em minha casa. Procure entrar em harmonia, conectar-se com a forma como ela pode fazer parte da sua vida. Você precisa entender a cidade em que está vivendo agora – disse o Sr. Frank, certa manhã.

– Acho que compreendo bem – respondi, me lembrando da relação de amor que tinha com Floripa.

– Lufe, se eu disser que talvez você não tenha vindo para cá por mero acaso, você acreditaria?

– Claro que sim. Engraçado o senhor falar disso, pois sinto que não estava sendo chamado para Londres, e sim *por* Londres. Não sei bem ainda, mas com certeza fui atraído de uma maneira muito especial. Acredito que um dia vou descobrir o que vim fazer aqui.

– Talvez a cidade tenha muito a lhe ensinar. É provável que um aprendizado importante esteja em seu caminho – continuou o Sr. Frank, com um tom de voz mais misterioso.

– Algo me diz que sim. Já sinto como se Londres fosse parte de mim mesmo.

– E provavelmente já é, Lufe, mas nem sempre vai ser fácil. A história vai mudar muito quando tiver que bancar todas as suas despesas sozinho. Esta é uma cidade difícil de se fazer dinheiro. Com o inglês que você tem, não vai ser nada fácil conseguir alguma coisa que pague um bom salário – alertava o Sr. Frank, com o entendimento de quem já tinha visto muitas histórias de estrangeiros por lá e alguns destinos nada animadores.

Comentários como esses podem destruir os sonhos das pessoas, pois eram reais. Ele não parecia querer me desanimar, mas, sim, me preparar. Se existia uma batalha me esperando, que eu acessasse toda minha força de guerreiro e toda minha visão positiva capaz de encontrar caminhos mais promissores do que de outras experiências já conhecidas pelo Sr. Frank.

Nesse momento, minha atitude era de agradecimento a ele e não de vítima achando que ele me colocara para baixo.

– Pode deixar, vou seguir seus conselhos. Prometo a você e para mim mesmo que minha trajetória aqui será de muita felicidade. Não se preocupe.

Ele me olhou em silêncio.

– Se você se conectar com a cidade e estiver em sintonia com sua vibração, ela sempre irá ajudá-lo. Será sua grande companheira, entende?

– Como vou saber se estou no caminho certo?

– Lufe, sente-se aqui. Vamos tomar um café e conversar um pouco mais sobre isso – disse o Sr. Frank, com aquele ar de sabedoria enquanto colocava uma chaleira com água para esquentar. – Vejo que está em um caminho pessoal, em uma busca interna, estou certo?

– Estou nessa busca, sim – respondi, olhando fundo nos olhos do Sr. Frank, prestando atenção em cada palavra que ele dizia.

– Você precisa estar atento aos sinais. Lembre-se disto: estar atento. Repita para mim.

– Estar atento! Estar atento! Pode deixar, Sr. Frank, que não vou me esquecer. Mas o que o senhor quer dizer com isso?

– O caminho que você tem à sua frente é longo, mas será iluminado. Se você prestar atenção aos sinais que chegarão a todo instante, conseguirá suas respostas com mais clareza.

– Então, eu ficarei muito atento mesmo, pois assim as respostas virão mais rápido.

– Não se trata de rapidez. Você terá a chance de experimentar muitas coisas ao longo desse caminho, mas deverá ser inteligente para absorver o que tem para ser aprendido.

Fiquei ali quieto, olhando para o Sr. Frank. Eu tinha consciência de que ele era experiente e sábio, e queria escutar o aquele homem tinha a dizer.

– Você tem uma missão aqui – ele disse calmamente.

– E estou mesmo disposto a cumpri-la, mas ainda nem imagino o que seja.

– Essa missão só tem compromisso com você mesmo, entende? Então, não se distraia. Por isso a necessidade de estar sempre atento. Suas revelações virão à medida que você se desprender do passado.

– O que o senhor quer dizer? – perguntei, sem a menor dúvida de que vivia um momento especial. Tinha a nítida sensação de estar diante de um sábio e de que deveria compreendê-lo com a alma, e não de forma racional.

– Não se prenda ao que você já conhece nem ao que já viu em sua vida. Este é um novo caminho, e os sinais estarão em toda parte, onde você menos esperar.

– Em toda parte? Ficar atento? O que o senhor quer dizer com "onde menos esperar"? – eu perguntava, meio atordoado, mas já assimilando o que ele tentava me mostrar.

– Pequenos sinais podem estar nos lugares mais inusitados, como numa manchete de jornal, em uma pessoa que conversa perto de você, na pergunta de uma criança, em um vento mais quente, uma chuva mais fria, um sorriso mais convidativo. Sinais, Lufe, sinais.

Ficamos em silêncio.

Ele cuidava do café.

Eu olhava para a TV que estava ligada, quando começou um belíssimo comercial de uma companhia aérea. Estava hipnotizado pela sensibilidade das imagens, quando, no auge final, surge uma pergunta intrigante:

Quando foi a última vez que você fez alguma coisa pela primeira vez?

Aquela pergunta me tocou profundamente.

– Só entendemos quando estamos com as antenas conectadas – disse o Sr. Frank, percebendo minha reação.

– Mas... um comercial de TV?

– Por que não? Como eu disse... os sinais estarão em toda parte. Talvez essa pergunta seja um grande guia no seu caminho inicial.

– Como? – perguntei confuso.

– Faça sempre essa pergunta a si mesmo ao longo do caminho e assim saberá se está ou não na direção certa. Agora repita a pergunta, internalizando seu sentido real – pediu o Sr. Frank.

– *QUANDO FOI A ÚLTIMA VEZ QUE VOCÊ FEZ ALGUMA COISA PELA PRIMEIRA VEZ?*

Fiquei observando os movimentos lentos do Sr. Frank, enquanto aquela pergunta ecoava em minha mente. Era instigante, estimulante e provocativa. Vivia ali uma fagulha poderosa de inspiração.

O Sr. Frank trazia duas xícaras de café quente, recém-preparado.

Permaneci calado, observando e degustando aquele momento.

– Sr. Frank? O que o senhor acha...

– Psiu! – interrompeu, pedindo silêncio.

– Mas eu...
– Psiu! – insistiu.

Eu obedeci, intrigado. Minha mente parecia expandida e acordada, perguntando-se quando teria sido a última vez em que fiz alguma coisa pela primeira vez. Concluí que vivia uma sucessão dessas coisas nos últimos dias, inclusive, naquele momento. Acabara de receber um ensinamento incrível pela primeira vez, vindo daquele homem sábio à minha frente. Sorri sem dizer uma palavra, com os olhos lacrimejados e a sensação de estar no caminho certo. Meu olhar encontrou os olhos brilhantes do Sr. Frank que, silenciosamente, sorriu de volta, concordando com a cabeça, como se tivesse ouvido cada pensamento meu nos últimos minutos ali naquela cozinha em Notting Hill.

Um samba em Notting Hill

FOI QUASE SEM QUERER que aprendi a fotografar. Eu precisava escrever a tal coluna on-line para o Brasil, afinal, eu tinha que honrar os acordos feitos para viabilizar minha experiência em Londres. Não tinha nem computador, nem uma forma de registrar as imagens. Como meu currículo ostentava a experiência na TV, havia incluído no projeto a ideia de filmar pequenos vídeos para o site, com entrevistas e matérias especiais com os estudantes de intercâmbio.

Procurei os equipamentos necessários numa loja de itens de segunda mão. Com o pouco dinheiro que eu tinha, comprei um notebook usado, mas não consegui comprar a filmadora para as entrevistas. Isso era um problema sério, pois, para cumprir o acordo do projeto que vendi para a agência de viagens, uma câmera de vídeos era fundamental.

Estava ali dentro da loja, um pouco perdido sobre qual caminho seguir, quando Arthur, que me ajudava nessa missão, me questionou.

– Por que você não leva uma câmera fotográfica então?

– Ah, não, eu prometi fazer vídeos, e fotos não são a mesma coisa.

– Com o dinheiro que você tem, vai ser impossível conseguir uma câmera realmente boa. Se escrever a coluna, pode usar fotos para ilustrar as entrevistas.

Foi assim, por falta de dinheiro, que minha vida mudou naquele dia.

Comprei uma câmera fotográfica usada, bem barata e fácil de trabalhar no automático. Eu nem imaginava aonde ela me levaria e tudo o que estava para acontecer em minha vida.

Saí da loja e fiquei olhando aquela máquina em minhas mãos. Seria um novo desafio aprender a me comunicar por meio dela.

"Sinais, Lufe, sinais", eu pensava, já sentindo minhas mãos formigarem de vontade de ver o mundo através dela.

O meu aprendizado veio na prática. O Sr. Frank me apelidou de "turista japonês", dada a minha mania de fotografar incansavelmente tudo aquilo que via pela frente. Um dia, ele me levou até um belíssimo parque chamado Holland Park. Eu desembestei atrás de um esquilo, clicando alucinadamente.

– Você viu aquilo, Sr. Frank? Um esquilo! Que lindo!

– É a primeira vez que você vê um desses? – ele gargalhava.

– Sim! Corre, corre, preciso fotografar isso! Ninguém vai acreditar!

Sr. Frank é que não acreditava no que via: um homem de 30 anos correndo feito criança atrás de um esquilinho. Mesmo que para ele aquele animalzinho fosse a coisa mais normal do mundo, o Sr. Frank fazia questão de me incentivar a viver plenamente o momento.

Eu me sentia completo em cada instante. Queria me redescobrir. E, ao mesmo tempo, descobrir uma profissão que fosse tão prazerosa a ponto de eu jamais me sentir trabalhando outra vez. Queria produzir, contribuir, construir algo mais bacana na minha vida, e não simplesmente obedecer a ordens de um patrão, horários apertados e salários enxutos. Procurava liberdade. Mas com uma transbordante verdade interna.

Estava cada vez mais apaixonado por Londres, e já me sentia familiarizado e tranquilo em me locomover sozinho pela cidade. Então, eu procurei uma amiga de Florianópolis, Michele, que havia chegado à Inglaterra apenas dois meses antes de mim. Num fim de tarde, eu a encontrei na porta de sua escola. Dali, subimos a pé pela Rua Queensway até chegarmos ao parque mais conhecido da cidade, o Hyde Park, mais precisamente no Kensington Gardens, onde fica a casa onde viveu a princesa Diana. É um pequeno palácio, cercado de gramados bem cuidados e um grande lago repleto de gansos.

– Sente-se aqui – falou Michele, apontando para um banco.

– Olha para isso... como pode? Esta é a cidade mais linda do mundo! Que sensação maravilhosa! Você não acha?

– Não, Lufe, não acho, não.

Olhei para Michele para verificar se algo em sua fisionomia indicava que se tratava de uma piada. Sua cara era séria. Ela não estava bem e passou a próxima hora destilando todo seu descontentamento com Londres, sua amargura com as experiências que vivia e as desilusões tristes que persistiam em turvar sua visão otimista, ou mesmo qualquer possibilidade de satisfação e felicidade com aquele lugar.

– Quero contar para você como é que esta sua "cidade maravilhosa" funciona para que já possa ir se preparando para o pior.

– Uau... Você está me assustando...

– É bem isso, mesmo. Londres o consome rápido, principalmente se você se ilude com toda esta beleza. Acha que vai poder ficar passeando no parque à tarde, dando comidinha para os gansos com uma infinidade de despesas e contas para pagar? Sabe como é minha vida aqui no dia a dia?

E continuou sua lamúria, falando sem pausas da sua rotina difícil, sobre acordar às 4 horas da manhã para trabalhar, sobre os dois ônibus que precisava pegar para chegar ao seu emprego mal pago e, de acordo com seu tom de voz, nada estimulante, como faxineira de escritórios.

Michele sempre foi uma respeitada produtora de eventos no Brasil. Atuava com público classe A. E, em Londres, havia se tornado faxineira.

– Eles pagam uma miséria – prosseguia. – Chega o fim do dia, com trabalho, escola e mais todo esse tempo de transporte... Eu estou exausta! Esta cidade vai consumir você, Lufe. Vai acabar rapidinho com este sorriso alegre que está no seu rosto agora. Ou você acha que vai sempre morar de graça em Notting Hill?

– Se não está gostando do seu trabalho, por que não muda e consegue algum perto da sua casa?

– Está sonhando, Lufe? A gente não sabe falar a língua. A única coisa que vai sobrar para você aqui é limpar banheiros! Você vai ver!

Em poucos minutos, meu encantamento por Londres parecia ameaçado. Foi um impacto forte escutar tudo aquilo. Me impressionava o estado de desilusão da Michele. Alguma coisa parecia não se encaixar com o que eu sentia em minha alma. Tinha certeza de que Londres me traria muitas conquistas. Enxergava a cidade com clareza e em nada se parecia com o que ela dizia, mas eu a respeitava por sua trajetória e tinha humildade de aceitar aquilo que eu ainda não conhecia.

Caminhei de volta para casa conversando mentalmente com a cidade, como se fosse uma grande oração, um estado meditativo em movimento, tentando colocar minha essência interior e meus sonhos em sintonia com o que ela tinha de melhor para mim.

Eu decidi que o melhor era não focar no pessimismo das palavras da minha amiga. Entretanto, no fundo, me preocupava com a convergência entre o discurso dela e o que havia me dito o Sr. Frank dias atrás: ambos me alertavam sobre as dificuldades de sobreviver em Londres. O recado era claro.

Mesmo sendo positivo e confiante, precisava me preparar para dias intensos de trabalho. Por dentro, eu sentia força. Em vez de me desesperar, procurei enxergar o cenário desafiador com empolgação.

No dia seguinte, revirando minhas coisas, encontrei um número de telefone que havia sido dado por um conhecido de Florianópolis. Era de uma amiga dele, que estava envolvida com produções de eventos na Inglaterra. Eu acreditava que trabalharia mesmo na área de comunicação. Era pós-graduado em Marketing para Construção de Marcas e acumulava uma boa experiência em organização de eventos e em produção de programas de TV e de vídeos. Não iria limpar banheiros – tinha certeza de que conseguiria desempenhar alguma dessas funções em Londres.

– Alô, Cássia?

– *Yes*, Cássia *speaking* – respondeu ela, em inglês.

– Aqui é o Lufe, amigo do Marcos de Floripa. Tudo bem? Ele me deu seu telefone para que nos encontrássemos e tal...

Ela nem me deixou terminar e já interrompeu.

– Lufe, desculpe-me, estou bem atrasada para um compromisso. Mas, se quiser, pode me encontrar. Aliás... Você quer trabalhar?

– Como? Claro que sim!

Sinais! Sinais! Como poderia isso estar acontecendo tão rápido? No dia seguinte à conversa com Michele?

– Estamos preparando o palco de música eletrônica do Carnaval de Notting Hill. Se você quiser nos ajudar, seria ótimo. Não temos dinheiro para pagar, mas você vai conhecer muita gente bacana e influente. Topa?

– Carnaval de Notting Hill!? – celebrei silenciosamente.

A proposta parecia irrecusável. Afinal de contas, esse caminho parecia me levar para uma direção bem diferente à de lavar banheiros com sofrimento, e eu poderia começar minha rede de relacionamentos em Londres e, ao que tudo indicava, Cássia já era influente.

– Me encontre em uma hora na estação de metrô Shepherd's Bush. Vou estar com uma calça amarela. Traga roupas velhas, pois vamos pintar. Ah! E traga também sua câmera fotográfica, pois vai ser divertido.

Aprontei-me em tempo recorde. Na estação, me senti numa cena de filme, vendo inúmeras pessoas passando e eu esperando ansiosamente por uma mulher desconhecida. A cada sinal de calça amarela, meu coração disparava. Sentia que poderia estar no caminho certo. Afinal de contas, esse não era um trabalho de garçom ou faxineiro, como minha amiga havia me falado tanto. Eu teria a chance de fazer contatos com pessoas do meu meio profissional, e sabia que, mesmo sem falar bem o inglês, poderia oferecer um trabalho de alta qualidade. Tinha essa convicção interna e a fé de que seria sempre guiado para um melhor destino em minha vida. Só precisava me manter no fluxo positivo dos acontecimentos.

"Vou me encontrar com ela pela primeira vez! Vou pintar o palco do Carnaval pela primeira vez! Estou no caminho certo! Estou no caminho certo!", vibrava internamente.

Cássia finalmente apareceu. Deu-me um abraço carinhoso e demonstrou empolgação ao falar sobre as pessoas que encontraríamos e o trabalho a ser feito. Logo percebi que ali estava o início de uma boa amizade, algo bem maior do que apenas um contato profissional.

Dali, seguimos para um galpão onde seriam pintadas as placas de madeira que montariam o palco principal do Carnaval. Cássia revelava-se uma amiga cuidadosa, sempre alto-astral. Eu me esforçava muito para entender o que esperavam de mim. Ajudei em tudo o que pude. Sentia-me como se estivesse formando minha nova turma de amigos, todos eles com espírito de artistas.

Fui convidado para participar da montagem geral do palco, que seria no dia seguinte. Tinha muita dificuldade em entender o que eles falavam, tanto pela minha inaptidão com o idioma quanto pelo forte sotaque britânico – que tornava o inglês ainda mais difícil para mim. Chegou um momento em que desisti de tentar entendê-los. Para me manter ocupado, resolvi fotografar o processo de pintura e montagem. Não tinha ideia para que serviriam as imagens, mas seria bacana praticar e ao mesmo tempo guardar aquele carnaval em fotos.

Trabalho concluído, vieram os dois dias de festa. Como tinha ajudado na montagem, havia sido convidado para a área VIP do evento – festa mais animada, contato com pessoas da minha área profissional, comida e bebida de graça. Convidei a Michele para curtir esse carnaval comigo. Ela precisava relembrar que existiam outras realidades mais animadoras do que as oportunidades que ela estava presenciando até aquele momento. Levei também minha câmera e fotografava sem parar. Do alto da área VIP, eu tinha visão privilegiada, ângulos exclusivos e acesso livre às áreas de produção. Ver Michele dançando, com seu sorriso largo e os braços abertos para o céu em meio a toda aquela colorida diversidade foi estimulante. Era como se, naqueles instantes, ela se esquecesse das dificuldades e se reencontrasse com ela mesma. E eu podia enxergar a energia dela voltando a ficar leve.

Foi quando me joguei no meio da multidão em busca de ângulos inusitados que um homem alto, com voz grossa e imponente, veio falar comigo:

– Ei, você está fotografando a festa?

– Sim, estou – concordei, meio tímido, com receio de estar fazendo algo errado.

Talvez eu precisasse de alguma autorização oficial.

– Eu sou patrocinador do evento. Está vendo aquela placa ali?

– Sim, vejo... Do que seria?

– É da marca de bebidas que represento. Um energético. Fiquei reparando em você por um tempo e vi que parece estar se divertindo com as fotos que faz. É bonito vê-lo trabalhando, sabia?

– Obrigado – respondi, emocionado com a energia boa que vinha daquele homem.

– Você fez alguma foto que aparece minha marca?

– Sim! Fiz muitas fotos lindas com sua marca.

– Se você tiver umas fotos bacanas, posso comprá-las. Toma aqui o meu cartão. E me procure após o evento.

Seu nome era David e da mesma forma que apareceu do nada, ele sumiu no meio da multidão. Fiquei parado com o cartão em mãos, tentando absorver aquela mensagem inusitada. Será que eu tinha entendido bem o inglês dele? Era isso mesmo que eu estava pensando? Na verdade, não tinha feito foto nenhuma com a marca, mas, daquele momento em diante, meu foco era todo em valorizar a empresa daquele homem, que, por algum motivo, havia me notado naquela multidão.

No fundo, eu queria gritar no meio daquele Carnaval. Gritar para que todos ouvissem que valia a pena acreditar em si mesmo. Afinal, ao focar na positividade, eu fui levado àquela festa, conheci aquelas pessoas e, agora, tinha a oportunidade de ser pago pelas minhas fotos, mesmo ainda sendo tão aprendiz.

Dois dias depois, em um café ali mesmo em Notting Hill, intermediado por Annabela – que gentilmente fez o papel de intérprete – eu estava vendendo minhas fotos a David. Pela primeira vez, fui visto como fotógrafo profissional. Pela primeira vez, alguém se interessava pela forma como eu enxergava o mundo ao meu redor. Senti um prazer interno impossível de descrever em palavras.

Primeira vez! Primeira vez! – o que aquilo poderia significar?

Siga em frente

NOTTING HILL É UMA DAS ÁREAS mais caras e desejadas da cidade. Prestes a completar trinta dias em Londres, eu precisava deixar a casa de Arthur o quanto antes. Sabia que não teria condições financeiras de manter o mesmo nível de moradia ou um bairro como aquele, mas não perdia as esperanças. Desejava a sorte de conseguir ao menos algo não tão longe dali.

– Você precisa consultar os classificados dos jornais – dizia Arthur.

– Existem uns sites especializados em vagas, você deveria procurar ali – sugeria Annabela.

– Olhe também nos murais da escola. Com certeza deve haver anúncios por lá – recomendava o Sr. Frank. – Mas, acima de tudo, peça que Londres lhe mostre o caminho para sua nova casa. Tenho certeza de que a cidade sabe exatamente onde você deve estar a partir de agora.

Dentro do meu minguado orçamento, eu encontrava somente lugares muito distantes. Foi quando Michele me telefonou:

– Lufe, você ainda está procurando um lugar para morar?

– Estou, sim, Michele – falei meio inseguro.

Eu não fazia ideia do que ela iria propor, mas aquela nossa conversa no parque tinha me deixado com os dois pés atrás. Ao mesmo tempo, não queria dividir apartamento com brasileiros, pois morar com ingleses certamente me ajudaria a aprender a língua mais rapidamente.

– Estou com mais dois amigos procurando uma quarta pessoa para dividir um apartamento. Você não tem interesse? – ela perguntou.

– Olha, Michele, tenho sim... Mas posso dar essa resposta em dois dias?

– Sim, pode... Mas se você demorar muito, teremos que escolher outra pessoa. Sua resposta precisa ser rápida. O apartamento fica perto de onde você mora atualmente e é uma oportunidade única, Lufe. Sério mesmo. Não é todo dia que Londres nos dá uma chance assim – disse ela.

– Como? Você disse Londres nos dá essa chance?

– Disse... E é verdade... – respondeu, sem ter ideia de como aquilo fazia sentido para mim.

Era incrível como as datas batiam perfeitamente. Eles precisavam de alguém com urgência, e eu deveria me mudar o mais rápido possível. Não tinha muito o que decidir. Talvez fosse desse tipo de sinal que o Sr. Frank tanto me falava. Eu estava atento e tinha pedido à cidade que me encaminhasse até meu novo lar. Por um minuto, fiquei em silêncio. Não era por acaso que todas aquelas sincronias estavam acontecendo, nem era por acaso a forma como Michele acabara de falar. Eu pedia clareza em minhas decisões.

– Lufe? Lufe? Você está aí? – perguntou Michele ao telefone, me acordando do transe em que havia me perdido.

– Oi, Mi. Vou sim! Vamos morar juntos com certeza.

Passei os dois últimos dias de minha hospedagem na casa do Sr. Frank aproveitando o máximo que pude da companhia dos três anfitriões. Na sexta à noite, Arthur convidou todos para um jantar num refinado restaurante japonês. No sábado, Sr. Frank cozinhou meu prato favorito – não tenho ideia do nome, mas era um arroz com especiarias como *curry* que, para mim, sempre terá o gostinho daquela acolhedora família. Na parte da tarde, nós fomos ao parque para uma última caminhada antes de eu levar as minhas duas malas para a nova casa.

Eu estava meio calado, pensativo, como se me preparasse para o início da aventura da vida real em Londres. Sr. Frank percebeu minha vibração e me chamou para uma conversa particular.

– Lufe, como você está se sentindo? Animado com a nova casa?

– Sim... Acho que sim. A localização é ótima, não é? Assim estaremos perto e vou visitá-lo sempre.

– É ótima, sim. Mas isso não é o mais importante.

– Não?

– O importante é sempre estar...

– Atento! – completei.

– Isso mesmo! E você fará uma série de coisas pela primeira vez. Fique sempre atento aos sinais.

– Vou ficar atento, sim, meu amigo. Vou mantê-lo informado de tudo, não se preocupe.

– Não, não vai não, Lufe. A partir de agora você precisa se desprender do passado.

– O que você quer dizer?

– Quero dizer que a partir de hoje serei parte do seu passado. Nós não estaremos mais em contato. Quero que siga seu caminho sem se preocupar em me visitar, me ligar, ou mesmo ter qualquer tipo de obrigação comigo. Precisa se preocupar com você mesmo e se concentrar na sua busca.

– Desculpe, Sr. Frank, mas não vou conseguir. Claro que vou sempre estar por perto. Tenho aprendido muito com você.

– Se aprendeu mesmo alguma coisa comigo, sabe que daqui em diante precisa seguir em frente. Não precisa de ninguém além de você mesmo, inteiro e completo, ao seu lado. É um caminho de autoaprendizado. Entende?

– Acho que sim, quer dizer... Por quê?

– Se você me procurar será porque não está seguindo seu caminho corretamente. Por isso, não quero vê-lo. Siga em frente, Lufe. Muitas pessoas vão passar por sua vida, assim como eu acabo de passar. Aproveite o momento para reconhecer os dons de cada uma. Só assim poderá levá-las todas com você em sua busca. Saiba que elas passam em sua vida para despertá-lo, assim como você com certeza despertará algo nessas almas. Quando estamos em um caminho, estamos em movimento. Pessoas simplesmente passarão por sua vida durante esse fluxo constante, compreende?

– Sim... – eu disse, já percebendo que aquela era uma das últimas lições do Sr. Frank.

– Estamos em uma constante troca entre nossos dons e os dons das pessoas que encontramos durante a jornada. É só assim que aprendemos de verdade. É esse tipo de atenção que estou tentando despertar em você.

Fiquei em silêncio, absorvendo toda aquela conversa. A despedida não foi necessariamente feliz. Contudo, juntei minhas malas e olhei para a frente, levava a alegria de ter conhecido um homem como o Sr. Frank. Alguém que tinha me ensinado, ainda no início de minha jornada pessoal, que ser humilde era um caminho seguro para se ter sabedoria.

Água mole em pedra dura

MINHA CASA FICAVA PRÓXIMA à estação Gloucester Road, em uma área tão nobre e linda quanto Notting Hill. Era quase em frente ao Museu de História Natural, perto de Hyde Park. Uma área desejada e conceituada. Bastavam alguns minutos de caminhada para se chegar à famosa loja de departamentos Harrods e às ruas mais chiques da cidade, como a Sloane Street.

O apartamento era bonito, todo branco, com janelas altas e muita claridade, exatamente como eu tinha mentalizado. O piso era acarpetado em creme, com algumas bolinhas em tons vermelho-escuros, com um grande espelho logo na entrada. Havia somente dois cômodos, supostamente preparados para serem dois quartos. Mas, resolvemos fazer diferente: como os cômodos eram muito grandes, decidimos dormir todos em um só quarto, deixando o outro como sala de estar. Assim, poderíamos assistir à TV e ficar acordados sem perturbar os demais. Era tudo uma festa, e curtíamos com empolgação aquele novo momento em nossas vidas. A rua, chamada Courtfield Gardens, era silenciosa. Da sacada, nós podíamos ouvir os passarinhos cantando no parque. Tudo parecia perfeito. Nós quatro tivemos afinidades imediatas. Estávamos felizes em estarmos juntos.

Com o investimento em moradia, que tinha sido bem mais alto do que eu imaginava devido ao pagamento de taxas e cauções, minha reserva de dinheiro ficou quase esgotada. As histórias sobre as quais Michele e o próprio Sr. Frank me alertaram passavam a fazer sentido. Apesar de muito preocupado com a situação, eu não podia deixar isso transparecer – ou meus amigos ainda iriam supor que eu não pagaria o aluguel. Precisava conseguir um emprego com urgência.

Certa manhã, quando preparava um café na cozinha, me peguei olhando pela janela e avistei algo em que nunca tinha reparado: um enorme prédio verde, reluzente sob a luz do sol. Era um hotel bem alto e sofisticado. A menos de uma quadra da minha casa. O engraçado é que, teoricamente, era impossível não ver aquele prédio tão grande a uma distância tão pequena, mas foi a primeira vez que ele me chamou a atenção. Era quase como se falasse comigo.

– Michele, é ali que vou trabalhar! No hotel! – eu disse, confiante enquanto levava o café para a mesa.

– Ok, Lufe, ok. Até parece que você vai conseguir.

– Por que não? Aliás, por que você também não procura algo lá? Assim não precisaria acordar tão cedo nem pegar dois ônibus todos os dias. É só atravessar a rua. Vamos, Michele?

– Nunca conheci alguém tão otimista quanto você. Mas realmente acho que está viajando. Pare de se iludir!

– Pois é ali que vou trabalhar. Perto de casa, fácil de chegar. Vou fazer parte do departamento de eventos desse hotel. Pode acreditar!

Caprichei no meu currículo. Descrevi toda minha experiência como produtor de eventos e, depois, como diretor de TV. Coloquei também minha graduação e minha pós-graduação em Marketing. Sentia-me preparado, forte e decidido a fazer parte do time do hotel ao lado de casa.

Com o currículo impresso debaixo do braço, eu fui até lá procurar informações sobre o departamento de contratação. Meu inglês, uma lástima, mais me atrapalhava do que ajudava. Mesmo assim, eu não perdia a postura e tentava me comportar profissionalmente. Cheguei até a diretoria de Recursos Humanos. Atenderam-me educadamente, expliquei meus conhecimentos e deixei claro que poderia ajudar nas funções de eventos. Ressaltei até a vantagem de morar ali ao lado – estaria pronto para resolver qualquer emergência. Fui embora confiante. Estava convencido de que o telefone tocaria a qualquer momento.

Doce ilusão. O tempo foi passando, passando, e o dinheiro minguando, minguando... Até que necessidades básicas do dia a dia, como alimentação e transporte, começaram a pesar. Evitava andar de metrô, para economizar. Comia somente pães simples comprados em um supermercado barato. Meus companheiros de apartamento trabalhavam em empregos de garçom ou limpeza. Eu estava decidido a conseguir algo melhor, mesmo com meu inglês limitado.

E nada do hotel ligar.

Certa manhã bem cedo, ainda escuro, acordei de supetão e me sentei na cama nervoso. Minha respiração ofegante assustou Michele, que estava na cama ao lado. No fundo, eu estava era furioso e esbravejando sozinho.

– O que foi, Lufe? Que cara é essa?

– Eles estão pensando o quê? Não vão me ligar, não? É isso? Por quê? Só porque não sei falar inglês?

– Calma. Calma.

– Calma nada! Hoje eles vão ter de me escutar! Não é o que querem? Ver se eu sei falar inglês? Vou lá agora! – eu gritava sem parar enquanto me trocava.

– Não adianta ficar assim. Vá procurar outra coisa. Nesse hotel, não vão contratar você. Detesto dizer isso, mas eu avisei...

Apesar de todo o cenário desfavorável, eu sentia algo me dizendo que iria dar certo. Por que duvidaria?

– Não disse para você, Lufe? As coisas aqui não são tão simples... Não adianta ser otimista, tem que ralar muito. Falo isso para seu bem. Desista.

Em vez de me demover da ideia de ir até lá cobrar uma reposta, as palavras de Michele me deixaram ainda mais determinado. Eu tiraria satisfação pessoalmente com aquela diretora de Recursos Humanos. Estava seguro de minhas aptidões. Sabia que seria de ótima ajuda para o hotel. Se não me queriam, iam ter de me dizer cara a cara – ao menos me dariam a chance de praticar meu incipiente inglês com uma boa discussão. Naquele momento, eu só precisava me livrar daquele sentimento de rejeição e má sorte, e seguir adiante, fosse qual fosse o desfecho.

Eu me arrumei de forma elegante e fui até lá. Michele tentou me fazer desistir dessa loucura afrontosa, mas estava determinado. Entrei pela porta giratória da entrada do hotel e avistei o corredor que levava ao RH. Segui em frente, sem ser interpelado pela segurança. A porta estava fechada, mas era possível ver o interior da sala em que estive anteriormente através de uma pequena janela circular de vidro. Bati educadamente. Não fui atendido. Olhei pela janelinha. Não vi ninguém. As mesas estavam vazias.

– Droga! Justo hoje que tive esse ataque de coragem essa mulher não está aqui?

Insisti, batendo com mais vontade, como se eu descontasse ali minha decepção e meu desespero. Eu precisava falar com a diretora de RH naquele dia. Batia cada vez mais forte falando mentalmente "abre essa porta para mim! Abre essa porta para mim! Abre essa porta para mim!".

Já estava quase desistindo quando avistei um homem saindo de dentro de uma sala no interior do departamento. Vinha em minha direção e parecia indignado com o incômodo que minhas batidas causavam em sua rotina de trabalho.

– Pois não? – perguntou.

– A moça que trabalha nesta mesa está? – perguntei, num inglês fajuto. – Ela está?

– Como você pode ver, não, ela não está – respondeu, com o peculiar sarcasmo britânico.

– Então vou falar com você mesmo! – insisti, e já fui entrando.

Naquele momento, eu precisava desabafar. Então, a minha conversa poderia ser com o primeiro que aparecesse. Eu expliquei toda a situação e minha indignação em não receber respostas usando meu inglês sofrível.

– Por acaso vocês tiveram tempo de ver a experiência que tenho? – eu perguntava. – Não acham que posso ajudá-los? Por que nunca ninguém nem sequer me ligou?

O homem não entendeu nada e se sentia acuado. Só escutava. Mantinha os olhos arregalados e respondia, confuso, que não sabia e não tinha ideia do que se tratava.

Eu mantinha a postura segura e forte, ao mesmo tempo que tentava ser elegante, sem descambar para um tom de desespero. Buscava me expressar com a confiança de quem realmente acredita estar com a razão. Eu desejava trabalhar ali no departamento de eventos e era uma pessoa capacitada para tal. Para mim era simples e queria que eles entendessem isso e me contratassem, mas o homem, coitado, estava assustado com aquele louco à sua frente.

Quando eu encerrei minha lamúria e minha mente se acalmou, eu comecei a me dar conta da insanidade que estava cometendo. Onde já se viu algo assim? O candidato ir tirar satisfação com a empresa porque acha que eles deveriam contratá-lo?

Foi nesse momento, já com mais consciência da realidade, que percebi um vulto passando atrás de mim. Meus olhos foram acompanhando a cena da mulher responsável pelo RH chegando e se posicionando ao lado do homem que se mostrava claramente abalado.

Eu já esperava o pior. Contava que seria expulso dali a pontapés, que eles chamariam a segurança, que eu nunca mais poderia pisar naquele hotel.

– O que está acontecendo aqui? – perguntou ela.

– Posso saber por que você não contratou este rapaz? – o homem perguntou a ela de forma autoritária, para minha surpresa.

A mulher me olhava de cima a baixo sem entender nada. Pela sua cara, devia estar pensando de onde tinha surgido aquele louco ali na sua frente.

– Boa pergunta. Posso saber por que você não me contratou? – emendei, buscando imprimir firmeza e seriedade.

A pobre coitada, ainda assustada, acabou dando uma resposta meio reticente. Argumentou que não tinha me contratado porque eu ainda não tinha conta em banco. Rebati que aquele problema seria resolvido justamente depois que eu fosse contratado, pois, com uma carta da empresa, eu conseguiria abrir uma conta bancária.

– Por favor, pegue novamente os dados dele e resolva isso – solicitou o homem imperativamente, voltando indignado para sua sala.

– Você pode me passar novamente o seu currículo? – pediu ela educadamente, mas ao mesmo tempo assustada.

Saí daquele hotel com um turbilhão de sentimentos. Não sabia se tinha feito a coisa certa. Nem se teria a chance de trabalhar ali depois de tanta audácia. Mas, de uma coisa tinha certeza: eu tive coragem. Coragem de quem não duvida da realização de um objetivo, nem da sua capacidade. Eu tive tanta certeza da sintonia que senti ao ver aquele prédio da minha janela, que sabia que existia algo ali e que precisava lutar por isso. Ao mesmo tempo, ao agir daquela forma, descarreguei toda a tensão que segurava, eliminando o sentimento de descrença e má sorte, e não acreditando em barreiras limitantes. Eu estava recolocando minha vida em movimento positivo, mesmo que fosse aos gritos.

Ao seguir meus instintos, meu foco e minha certeza, acabei sendo atraído a uma situação ainda mais poderosa, pois, sem saber, desabafei com o chefe do RH – este era o cargo do homem que me recebeu acidentalmente. Se a ideia era prestar atenção aos sinais, eu estava curioso para saber aonde aquela situação me levaria.

Para inglês ver

É HORRÍVEL A SENSAÇÃO de receber um telefonema importante e perceber que não consegue compreender direito o que dizem do outro lado da linha.

– *Yes*... Sim?

– Lufe, tudo bem? Aqui é do RH do hotel. Surgiu uma vaga. Você ainda está interessado?

– *Yes*... Sim... Sim!

– Você vai falar com a Lola. Ela vai recebê-lo no café da manhã do hotel. Eles realizam eventos com o tema caribenho.

– Sim, sim, obrigado – era só o que eu conseguia dizer.

– Amanhã às 11 horas. Ok?

– Sim, sim, *yes*... – eu continuava, pescando palavras para entender o contexto daquela ligação.

Desliguei. Não podia acreditar: mesmo depois de tudo o que tinha acontecido, eu havia sido convidado para uma vaga. Estaria frente a frente com a Lola, provavelmente a diretora de eventos do hotel. Comecei a imaginar tudo: salas de reuniões, executivos de todas as partes do mundo... Aprenderia muito. E trabalharia a poucos passos de casa. Eu só não conseguia entender onde é que os eventos "caribenhos" entravam nesse contexto. Será que eu tinha entendido errado?

No dia seguinte, no horário marcado, estava eu lá no salão de café da manhã, todo arrumadinho e pronto para impressionar a "diretora de eventos".

– Bom dia, poderia falar com a Lola, por favor?

– O café da manhã já acabou, senhor. Encerrou às 10 horas. Posso ajudá-lo? – respondeu um garçom, confundindo-me com um hóspede do hotel.

– Não, obrigado, a Lola está me aguardando – arrisquei um bate-papo.

– Compreendo, senhor. Por favor, sente-se aqui e já vou comunicá-la.

Alguns minutos depois, Lola chegou. Trazia papéis nas mãos. Era baixa, bem magrinha, cabelos longos, lisos e pretos. Cumprimentou-me e sentou-se.

– Como está? Tudo bem? – perguntou informalmente, e eu pude perceber que ela não era inglesa. Talvez fosse da Indonésia, da Malásia ou das Filipinas.

– Estou bem, obrigado por me receber.

– O pessoal do RH me passou seu currículo. Você é brasileiro, certo?

– Sim. – Eu procurava falar pouco para não me entregar no péssimo inglês.

– E como você se vê trabalhando aqui conosco? – perguntou.

– Bem, espero trabalhar no departamento de eventos, ajudar na produção, na recepção, inclusive dando ideias e contribuindo nos projetos especiais e em todas as possibilidades que aparecerem – tentei explicar.

Lola me observava com uma cara de espanto e surpresa.

– Não entendo por que o RH mandou você aqui ao restaurante. A única vaga que tenho é de garçom no café da manhã.

– Como? – jurando não compreender por causa do inglês.

– O hotel não faz eventos. O único que fazemos aqui é um jantar caribenho que acontece uma vez por mês.

– Jantar caribenho? Uma vez por mês? – eu disse, me controlando para não cair na gargalhada daquela situação que eu mesmo tinha criado em minha mente.

– Sim, realmente só temos a vaga de garçom.

– Bem, para mim está perfeito. Se você tem essa vaga, gostaria muito de ter a chance de trabalhar com vocês – respondi empolgado, pois estava em uma situação desesperadora e precisava urgentemente de um trabalho remunerado.

– Sim, claro, mas não posso empregar você aqui. Seu inglês não é suficiente para atender aos hóspedes. O pessoal do RH deve ter se enganado.

– Tenho certeza de que posso ser um bom atendente. Basta que me ensine as coisas básicas. Você não vai se arrepender. Confie em mim! – eu insistia já bem preocupado de não ser aprovado nem para garçom.

– Não posso.

Eu insisti olhando diretamente nos olhos dela como se implorasse por essa oportunidade.

– Ok... vou te dar uma chance. Você me inspira confiança e gostei muito de te conhecer. Mas preciso avaliar e volto a ligar. Podemos combinar assim?

– Lola, por favor, vamos fazer um teste? Quem sabe não trabalho um dia e você me avalia?

Enquanto ela pensava, eu insistia com segurança, tentando garantir a vaga de meu primeiro emprego em Londres.

– Você é bem insistente, não é? Ok... ok... Vamos fazer um teste amanhã às 5 horas da manhã, entendeu? Mas, se você não conseguir atender os clientes, não tem conversa, combinado?

– Sim, entendi. Muito obrigado.

Não sabia se festejava ou se me desesperava. Aquilo seria diferente de tudo que eu já havia feito. E não só pela dificuldade com o idioma. Eu nem sabia equilibrar uma bandeja.

Voltei para casa eufórico contando à Michele que eu tinha conseguido uma oportunidade onde ela não acreditava que eu conseguiria. Minha intenção era trazê-la de volta ao lado otimista de ver a vida. No dia seguinte, cheguei pontualmente às 5 horas. Recebi o uniforme e as instruções. Meu trabalho era montar as mesas e arrumar tudo para a chegada dos hóspedes.

– Você sabe o que oferecer aos clientes? – perguntou Lola.

– Não. Pode me ensinar?

– Você pergunta somente o básico: "Você aceita chá? Café? Torradas?".

– Ok.

– Só isso, não é necessário mais nada. Caso perguntem algo mais, nos procure. Eles se servem sozinhos no buffet.

– *Tea. Coffee. Toast.* Só isso, certo?

– A princípio, sim.

– Ok, Lola, obrigado.

Comecei a ensaiar concentrado, enquanto arrumava as mesas.

– *Tea? Coffee? Toast?...* Chá? Café? Torradas? *Tea? Coffee? Toast?* – Eu tentava decorar, quando escutei um colega me chamando.

– Ei... Você pode, por favor, me passar um *saucer* e algumas *spoons*?

– O quê? Desculpe....

– *Saucer! Spoons!* – berrou o colega, já sem paciência.

"O que será que esse grosso está falando?!", eu me perguntava, quando vi um outro garçom pegando alguns pires e um punhado de colheres e entregando a ele. "Bem... São pires e colheres... Mas qual será qual? *Spoons* e *saucers*? Ai, ai, ai... O que estou fazendo aqui?"

Logo os clientes começaram a chegar e o coração disparou. Fui até a primeira mesa e então soltei a frase bem ensaiada:

– *Tea? Coffee? Toast?* – falei, com certo ar aristocrático.

– *Coffee*, por favor – disse a mulher educadamente.

Ufa... Eu tinha passado pelo primeiro teste. E pelo segundo... E pelo terceiro... E assim já me tornava mais confiante.

O restaurante era todo revestido de espelhos e, entre uma mesa e outra, eu não conseguia segurar as risadas ao me ver vestido com aquele uniforme listrado. Até poucos meses atrás, eu era um respeitado diretor de programas de TV, morava em frente a uma lagoa numa ilha ensolarada, dirigia um carrão. Agora eu estava ali, em uma cidade que não conhecia, mal falava o idioma local, estava totalmente sem dinheiro e trabalhava como garçom, tendo de acordar às 4 horas da manhã e ainda usar um uniforme listrado. Eu ria, achando toda aquela experiência o máximo, como se estivesse vivendo uma aventura que sempre desejei. Em momento algum, eu sentia que realizava um trabalho menor. Sempre pedi muito para encontrar o caminho que fosse melhor para mim. Então, se eu estava ali, naquele momento e lugar, era porque havia um motivo, um aprendizado. Precisava apenas estar atento.

– É a primeira vez que trabalho como garçom! Primeira vez! – Eu me divertia, lembrando-me do Sr. Frank.

Tudo ia bem em meu primeiro dia, até que:

– Bom dia, senhor. Chá? Café? Torradas?

– *Teacoffe, please!* – ordenou o senhor inglês, com a cara amarrada e visivelmente mal-humorado.

– *Sorry?* Desculpe? – estranhei.

– *Teacoffeeplease*! *Teacoffeeplease. Ticofi plissss, Ticofi plisssss* – repetiu o homem, não dando a menor chance de eu perguntar novamente.

Em meu pobre entendimento, era como se ele estivesse falando algo parecido com *chácafé*, por favor! *Chácafé,* por favor!

Chá café? Como assim? Será que ele queria que eu misturasse chá e café na mesma xícara? Ou será que ele queria que eu levasse um bule de chá e outro de café? Resolvi perguntar ao colega da cozinha, que não ofereceu nenhuma ajuda. Eu estava confuso, e então perguntei à chefe.

– Lola, o cliente da mesa dois está com um pedido estranho.

– Me diga pausadamente o que ele te falou – disse Lola.

– *Teacoffe please, ticofi plissss!*

– Outra vez...

– *Ticofi plisss*!

– Hum... Fala de novo.

– *Ticofi please*!

– Entendi. Ele está pedindo *decaf*, cuja pronúncia seria algo como "dikáf".

– O quê? E não foi o que eu disse?

– Não... *Decaf* é café descafeinado.

Minha cara de espanto foi indescritível. Nem sabia que isso poderia acontecer e gargalhei na frente da minha chefe, que logo chamou minha atenção:

– Corre, o cliente está esperando!

Servi o cliente como se nada tivesse acontecido, assim como servi as outras mesas. Ao final daquela primeira manhã, estava exausto, mas confiante. Tinha me alimentado ali, o grupo de colegas não era assim tão disposto a ajudar, mas eu poderia fazer o trabalho tranquilamente, dedicando-me aos estudos e à coluna on-line à tarde e à noite. As coisas estavam se ajeitando, sem contar que eu tinha aprendido a falar "colher", "pires" e até "café descafeinado".

Era hora de me despedir de Lola e saber se poderia ou não continuar no trabalho.

– Já terminei de polir os talheres. As mesas estão arrumadas. Algo mais que eu possa fazer?

– Não, Lufe. Muito obrigada. Você se saiu muito bem e vou agendá-lo para mais três dias esta semana. Que tal?

Eu sorri, concordando.

– Então, até amanhã. Nos vemos às 5 horas novamente.

– Ok, obrigado. Ah... Lola, mais uma coisa. Você precisa contratar uma amiga minha. Ela vai ser ótima para você aqui no café da manhã!

Eu acreditava que Michele era perfeita para aquele trabalho. Afinal, ela era bonita, simpática, sorridente, excelente trabalhadora, morava ao lado do hotel e tinha experiência com eventos e atendimento. Para mim, era óbvio: aquele restaurante precisava dela. Mas a minha chefe reagiu de forma completamente oposta. Ela não acreditava que eu, um simples novato, e que nem sequer sabia servir um café descafeinado, ao final do primeiro dia de trabalho, quando ainda estava sendo analisado, teve a coragem de pedir emprego para uma amiga. Lola ficou irritadíssima e não me deu muita atenção, não queria acreditar em tamanho absurdo.

– Lola, não sou eu que estou pedindo emprego para minha amiga. É você que precisa dela. Você não entende?

– Não! Não entendo, Lufe. O que entendo é que você não fala inglês, não tem experiência em servir. Estou sendo delicada em aceitá-lo e ainda pede emprego para uma amiga no final do primeiro dia de trabalho?

– Não diga que não, Lola – eu insistia, sem me abalar, para o desespero da gerente. – Apenas conheça a minha amiga, porque tenho certeza de que você vai adorá-la. Confie em mim!

Eu não enxergava o trabalho como algo menor. Eu via como um grupo a ser formado e que deveria ser um time vencedor. Era um raciocínio lógico. E aquela gerente estava perdendo uma joia preciosa caso não contratasse Michele.

– Realmente fiquei surpresa com o seu pedido. Para ser sincera, não consigo acreditar em tamanha audácia.

– Lola, confie em mim. Minha amiga não precisa de emprego, pois ela já tem trabalho. É você que precisa dela no seu time.

– Você não existe, sabia? Está certo então... Pode chamá-la aqui amanhã no final do expediente. Mas já aviso que não tenho vaga!

– Tudo bem, Lola. Conheça a Michele... Depois você vê o que faz.

– Pelo menos ela fala inglês, certo?

Eu disfarcei na resposta e logo saí do restaurante. Tinha vencido desafios que pareciam intransponíveis há apenas cinco horas e, agora, eu tinha um emprego. E mais: consegui uma entrevista para Michele. Não parei para pensar que aquilo poderia me afetar de forma negativa. Que, talvez, ela pudesse ser chamada mais vezes para os trabalhos do que eu, ou que a gerente não me contratasse mais por ter sido inconveniente. Apenas enxerguei um fluxo positivo em movimento e acreditava que ela deveria entrar nesta vibração que estava sendo criada. Afinal de contas, ela era uma menina extremamente carinhosa e sonhadora.

Fui para casa apressado. Contei a ela cada detalhe com a maior empolgação e rimos com o caso do café descafeinado, e também sobre minha esperança em trabalhar com eventos, mas acabar com um uniforme listrado no café da manhã. Tudo parecia uma aventura, tudo era válido e divertido.

– E não é só isso. Tenho uma novidade – eu disse.

– O quê? – já curiosa.

– Acho que consegui um emprego para você. Marquei um encontro com a gerente amanhã às 11 horas. Se vira, mas vá lá e consiga esse trabalho! Imagina você não mais precisando pegar dois ônibus! Sua vida vai mudar, Michele!

– Você é maluco! Como conseguiu isso?

– Não importa, o principal agora é você fingir que fala inglês. Como você mesma diz, sorria! Sorria sempre que tenho certeza de que vai se dar bem.

No dia seguinte, tudo transcorreu perfeitamente. Quando Michele chegou, saí do salão e fui realizar meus afazeres na cozinha. Não queria que ela fosse vista como a amiguinha do novato.

Enquanto limpava os talheres, eu não conseguia conter minha curiosidade. Imaginava Lola e Michele em perfeita sintonia e harmonia. Quando estava quase terminando de polir os pratos, a gerente entrou na cozinha:

– Você tinha razão. Ela é um encanto. Não fala inglês, mas vou ajudá-la, pois gostei muito. Não precisa dizer a ninguém aqui que ela é sua amiga, ok? Ela começa amanhã.

Fiquei emocionado olhando para Lola. Reconheci nela uma das pessoas fundamentais para a minha jornada pessoal. Ela tinha tudo para me dispensar, não me ouvir e me desprezar, mas não. Ela tinha um verdadeiro espírito de cooperação e atenção. Ela ouvia o outro e estava disposta a acreditar – ela relutava no início, mas sempre tinha disponibilidade de dar chance a quem a procurava com brilho no olhar. Era inspiradora.

Minha maior felicidade, além do primeiro emprego, era a oportunidade de mostrar à minha amiga que pensamentos e atitudes positivas podem fazer coisas consideradas impossíveis se tornarem possíveis.

Não

TUDO CAMINHAVA BEM, mas, com o passar das semanas, senti a necessidade de colocar minha vida em movimento outra vez. Eu poderia trabalhar em mais algum lugar, assim não ficaria dependente da escala de horários do hotel. Comecei a procurar oportunidades perto da escola onde estudava, principalmente em agências de eventos. Deixava vários currículos e tentava arranjar entrevistas de emprego, contudo, a única coisa que conseguia era me irritar com a educação perfeita dos ingleses que me enviavam cartas finamente redigidas para me dizer que não tinham interesse em mim. Cada vez que recebia essas cartas que agradeciam, mas que negavam a vaga, eu sentia um misto de raiva e admiração por tais atitudes. Para mim, aquilo era o cúmulo da elegância e da zombaria ao mesmo tempo.

Eu tinha a intenção de conviver mais com a vibração de Soho, bairro conhecido por sua agitada vida artística. Deslumbrava-me com tantos bares, cafés, restaurantes, galerias de arte, casas de jazz, livrarias, teatros e cinemas. Para mim, era uma vida muito atraente. Circular por ali ajudaria com que eu me envolvesse com ingleses interessantes e viajados – eu queria muito sair dos guetos dos brasileiros e dos estudantes.

Determinado a conseguir algo, preparei um currículo dizendo que tinha grande experiência em restaurantes. Não era tudo mentira, pois eu realmente havia trabalhado com eventos durante muitos anos no Brasil e, agora, dava expediente diário no café da manhã do hotel. Numa dessas andanças, eu passei em frente a um estabelecimento com iluminação acolhedora e com um piano grande no centro do salão. As mesas estavam luxuosamente decoradas. Na entrada, o letreiro dizia "Champagne Bar".

Uma garçonete simpática e sorridente se dirigiu a mim:

– Boa tarde. Como posso ajudá-lo?

– Bem, eu estava passando por aqui, gostei muito desse restaurante e...

– Espera aí... Você é brasileiro? – perguntou ela, em bom português.

– Sim, sou!

– Legal! Olha, temos muito brasileiros trabalhando aqui. Os gerentes adoram. Dizem que somos bons trabalhadores e extremamente simpáticos.

– Que notícia ótima!

– O que você está procurando? Está querendo trabalhar?

– Sim. Você sabe se tem alguma vaga?

– Olha, não sei dizer ao certo, mas sempre que nos procuram damos uma ficha de cadastro. Quem sabe você não preenche e eles te ligam?

– Acha mesmo que eles ligam? Ou é melhor voltar aqui outra hora?

– Depende. Você já trabalhou neste ramo antes?

Contei tudo a ela. Preenchi a tal ficha. Saí de lá feliz, mas, ao mesmo tempo, reticente sobre se realmente me retornariam.

Dois dias depois, num sábado de manhã, recebi uma chamada de Jane, a gerente do Champagne Bar. Ela marcou uma conversa para a tarde do mesmo dia. Fiquei animado.

Preparei-me para a ocasião. Vesti um casaco pesado, camisa de botões e um cachecol novo que tinha comprado no dia anterior. Ao chegar, sentei-me em um confortável sofá de couro. Observava as pinturas, as luminárias, os enfeites, a luz que passava pela janela vitoriana, a escadaria... Alguma coisa fazia com que eu me sentisse muito bem naquele ambiente aristocrático, um cenário onde histórias incríveis já deviam ter se passado.

"Quantos nobres ou mesmo celebridades já se sentaram nestas mesas e frequentaram este ambiente?", me perguntava mentalmente.

Eis que Jane se apresentou. Devia ter uns 35 anos, no máximo. Pele bem branca, cabelos castanho-claros e ondulados, com um corte terrível que a envelhecia uns vinte anos. Vestia um blazer cinza com ombreiras, abotoado. Usava óculos de grau estilo fundo de garrafa. Era alta, muito magra e transmitia um ar de superioridade. Mantinha sempre a coluna ereta. Parecia uma governanta malvada, capaz de educar até a mais rebelde das crianças e, ao mesmo tempo, coordenar um time de empregados, assustados com sua mera presença.

– Boa tarde, Sr. Lufe, como está?

– Boa tarde, Sra. Jane. Muito bem, obrigado – respondi, estranhando a formalidade excessiva. Mas adorei tudo aquilo, pois, afinal, combinava com a decoração daquele ambiente luxuoso.

– Recebi seu currículo e gostaria de saber quantas mesas costumava atender no restaurante em que trabalhou?

Eu, que havia mencionado ter trabalhado no restaurante de um amigo em Florianópolis, fiquei desconcertado. Não sabia mentir.

– Bem... Umas vinte mesas – eu disse.

– Como? Vinte mesas? Isso é impossível! São muitas.

Eu não tinha noção do que estava falando.

– É que era muito diferente daqui. Era um restaurante de praia e com sushi. As pessoas se serviam também no sistema self-service – falei, sem a menor convicção, mas foi a primeira coisa que me veio à cabeça.

Jane começou a me fazer perguntas muito bem elaboradas. A entrevista foi se estendendo por vários minutos. Eu me saía muito bem nas respostas. Por vezes, me pegava distraído analisando aquela mulher à minha frente. De alguma forma, parecia viajar nas inúmeras possibilidades do que ela poderia realmente ser, além de toda aquela máscara de gerente geral de restaurante. Não a via mais como uma possível chefe, mas estava me interessando por aquela figura cômica. Existia algo ali que eu ainda não compreendia.

– Você é a pessoa certa – disse ela.

Eu me empolguei.

– Você tem a atitude correta.

O coração batia forte.

– Tem o visual ideal.

Já sentia na pele a sensação de trabalhar ali, fazer parte daquele time.

– Tem educação, postura, olhar determinado.

Neste momento, eu quis sair gritando como num gol em final de Copa do Mundo, quando ela finalizou:

– Mas...

– Mas? – esperei com os olhos arregalados e os ouvidos atentos.

Ela respirou fundo, subiu a sobrancelha esquerda ainda mais acima que os enormes óculos e disse na maior calma:

– Eu não vou empregar você!

Assim, de um jeito curto e grosso, direto ao ponto. Minha cabeça era um ponto de interrogação nervoso. Não acreditava na cena que eu presenciava. Comecei a gargalhar descontroladamente. E, quando digo descontroladamente, quero que você me imagine caindo de rir. De encher os olhos de lágrimas e doer a barriga. Nesse nível.

Eu olhava para ela com aquele visual de filme dos anos 1980, falando boas percepções sobre mim e sem mudar as feições, com aqueles óculos enormes, as ombreiras do blazer, naquele lugar elegantíssimo, simplesmente me dizendo "Eu não vou empregar você!", bem quando eu achava que já estava para ser contratado. Não aguentei. Aquilo era engraçado demais.

Quanto mais a olhava, mais ria. Jane se mantinha ereta, altiva, dona de si. Somente a sobrancelha levantada.

– Posso saber por que você ri tanto? Entendeu o que eu disse? Não darei o emprego a você.

Respirei fundo para não começar a rir de novo. Olhei bem nos olhos dela e disse, sem pensar:

– Gostei de você, Jane. Gostei. Você é muito engraçada! Quero trabalhar com você! – e não consegui segurar uma nova gargalhada.

Jane não entendia nada. Permanecia me olhando, imóvel, sem expressão, com aqueles óculos fundo de garrafa.

Para mim, aquela situação era surreal. Primeiro, a mulher me elogiava com palavras lindas e estimulantes. Depois, com a mesma expressão facial apática, ela dizia calmamente que não iria me dar o trabalho.

Eu não conseguia parar de rir, e a situação estava ficando constrangedora.

– Gostei de você, Jane. Quero trabalhar em sua equipe! – continuei.

– Acho que você não me entendeu – repetiu, séria.

– Posso saber por que não vai me contratar? – perguntei.

– Simples. Porque você não sabe falar inglês. Não tem condições de atender a uma mesa de clientes com o nível que prezamos aqui.

Seu sotaque britânico austero dava mais dramaticidade cômica à situação. E aquilo tudo acontecia em um cenário antigo, com luz natural vindo das imensas janelas, revelando os móveis e o piano ao fundo. Jane combinava com aquilo. Eu me sentia em algum filme ou pegadinha de programa de TV. Com o famoso humor inglês, é claro.

– Bem Jane, esse problema nós resolveremos juntos – prossegui. – Mas consiga alguma coisa para mim aqui neste restaurante, pois vou adorar conviver com você. Realmente, adorei conhecê-la. Você me lembra uma amiga minha do Brasil.

– Não creio que possa lhe dar esperanças, mas vou ver o que posso fazer.

– Obrigado, Jane. Tenho certeza de que nos veremos em breve.

– Uma última coisa, Lufe. O que fez com que você risse tanto? Posso saber?

– Não me leve a mal, por favor. Na verdade, não sei ao certo, mas você tem alguma coisa muito natural que me despertou isso.

Jane sorriu pela primeira vez. Não foi um sorriso aberto, é claro, mas um pequeno deslize de alegria no canto direito da boca.

No dia seguinte, um domingo, fui andar sozinho pelo Hyde Park. Lembrava-me da cara e do estilo daquela figura. Sempre acreditei que as pessoas surgem em meu caminho por algum motivo – e com Jane foi tão forte e natural que não poderia ser diferente.

Caminhei perto do lago, pensando em meus projetos futuros e em meus sonhos com viagens aos países da Europa. Andei até chegar em frente ao Royal Albert Hall, uma magnífica sala de concertos que fica em uma das áreas mais nobres da cidade. Durante o passeio pelo parque, pedia mentalmente que me fossem trazidas boas novas e que eu fosse guiado até alcançar o que estivesse realmente destinado a mim. Sabia que tinha uma história a ser vivida em Londres e queria estar atento aos sinais durante todo o caminho.

– Quando foi a última vez que eu fiz alguma coisa pela primeira vez? – me perguntava, me lembrando do Sr. Frank.

Eu estava desenvolvendo a sensibilidade que sempre desejei. Aprendia a escutar minha voz interna. Começava a perceber com mais intensidade as mensagens que me eram enviadas a todo momento. Harmonizar com a cidade contribuía fortemente para o meu bem maior, pois Londres era agora parte de mim mesmo – e vice-versa. Eu pedia para que ela me mostrasse as ruas em que deveria andar, as pessoas que deveria encontrar e os trabalhos a realizar para alcançar algo que, naquele momento, eu nem sabia exatamente o que era. Só sabia que estava no caminho certo e que não estava só.

Minha concentração foi interrompida pelo toque do celular. Era Jane.

Ela tinha a voz animada e mais descontraída. Contou que tinha conseguido uma posição para mim no restaurante – mas que, infelizmente, não era de garçom como eu desejava. Achei interessante a forma como ela falava empolgada, parecendo que havia se colocado numa missão impossível que tinha conseguido realizar apesar das aparentes negatividades. Ela dizia que, com o tempo, e se eu melhorasse meu inglês, poderia ser promovido. Tive uma imensa gratidão por ela, imaginando que devia ter enfrentado fortes paradigmas para conseguir empregar uma pessoa tão despreparada.

Combinamos uma conversa para o dia seguinte. Eu já deveria ir preparado para a primeira noite de trabalho.

Comemorei andando sozinho pelo parque. Eu agradecia em voz alta ao universo e a toda sintonia e conexão que sentia com essa luz que parecia me guiar, pois, mesmo sem saber aonde esse caminho me levaria, eu já sentia que dava os passos na direção certa.

Uma epifania

JANE ME RECEBEU COM SEU AR formal de sempre, mas com certo carinho. Contou-me que teve de remanejar a estrutura de pessoal para conseguir uma posição para mim. Achava engraçada a maneira como ela falava – parecia pedir desculpas por me empregar em algo que não seria bom o suficiente para mim.

Seria "*coffee station boy*", ou seja, não teria contato direto com os clientes, mas teria um bar somente meu, de onde atenderia aos garçons. Eles solicitariam as bebidas escolhidas e as sobremesas, eu devia preparar os pedidos com a maior rapidez e qualidade possível. Parecia fácil. Eu transpirava de empolgação.

– Aceita? – perguntou ela, depois de explicar os valores e as condições de trabalho.

– Com certeza! E agradeço imensamente pela oportunidade.

– Não me agradeça ainda. Você tem muito trabalho pela frente. Não vai ser nada fácil, especialmente em dia de casa lotada. Por favor, sente-se aqui que vou até o escritório pegar seu uniforme.

Jane entrou por uma porta nos fundos do restaurante. Foi quando vi um vulto passar pela entrada e subir correndo as escadas. Eu fiquei espantado e muito confuso. Não poderia ser. Devia estar mesmo imaginando coisas, talvez pela emoção de ter sido aprovado naquele trabalho. Chamei a garçonete que estava próxima.

– Por favor, você viu aquele homem que subiu as escadas apressado?

– Não, eu não estava prestando atenção.

– Ele trabalha aqui? Subiu correndo. Tem cabelos pretos, mais ou menos desta altura – mostrei a ela, enquanto mentalmente me perguntava se seria mesmo possível estar acontecendo daquela forma.

– Temos muitos garçons aqui. Agora é hora da troca de turno. Provavelmente, ele subiu correndo por estar atrasado.

– Você sabe o nome dele? Por um acaso ele se chama Júnior?

– Sim, tem um garçom aqui que se chama Júnior e é brasileiro.

– Não acredito! Por favor, você faria a gentileza de dizer a ele que estou aqui?

– Sim, espere um minutinho, por favor – ela notou meu espanto.

Fiquei ali sentado, refletindo sobre o que a vida poderia estar me aprontando. Não poderia estar acontecendo uma coincidência tão grande depois de tantos anos.

– Pois não, o senhor está me procurando? – perguntou o garçom, que chegou esbaforido pelas minhas costas, sem saber quem era o cliente que havia mandado chamá-lo. Provavelmente, pensava que algo errado tinha acontecido e que eu estava ali para reclamar de seus serviços.

Me virei ao som de sua voz.

– Júnior?

– Lufe?

Abraçamo-nos emocionados.

– Não acredito! É você mesmo!? Vi você passar e não acreditei no que estava vendo!

– O que você faz em Londres? Não sabia que estava por aqui. Está de férias? Veio jantar?

– Não, amigão. Estou morando aqui há quase três meses. Também não sabia que estava na Inglaterra. Você trabalha aqui?

– Sim, trabalho nesta merda.

– Não fala assim, Júnior!

– Por quê? Ser garçom é uma merda mesmo!

– Não fala assim, pois a partir de hoje seremos colegas de trabalho novamente.

– Como? Você vai trabalhar aqui? De garçom?

– Sim! Quer dizer... Não tenho inglês suficiente para isso. Ser garçom, hoje em dia, é o meu sonho – veja só!

Ambos caímos na gargalhada, aproveitando a felicidade de termos nos reencontrado depois de tantos anos, em Londres, num restaurante, trabalhando juntos outra vez. Júnior era ator e o conheci em uma escola de interpretação quando ele tinha apenas 16 anos. Ao longo do tempo, ele evoluiu bem nessa arte, tornando-se o primeiro apresentador do primeiro programa dirigido por mim na televisão. O destino tinha se encarregado de nos separar. A última notícia que eu tive dele era que estava no Rio de Janeiro, aperfeiçoando-se na dramaturgia.

Jane estava voltando com o uniforme nas mãos quando Júnior pediu para não mencionar que nos conhecíamos, pois aquela amizade poderia não ser uma boa coisa para nós dois ali dentro.

– Por que, Júnior?

– Psiu! Quieto.

– Aqui está seu uniforme – disse Jane, já percebendo o clima amigável. – Vocês se conhecem?

Olhei para Júnior, que se fez de desentendido. Jane aguardava uma resposta.

– Somos conhecidos do Brasil. Já não nos víamos há muitos anos e, por coincidência, nos reencontramos agora.

Eu não ia cair naquela bobagem de começar uma nova história com mentiras e quis, desde o primeiro momento, estabelecer uma nova onda naquele lugar. Já gostava daquela mulher – então, decidi arriscar e confiar em minha intuição.

– É uma coincidência maravilhosa, mesmo. Venha, vou mostrar como funciona nosso restaurante – prosseguiu Jane, calma e sem o menor sinal de reprovação.

Júnior seguiu para seu trabalho, e eu fui apresentado a um funcionário antigo que seria, a partir daquele momento, meu mentor, me ensinando tudo sobre a nova função. Era um homem paciente e atencioso. Explicou-me a contagem dos vinhos, a forma correta de preparar as bebidas e os coquetéis, como manejar as planilhas e como servir cada sobremesa. Ele gostava de trabalhar ali, ao contrário do meu amigo Júnior, que se mostrava imensamente frustrado com sua vida.

– Lufe, trabalhar de garçom é a pior coisa do mundo. Isso aqui não é para mim, irmão! – Júnior dizia.

– É verdade, Júnior. Você está aqui há mais de um ano, certo? Por que ainda não saiu?

– Você acha que é fácil, não é? A vida aqui em Londres é muito dura, cara. Tem as contas para pagar e aqui tudo custa caro. Como garçom consigo um bom dinheiro em gorjetas.

– Então vale a pena. Do que você está reclamando? – perguntei, impressionado como as pessoas tinham essa estranha mania de só enxergar as dificuldades.

– Reclamando? Você não vê esta roupa? Este uniforme? E as bandejas? E os pratos quentes em meus braços? E os clientes? Eu acho que vou pirar aqui. Não aguento mais esta vida.

– Não imaginava que você estivesse nesse sofrimento. Posso lhe dar uma dica? Deixe de ser garçom, amigo. Saia e vá em busca da sua carreira de ator.

– Você está sonhando? Só pode!

– Claro que sim, Júnior. Você me conhece e sabe que sou um sonhador que concretiza. E eu lhe digo que não fico neste restaurante nem três meses! Vou trabalhar na minha área profissional. Senão, que tipo de orgulho e crescimento pessoal eu terei? Três meses, Júnior. Três meses! Anota aí.

Eu não compreendia o motivo de as pessoas se manterem infelizes no trabalho. Insistia em crer que a oportunidade ideal sempre estaria esperando por mim, bastava me conectar com meus desejos reais e com o ambiente em que eu estava inserido. No caso de Júnior, com sua beleza, seu talento e seu inglês perfeito, ele poderia estar cantando em musicais ou pelo menos em contato com uma turma de teatro. Ele perdia muito tempo reclamando. Prometi a mim mesmo que iria relembrá-lo de como era talentoso e como algumas coisas poderiam mudar, caso Júnior se concentrasse no lado bom da vida.

Os dias foram passando, e eu encarava uma rotina tripla: manhã no hotel, tarde na escola e noite no Champagne Bar. Geralmente, trabalhava até meia-noite, chegava em casa por volta de 1 hora da madrugada e acordava entre 4 e 5 horas da manhã. Uma rotina puxada – com pouquíssimo tempo para dormir. Não aguentaria por muito tempo aquela vida de carregar peso, descansar pouco e ganhar mal.

Eu queria me recolocar. Tentava convencer o pessoal do restaurante de que eu poderia encarar trabalhos administrativos no escritório. Tinha certeza de que tanto fazia estar na Inglaterra ou no Brasil. Confiava em minha capacidade e iria conseguir me destacar naquele país.

Meus nervos estavam à flor da pele devido ao cansaço extremo e às poucas horas de sono. Certa noite, eu cheguei ao restaurante atrasado, depois de enfrentar uma bateria de provas na escola. Corri para o vestiário. Lá estava um dos brasileiros, uma pessoa muito bacana, que era do interior de Minas Gerais e adorava MPB. Enquanto me trocava, comecei a destilar descontentamento sobre a situação. Mas o tom não era de reclamação; era de um plano de ação.

– Falei que não ficaria aqui por mais de três meses. E volto a dizer: antes do fim do ano já vou trabalhar em minha área profissional.

– E qual é a sua área, Lufe?

– Bom, eu sempre trabalhei na TV e com produção de eventos. Agora, escrevo uma coluna sobre turismo. Sou da área de comunicação, Marketing... Então, qualquer coisa que seja perto disso me deixaria feliz, desde que não seja garçom.

– Meu amigo, pare de reclamar. Você não se deu conta de que está trabalhando em um dos melhores restaurantes da cidade? Não vê a sorte que tem? Chegou aqui sem falar inglês e de cara foi trabalhar no *coffee station*. Eu não tive essa sorte. Acabei lavando pratos, colhendo o lixo – a pior das funções aqui dentro.

– Entendo você, amigão, mas a vida está em movimento constante. Acho que a sorte está sempre ao meu lado. Nunca reclamo do que tenho, mas lhe digo com toda a certeza: o que vem pela frente será ainda melhor, pois acredito muito nisso e já estou me preparando para essa futura realidade.

– Você é um louco sonhador. Vamos trabalhar. E cuidado com o que fala aqui dentro, pois eles podem ouvir e demiti-lo, entende?

Naquela noite, eu trabalhei em silêncio. Havia algo no ar. Estava pressentindo alguma coisa e queria estar atento.

Chegou a hora do intervalo para jantar e subi as escadas com uma pizza na mão. O refeitório ficava no sótão, localizado no último andar do prédio. Não havia ninguém ali e aproveitei para ficar em silêncio, olhando a cidade lá embaixo pela pequena janela que dava de frente para a rua. Avistei um teatro antigo, alguns bares. As pessoas saíam das festas depois de horas de diversão. A noite era fria, mas agradável. A lua estava cheia e o céu, limpo. Peguei-me pensando em tudo o que tinha vivido até então. Em como tinha chegado àquele país, nas pessoas que havia conhecido, nas palavras do Sr. Frank, nos amigos que agora faziam parte de minha trajetória, nos lugares em que tive a oportunidade de estar, na casa em que morava atualmente, nas situações que pareciam sempre me levar a enxergar o que eu não estava vendo. Sorri ao me lembrar de como havia conseguido os dois empregos e como o meu inglês evoluía, aos poucos.

Pensei em meus sonhos e em como eu não deveria perder meu foco, minha busca pessoal. Sabia que precisava encontrar alguma coisa interna e que seria esse encontro que iria iluminar meu caminho pessoal, profissional e espiritual. Certamente, o meu encontro maior era interior – o mundo externo seria nada mais do que um reflexo desse encontro. De alguma forma, eu sabia disso, mas minha vida profissional precisava ser mais clara. Eu queria preencher o vazio. Era estranho estar em busca de algo que não sabia o que era, mas de uma coisa eu tinha certeza: sabia como queria me sentir ao encontrar. Eu nunca mais trabalharia. Produziria com prazer, mas sem o conceito triste de sofrer com o dia a dia.

De repente, olhando pela janela, vi várias luzinhas piscando no horizonte da cidade. No meu encantamento inocente, era como se Londres falasse comigo, como se me dissesse: "Não perca o foco, nunca desista de mim, ainda vamos viver muitas coisas juntos" ou "Você vai encontrar tudo aquilo que veio buscar".

Chorei com um pedaço de pizza na mão, sentindo o ar gelado da noite me acariciar ali naquela janela.

Eu tive a nítida sensação de não estar sozinho, e de que as respostas só viriam quando tivesse um encontro real comigo mesmo.

Este momento me chamava cada vez mais forte, e eu não queria e nem podia mais adiar.

O amigo acidental

EU JÁ ME SENTIA PARTE integrante daquela cidade. Numa noite com pouco movimento no restaurante, comecei a escrever frases aleatórias em um pedaço de papel. Pedia para ser iluminado, direcionado no caminho certo, quando fui surpreendido por uma garçonete:

– O que foi, Lufe? Você está chorando?

– Não, não – respondi. – Estou apenas pensando nas coisas que ainda quero fazer.

Nos bilhetes, eu pedia que fosse conduzido a uma posição mais justa, que aquele período no restaurante fosse rápido, mas que significasse aprendizado, levando-me para a próxima etapa.

Vi meus desejos materializados em linguagem escrita. Sorri. E senti muita fé.

Naquela noite, eu tive sonhos intensos, quase realistas. Sonhei com rajadas de vento e senti como se minha respiração estivesse completamente limpa, oxigenando o cérebro de uma maneira que nunca havia sentido antes.

Acordei de supetão, assustado. Fiquei sentado na cama, pensando nas sensações que me tomavam o corpo e a mente. Era um sonho? Eu senti mesmo aquele vento? Para mim, eram sinais – os que eu tanto pedia. Precisava tornar a botar minha vida em movimento, girar a minha engrenagem interior.

Eu nunca chegaria aonde eu desejava se mantivesse minha mente tão cansada como estava. Minha rotina estava exaustiva. Acordava ainda de madrugada para o café da manhã no hotel, passava todas as tardes na escola e à noite trabalhava no Champagne Bar. Não dormia o suficiente para ter o cérebro saudável que eu precisava para minha jornada. Não era por isso que eu tinha largado tudo e deixado o Brasil. Precisava de tempo para minha busca pessoal.

Fiz contas. O que eu ganhava no Champagne Bar dava para sobreviver – pagar os gastos com moradia, alimentação e transporte. Mas, não sobrava nada. Se eu me demitisse do hotel, além de não precisar acordar cedo, conseguiria algo precioso de volta: um bocado de tempo.

– Hoje vou pedir demissão do hotel. Vou agradecer e dizer adeus – disse para a Michele, assim que ela acordou e me encontrou sentado na cozinha.

– Você ficou louco? Lutou tanto para conseguir trabalhar ao lado de casa...

– Eu sei. Mas é uma questão de objetivos de vida. Não posso me enganar por facilidades como essa. Eu conheço bem a sensação de ficar preso ao conforto e à estabilidade. Garanto que, muitas vezes, isso nos impede de seguir rumo a um dom muito maior – disse. – Preciso encontrar meu talento. Para isso, preciso de tempo.

Ainda estava escuro quando saímos de casa rumo ao hotel. Era outono e os dias estavam ficando cada vez mais frios no Reino Unido. Caminhamos em silêncio, mas podia sentir Michele num silêncio reprovador.

No meu último dia, queria absorver cada momento para guardar na lembrança, apreciar os pequenos instantes com meus colegas de trabalho, guardar na memória cada detalhe daquele salão e daquelas pessoas. Não iria contar nada a ninguém até o fim do expediente. Coincidência ou não, Lola solicitou que eu treinasse um novato.

Era um jovem africano, muito prestativo, mas tão perdido quanto eu em meu primeiro dia – com a diferença de que já falava inglês. Ensinei-o com a sensação de que passar a bola para ele era o sinal de missão cumprida, de encerramento de um ciclo.

Faltando pouco tempo para o horário de fechamento do café da manhã, quando já não imaginávamos que teria mais clientes, uma família superelegante adentrou o salão do café. Um senhor de cabelos brancos, blazer de couro marrom, muito bem apessoado. Uma mulher de meia-idade, cabelos negros e longos, ar chique e elegante – via-se que tinha bons modos e uma postura de dama. Duas moças. Uma morena de cabelos longos, tão parecida com a senhora que obviamente devia ser sua filha. Usava enormes óculos escuros e jaqueta de couro vermelha. Linda, alta, magra. Parecia recém-saída de uma *fashion week*. A outra parecia uma artista de cinema: loira, cabelos lisos, também de óculos escuros. Dona de um sorriso aberto. Parecia muito animada. Por último, uma menininha de uns 4 anos, de mãos dadas com a senhora – seriam neta e avó?

Fiquei encantado com aquela cena. Era como se as visse em câmera lenta, como se o café da manhã todo tivesse ficado imóvel e só elas se movimentassem. Falei em voz alta:

– Só podem ser brasileiras.

– Brasileiras? Jamais! Elas devem ser italianas ou espanholas, mas brasileiras? Nunca... quer dizer, só se forem de família de políticos que roubam nosso dinheiro e vem gastar aqui e nos humilhar.

Acho que demorei alguns segundos para perceber o que estava acontecendo. Tinha uma colega de trabalho ao meu lado. Ela também prestou atenção na família, mas a visão dela foi completamente negativa, em contrapartida à minha, que só enxergava o encantamento que, por algum motivo, havia captado minha atenção como um imã.

Olhei para o lado e nem consegui retrucar o comentário dela de tão distante do meu, mas percebi o quanto me fazia bem ter um primeiro olhar positivo, porque ele me mostra mais possibilidades do que o negativo.

Ignorei o que ela dizia e voltei a limpar as mesas, falando em voz baixa, para mim mesmo:

– Eu reconheço uma brasileira elegante quando vejo.

Coube ao novato atendê-los. Eu ainda tinha muita louça suja para retirar das mesas. Este trabalho braçal de carregar xícaras, talheres e pratos sujos me cansava, principalmente naquele último dia. Estava exausto e quase não consegui levar a caixa pesadíssima cheia de louças.

Entrei em uma antessala com uma esteira onde deixávamos os pratos para seguir para a cozinha. Era bem pequena, e eu estava tão cansado que decidi fazer uma pausa. Respirei fundo, orei com toda fé que tinha.

– Me dê uma luz, uma direção, me mostra o caminho! Abra uma porta em minha vida! Abra uma porta em minha vida! – orava em pensamento quando, de repente, um outro colega trazendo mais louças sujas abriu a porta sem a menor delicadeza e por pouco não bateu em minha cabeça.

Comecei a rir descontroladamente. Era o senso de humor do universo?

– Não era exatamente essa porta que eu pedia para ser aberta em minhas preces – falava rindo daquela situação quando saí de dentro da antessala.

– Lufe, por favor, me ajude. Aquelas pessoas estão me fazendo perguntas que eu não consigo responder. Você pode me ajudar? – pediu o novato que eu havia treinado.

Já cheguei falando em português e com um bom humor contagiante – afinal, havia acabado de receber um "oi" de Deus por meio de uma porta aberta, não é?

– Bom dia, como posso ajudá-los?

– Como você sabe que somos brasileiros?

– Ele parece um anjo! – exclamou a senhora.

– O que você faz aqui? – perguntou a morena.

– Bem, eu vim estudar em Londres. E aqui é assim: a gente trabalha nos mais diversos tipos de empregos. E vocês?

– Chegamos ontem à noite. Hoje é nosso primeiro dia na cidade.

– Que ótimo, como posso ajudá-las?

– Nunca tínhamos visto estas frutinhas vermelhas. Como é o nome disso?

– São *raspberries*. E tem também as *blueberries*.

– São uma delícia!

– Sim. E vocês? Quanto tempo vão ficar?

– Quatro dias. Depois vamos viajar mais vinte dias pela Europa...

– O quê? Que absurdo!

A mesa toda caiu na gargalhada diante da minha estupefata sinceridade.

– Por quê?

– Ora, ora... Porque Londres é a melhor cidade do mundo. Vocês me ofendem dizendo que só reservaram quatro dias para ela... O que programaram fazer? Será que vai dar tempo?

– Bem, temos um mapa. Você pode nos dar umas dicas?

– Deixe-me ver...

E comecei a dar sugestões. Marcava com caneta os pontos imperdíveis. Falava com tanta paixão sobre a "minha cidade", que via que eles se empolgavam.

– Se não estivesse tão cansado, eu poderia até mostrar para vocês. Mas, especialmente hoje, vou aproveitar que é sábado e que não tenho aula para dormir à tarde, pois não estou nem conseguindo parar em pé.

– Jura? Seria o máximo se você pudesse ir – falou a morena.

– Esquece! Vou fazer um mapa e depois vocês rodam por aí. Preciso dormir. Vou dormir a tarde toda!

Mas elas eram insistentes. Tanto que, para me desvencilhar logo, resolvi concordar – de mentirinha, pois meu plano era não aparecer.

– Ok, então nos encontramos daqui a uma hora, em frente ao Palácio de Buckingham. Combinado?

– Perfeito. Estaremos esperando lá.

Eles deixaram o restaurante, e eu comecei a recolher a louça da mesa. De repente, senti um toque de mãos em meu ombro direito.

– Me dê seu celular! – era a loira.

– Como? – Não conseguia disfarçar meu espanto diante do retorno daquelas duas jovens brasileiras ao salão.

– Isso mesmo. A gente acha que você está querendo escapar. Se dormir, vamos ligar a tarde inteira para acordá-lo, ok? Então é melhor você cumprir o combinado, entendeu?

O bom humor delas me cativou. A vontade de sempre fazer uma coisa nova também.

Fechei o expediente comunicando à Lola sobre minha decisão de sair.

– Mas Lufe, aqui contratamos por dia. Se você quer passar um tempo sem vir, tudo bem. Só marcamos quando quiser voltar. As portas estão abertas. Não precisa se despedir.

– Bom saber disso, Lola, mas estou em uma jornada pessoal e preciso saber que o movimento me leva para frente. Se eu pensar que posso voltar, talvez me enfraqueça no que preciso ainda continuar, entende? Preciso seguir em frente sem olhar para trás. – Lembrei-me do que escutei do Sr. Frank no dia de nossa despedida.

Receberam com surpresa minha decisão, mas agradeceram minha dedicação.

Naquela tarde, à 1 hora, eu tinha um encontro inusitado: seria um guia improvisado, uma espécie de amigo local de uma chique família brasileira. Além de tudo, passear por Londres naquela tarde seria um jeito interessante de começar um novo ciclo.

Dia de turista

PEGUEI A CÂMERA. Mesmo estando exausto fisicamente, só essa pequena mudança já renovou minhas energias. Eu teria a oportunidade de passar um dia como um turista legítimo em Londres.

Aquela família se encantava com tudo enquanto caminhávamos pelas ruas com as folhas vermelhas e amarelas das árvores marcando o outono. Aos poucos, eu começava a me sentir íntimo deles e a ser tratado como mais um no grupo. O pai se chamava Heitor. A mãe, Elaine. Aline, a morena, era filha do casal. E Larissa, a neta. A loira era uma amiga da família. Chamava-se Verônica. Elas eram vidradas em fotografias, ou melhor, em serem fotografadas. Qualquer cantinho da cidade era um cenário perfeito para uma nova pose. Como eu era o diferente, era sempre eu quem fotografava enquanto passeávamos maravilhados pelos pontos turísticos importantes de Londres.

– Mas como assim? Você teve coragem de largar uma vida confortável no Brasil para se tornar garçom em Londres?

– Eu não troquei nada por nada. Não vejo as coisas assim. Estou somente vivendo a minha vida, deixando as coisas acontecerem fora do quadrado, entendem? Se eu morrer amanhã, não levo minha casa, meu carro, meus bens... Mas levo tudo isso, essas experiências que acumulei. O que vale mais?

– Eu nunca teria coragem – disse Elaine.

– Eu teria! – exclamou Verônica.

Aline concordou, com brilho nos olhos.

– Não se trata de trocas nem de escolhas. Trata-se de fases. Estou numa busca espiritual maior – frisei.

– E por que não foi para a Índia?

– Eu não acredito muito em me isolar para me encontrar. Ir para um mosteiro ou para o Tibete, ficar isolado nas montanhas... Isso tudo parece fácil e óbvio demais. Preciso descobrir como me encontrar interiormente e me conectar comigo mesmo dentro do ambiente em que vivo, dentro das cidades. Afinal, a maior parte das pessoas não pode largar tudo para meditar – e nem por isso precisam deixar de experimentar a sensação incrível de sentir-se completo, pleno. É esta a minha busca. Um dia vamos falar sobre as conclusões desta jornada.

Estávamos caminhando às margens do Rio Tâmisa. A pequena Larissa apontou, deslumbrada:

– Roda-gigante!

A London Eye, cartão-postal de Londres, tinha uma simbologia importante para o que eu estava vivendo. Ela era a representação da vida em movimento. Às vezes, você está em cima, às vezes, embaixo. Mas ambas as experiências são importantes para a evolução pessoal. Em cima, a visão é mais ampla, o horizonte, distante. Embaixo, é quando se pode enxergar e compreender o mecanismo da roda, o mecanismo da vida. A conclusão é que a vida é sempre mais bonita e prazerosa quando a colocamos em movimento.

– Queremos lhe fazer um convite e você não tem o direito de recusar – disse Aline. – Gostaríamos de convidá-lo para jantar hoje com a gente.

Neguei. Fiquei apavorado. Não queria dizer a eles que estava sem dinheiro até para um café fora de casa, imagine só um jantar.

– Muito obrigado, mas não posso. Foi um prazer enorme passar o dia com vocês. Eu indico o restaurante e sigo para casa, pode ser?

Aline já estava chamando o táxi.

Durante o trajeto, eu só conseguia pensar em maneiras de despistá-los e escapar do jantar. Londres era uma cidade muito cara, e não poderia deixar que eles pagassem a minha conta. Pior ainda seria se eu tivesse entendido tudo errado e eles propusessem rachar a conta no final.

– Queremos comer carne – determinou Heitor.

– Uau, carne aqui é muito caro, hein?! – eu disse.

– Onde podemos comer uma boa carne vermelha? – perguntou Aline.

Logo escolheram uma *steakhouse*. E eu estava visivelmente nervoso. Aline percebeu e disse, baixinho, em meu ouvido:

– Você é nosso convidado. Não se preocupe. É uma gentileza nossa depois de você ter tornado nosso dia muito especial.

Quando os pratos chegaram, eu me dei conta de que não comia carne desde quando saí da casa do Arthur. Diante daquele bife, eu refletia sobre as mudanças recentes de minha vida. Sim, eu levava um dia a dia simples e limitado. Por outro lado, focava no lado positivo. Tinha pedido uma transformação. Todo dia estava vivendo uma coisa nova. Naquela manhã, orei por uma porta que se abrisse – agora estava ali com aquelas pessoas incríveis, em um restaurante luxuoso, num ponto turístico de Londres, depois de passear a tarde toda.

– Lufe, amanhã bem cedo vamos viajar. Estamos indo conhecer o Castelo de Windsor, a residência oficial da rainha. Você já esteve lá?

– Não, ainda não.

– Gostaríamos que você fosse com a gente, afinal você disse que era seu dia de folga.

– Que lindo, meninas. Mas não posso.

– Venha como nosso fotógrafo oficial. Vamos ter uma van que nos levará até lá. Tem lugar, não precisa pagar passagem. Além do mais, você sendo nosso fotógrafo, pagamos também o ingresso. Você não gasta nada...

– Não sei o que dizer.

– Queremos você perto da gente. E será um prazer se aceitar. A van nos pega às 8 horas da manhã. Esperamos por você.

Bom, naquelas condições, era óbvio que eu aceitaria.

À noite, deitado na minha cama, fiquei viajando em meus pensamentos. Dava para sentir que algo diferente já estava atuando em minha vida. Como poderia aquilo ser tão real e tão imaterial ao mesmo tempo? Naquele mesmo dia, naquela mesma manhã, nesta mesma cama, há apenas algumas horas, eu tinha acordado de supetão, como se fosse uma sacudida da vida, decidido sair do emprego no hotel, conhecido uma família que possibilitou que eu me reconectasse com toda a magia e toda a beleza que a cidade oferecia. Eu tinha me entregado ao fluxo divino e, em menos de 24 horas, estava vivendo uma realidade muito diferente do que vinha experimentando nos últimos meses. Eu pedi que uma porta se abrisse em minha vida e, como passe de mágica, estava dando os primeiros passos num novo e iluminado caminho. Dormi imerso em pensamentos positivos.

No dia seguinte, domingo, eu não tinha aula e já não trabalhava mais no hotel, mas tinha sido escalado para o turno da tarde no Champagne Bar, ou seja, era perfeito para nossa viagem ao Castelo de Windsor, desde que estivesse de volta a tempo.

Imagine minha mente ao caminhar por aqueles cômodos históricos, aquela imponência, e todos os nobres e guerreiros que passaram por ali. Meus pensamentos eram estimulantes e procuravam não só apreciar as belezas materiais, mas também me conectar a essa força que movia tantas histórias de conquistas.

Quando estávamos voltando, dentro da van, eu olhava a paisagem no caminho, e meus pensamentos seguiam estimulantes, felizes com os novos sentimentos que afloravam como resultado dessa entrega ao fluxo divino dos acontecimentos, quando percebi a família toda me observando.

– A que horas você termina seu trabalho hoje? – perguntou Aline.

– Às 6 horas – confirmei.

– Então fizemos certo.

– Não entendi.

– Você nem tem como dizer não. Pontualmente às 6 horas da tarde estaremos na frente do restaurante te esperando. Temos uma surpresa para você.

O que será que aquela família estava aprontando? Eu não parava de pensar em como havia os conhecido na manhã anterior e como tinha me conectado a eles simplesmente por não julgá-los ou por não me fazer de vítima pela enorme diferença social.

Dito e feito. Quando saí pela porta do restaurante no horário combinado, estavam todos ali à minha espera.

Sabe qual era a surpresa? Eles tinham comprado ingressos para uma peça de teatro! O Soho, onde o Champagne Bar era localizado, ficava bem ao lado da Piccadilly Circus. Essa região toda concentrava os mais renomados teatros da cidade. Mesmo passando em frente a eles todos os dias, eu nunca tive a oportunidade de assistir a um musical ou a uma peça. Confesso que sonhava com esse dia, mas não imaginava que seria tão cedo e muito menos assim, como um presente surpresa.

Fomos assistir *Mamma Mia!*, depois jantamos e falamos muito sobre esse encontro inesquecível que tivemos. Eu ainda curti mais um dia na companhia daqueles novos amigos, com direito a caminhadas pelos parques da cidade e muitas fotos nas mais diferentes poses e lugares.

Logo chegou o dia de seguirem as férias pela Europa. Essa passagem por Londres e por minha vida tinha mais significado do que poderíamos compreender naquele momento dessa história.

O lado de cima da roda-gigante

OS SINAIS ESTAVAM CLAROS. Londres se mostrava lindamente para mim, e é por isso que eu a mostrava para os outros com tanto carinho. Eu a elogiava sem parar. Ela me retribuía. Estávamos em sintonia.

Agora, eu tinha as manhãs livres, finalmente. Voltei a procurar trabalho em minha área de comunicação e Marketing. Fiz uma lista de produtoras de eventos e empresas de turismo. Fazia visitas. Agendava reuniões. Dava a cara para bater.

Estava confiante.

Mas as respostas eram sempre negativas. Será que só conseguiria trabalhar em restaurante? As portas simplesmente se fechavam. E nem davam brechas para uma abertura. Para cada currículo que entregava, eu recebia uma carta negativa em meu endereço: agradeciam a atenção, mas rejeitavam minha candidatura com uma escrita elegantemente irritante.

Eu me recusava a admitir para mim mesmo que as esperanças estavam se reduzindo:

– Não tinha, afinal, entrado em um fluxo positivo? – me perguntava. – Por que as coisas não acontecem com mais resultado?

Nem as condições de moradia eram boas. Minha casa, onde no começo morávamos em quatro, já abrigava sete pessoas espremidas. Todos brasileiros, o que atrapalhava meus planos de praticar inglês. Eram todos mais jovens do que eu, viviam uma fase diferente da minha: queriam festa e curtição.

Eu precisava me reconectar com a minha verdade interior, me reconectar com mais intensidade a Londres, perceber os sinais e enxergar as portas que certamente se abririam se eu me permitisse fluir positivamente. Foi com isso em mente que eu me sentei num banco gelado do Hyde Park, enquanto caminhava por ali antes da escola. Fazia um solzinho gostoso. Pessoas corriam se exercitando no parque. Já eu estava agoniado, com aquela dor de tristeza no peito.

Respirei fundo. Orei. Lembrei-me de meus pais.

– A mente sábia é a mente calma – dizia minha mãe. – Se você mudar internamente, o mundo acompanha essa mudança e também se transforma ao seu redor.

Era isso. Eu precisava virar a chavinha. Afinal, não estava naquela jornada atrás de trabalhos ou empregos. Tampouco de dinheiro. Estava em busca da minha verdadeira essência. Para isso, não importaria o que eu estivesse fazendo. Precisava me manter em estado de alerta total para perceber todos os sinais e todas as maravilhas que pudessem me guiar.

A partir daquele momento, eu iria me concentrar na minha imaginação, que era capaz de gerar a nova realidade que eu desejava. Só assim os meus sonhos e objetivos poderiam se manifestar no mundo real.

Dezembro era um mês de movimento intenso no restaurante, por causa das festas de fim de ano. Eu adorava ver tudo aquilo, sentir aquele clima. Seria meu primeiro Natal fora do Brasil.

Em uma dessas noites de correria, eu precisei descer até os refrigeradores para buscar mais caixas de sobremesas. Enquanto me abaixava para pegar um *cheesecake*, meu telefone, que estava escondido no avental, tocou alto. Isso era considerado uma falta grave – não era permitido o uso de celulares durante o período de trabalho. Tomei um susto e quase deixei as sobremesas caírem. Olhei para os lados. Por sorte, nenhum gerente tinha ouvido.

– Alô? – falei baixinho, enquanto me agachava para me esconder atrás das caixas do estoque, à espreita para que nenhum superior me visse.

– Lufe? Aqui é a Margareth, da M&Tony's.

– Oi, Margareth...

Eu não fazia a menor ideia de quem era essa tal mulher. Muito menos do que se tratava a M&Tony's.

– Você está ocupado? – perguntou.

– Sim, estou – disfarcei, não querendo assumir que estava em serviço e que precisava me esconder para falar ao telefone.

– Você está trabalhando, não é?

– Sim... Não posso falar agora. Se importaria em me ligar outra hora?

– Ok. Claro. Obrigada.

Escondi o celular e corri para atender aos pedidos em espera.

"M&Tony's? O que era isso? Só pode ser telemarketing", era o que eu pensava. Pelo nome, podia ser até um salão de beleza... M&Tony's...

Esqueci-me completamente do assunto. Era sexta-feira e, naquela noite, depois do expediente, fui me encontrar com meus colegas de quarto em um *pub*. Tomamos muitas cervejas, fui para casa já de madrugada. Exagerei um pouco.

Lembro-me, então, de ser acordado, com um som irritante de telefone tocando na manhã de sábado. Coloquei a mão na cabeça, estava de ressaca. Como é que esses meninos deixam o celular ligado? Que falta de respeito! Resmungava com a cabeça girando por causa das cervejas da noite anterior.

Eu estava jogado num colchão, e Michele começou a me cutucar, chamando meu nome. Como ela tinha a petulância de me acordar daquele jeito? Era minha folga, queria dormir.

– Telefone para você!

Ela também não estava nada contente. Tinha sido acordada pelo celular, que ficava bem ao lado do seu colchão.

Com a animação de um zumbi, atendi com o aparelho apoiado nas bochechas, sem nem ao menos levantar a cabeça.

– Alô, Lufe!? Aqui é a Margareth.

Não podia ser verdade. Eu só pensava em quão chata e impertinente era essa mulher. Que audácia! Ligar para alguém no sábado de manhã? Quis desligar na cara dela, mas me contive.

– Olá, Margareth. De onde você é mesmo?

– Da M&Tony's. Estou com seu currículo em minhas mãos e estou ligando porque temos uma vaga de diretor de marketing em nossa empresa.

Dei um pulo. Quase derrubei minha amiga. Meu coração disparou. Será que eu não estava sonhando? Será que tinha escutado direito?

– Sim, estamos selecionando candidatos e gostei muito do seu currículo. Gostaria de saber se você poderia vir aqui para uma entrevista ainda hoje às 4 horas da tarde.

Fiquei completamente mudo. Como essa mulher tinha meu currículo em suas mãos? O que era essa tal de M&Tony's? Na verdade, isso pouco me importava. O que era agradável aos meus ouvidos era a linda expressão: diretor de marketing. Diretoooooor de Marrrrrrketinnnng!

De uma coisa eu estava completamente certo: não desperdiçaria aquela chance. Na hora marcada, estaria lá. Preparado. Pronto para conquistar a vaga.

Ah, outra coisa que tive certeza: notícia boa é a melhor coisa para curar ressaca.

Empatia

O DIA ESTAVA FRIO e nublado quando cheguei ao local. Eu usava um blazer de lã bege que havia comprado em uma loja de segunda mão no bairro de Camden Town, famoso por seu estilo punk e alternativo. Por baixo, vestia uma camisa social branca, e um cachecol completava o visual. O local marcado ficava em uma rua bem pequenininha chamada Hanway Street, que cruzava uma das mais conhecidas ruas de Londres, a Oxford Street, sempre movimentada com suas lojas cheias de turistas de todos os cantos do mundo.

"É uma portinha ao lado de um *pub* espanhol com a fachada toda vermelha", eu me lembrava da explicação de Margareth.

Parei em frente ao *pub* e fiquei admirando aquela porta. Era quase um novo portal mágico em minha vida. Talvez, enfim, ao abri-la e subir as escadas, tudo pudesse mudar para mim. Se aquele trabalho fosse parte do meu caminho, então que tudo desse certo e de forma inegável. Concentrava-me. Queria estar em perfeita harmonia com a energia interior daquela pessoa com quem me encontraria em poucos minutos, e também em sintonia com toda a empresa, que agora poderia se tornar parte da minha vida. Respirei fundo mais uma vez. E, então, apertei o interfone.

– Alô?

– Oi, Margareth, sou eu, Lufe.

– Estava à sua espera. Suba ao terceiro andar, por favor.

Abri a porta lentamente. A cada degrau, meu coração batia mais forte e vinha a sensação de estar vivendo um momento muito importante da minha vida. No alto da escada, já quase no terceiro andar, me acalmei. À minha frente, sorrindo, estava Margareth. Nos abraçamos como se já nos conhecêssemos.

Ela era brasileira e me explicou toda a função e todos os desafios que aguardavam o novo diretor de marketing. M&Tony's era uma grande empresa de transferências monetárias, uma das mais conhecidas em seu ramo. Realizavam ações de marketing intensas e precisavam promover não apenas os negócios de Londres, mas também suas filiais em seis diferentes países. Na capital inglesa, produziam material de divulgação em diversas línguas, tentando atrair os mais variados consumidores. Segundo ela, deveríamos desenvolver campanhas em polonês, russo, filipino, espanhol, português e inglês.

Fiquei entusiasmado com a dimensão do trabalho e com os desafios a que seria exposto. Percebia também como a reunião estava sendo divertida e que havíamos tido empatia à primeira vista. Estava encantado com aquela mulher.

– Por que vocês querem um brasileiro para esta função? – arrisquei perguntar.

– Porque 70% de nossos negócios em Londres são focados nos brasileiros que vivem por aqui. É o nosso principal mercado.

Conversamos por um longo tempo sobre minhas qualidades profissionais, minha pós-graduação em Marketing, minhas experiências nessa área, as campanhas já realizadas... Eu estava confiante e sabia que era a pessoa certa para aquele cargo. Mas, segundo ela, os candidatos deveriam conversar com os dois chefes ao longo daquela semana. Margareth fez questão de frisar o quão profissionais e exigentes eles eram e de que eu deveria ser entrevistado em inglês.

Quando eu estava quase de saída, fiz a pergunta que tanto me questionava desde que recebi o telefonema:

– Como meu currículo chegou às suas mãos?

O caminho do currículo

ERA MEU SEGUNDO DIA em Londres.

Fomos jantar em uma pizzaria no elegante bairro South Kensington. Annabela tinha um tio italiano que era dono de três restaurantes naquela redondeza.

Nos sentamos numa mesa próxima à adega de vinhos, onde fui apresentado a um italiano, Alberto, dono de uma agência de turismo com vários clientes brasileiros. Logo imaginei uma oportunidade de parceria, e então comentei sobre a coluna que estava escrevendo. Alberto me deu seu cartão de visitas, para o caso de eu precisar de alguma passagem para o Brasil, mal sabia ele que o que eu gostaria mesmo era de trabalhar em sua agência.

Meses depois, quando eu estava naquela busca por empregos na minha área profissional, e logo após me despedir da família com quem fui ao Castelo de Windsor, eu me lembrei daquele italiano que havia conhecido anteriormente. Como escrevia uma coluna de turismo para o Brasil, eu pensei que poderia ir até a agência, conversar com Alberto e elaborarmos algum tipo de trabalho em conjunto, de olho nos brasileiros que eram seus clientes. Se essa parceria tinha funcionado com minha agência no Brasil, por que não funcionaria ali?

Consegui agendar um horário. Na hora certa, eu estava lá – mas o italiano nem apareceu.

Uma de suas gerentes de atendimento, uma brasileira chamada Angélica, me recebeu. Ela parecia envergonhada com a atitude do chefe, que nem sequer me avisou da impossibilidade de comparecer.

Eu, na verdade, gostaria de ter um emprego na agência. Imaginava-me como uma espécie de agente de novos negócios, que poderia criar os pacotes de viagem e inventar soluções que atraíssem mais clientes. Contei a ela sobre minhas experiências profissionais e como pretendia seguir carreira na área de Marketing em Londres.

– Vou ser sincera: não acredito que Alberto, conhecendo ele como conheço, tenha algum interesse em algo que não seja vender passagens para você. Mas estou impressionada com seu currículo e ficarei com ele aqui. Além disso, vou pensar em alguma coisa que, de repente, possamos desenvolver juntos.

Saí sem a menor expectativa.

Por isso, quando perguntei à Margareth como meu currículo havia chegado até ela, nunca imaginaria que Angélica, com sua delicadeza e disposição, havia o encaminhado para a coordenadora de recursos humanos da M&Tony's, achando que minhas qualificações deveriam ser aproveitadas por aquela empresa.

– Angélica, da agência de turismo?

– Sim, Lufe. Ela me falou muito bem de você. Elogiou sua personalidade e energia. Vejo que ela tinha toda razão.

Saí daquela reunião com uma conclusão importante: existe um plano perfeito para todos nós. As pessoas certas são colocadas em nosso caminho, mas nunca sabemos de onde surgirão. Portanto, não podemos ficar com os braços cruzados esperando por um milagre. Temos que continuar tentando, sem parar.

As maravilhas que poderiam se manifestar em minha vida viriam também de lugares e pessoas dos quais eu nunca suspeitaria. Bastava agir com honestidade – e deixar o universo cuidar do resto. Realmente, um poder superior age por caminhos e forças que desconhecemos.

Eu tinha pedido para que o universo se manifestasse a meu favor. Uma força maior e muito poderosa sabia a hora e a forma de agir. E ela só agiu porque eu não fiquei de braços cruzados, à espera de um milagre. Quando nós agimos em direção aos nossos sonhos e aos nossos objetivos, colocamos uma força muito grande em movimento. E essa é a ação necessária para fazer as coisas acontecerem. Era isso que eu conseguia compreender.

Existia um poder maior atuando em minha vida, e eu queria estar conectado e em total sintonia com ele.

Um ermitão em Londres

SE TRABALHAR NA M&TONY'S estivesse em meu destino, tudo me levaria a ser contratado. Senão, uma oportunidade melhor ou tão boa quanto iria aparecer.

Eu não estava tenso nem nervoso. Estava apenas em movimento e atento a tudo que se passava. Tinha muita vontade de me reencontrar com o Sr. Frank, mas sabia que ainda não era o momento.

A próxima entrevista foi com um dos donos da empresa, um tailandês chamado Rui. Ele pareceu se impressionar com meu bom humor e com minhas ideias de ações de marketing. Saí de lá feliz e confiante. Margareth me aguardava na sala de recursos humanos.

– Como foi a reunião? – perguntou ela, um pouco mais séria, mas igualmente simpática.

– Acredito que tenha sido ótima, mas não sei.

– Minha preocupação não é ele, pois Rui é a parte boazinha da empresa. O problema será Marcondes. Ele é osso duro de roer, então, se for chamado para uma próxima reunião, venha bem preparado. Traga tudo que você puder para comprovar sua experiência profissional. Combinado?

– Combinado.

Eu estava cada vez mais insatisfeito com o local de minha moradia. Se por um lado o contexto era razoável – localização boa, pessoas confiáveis, casa limpa, contas em dia –, por outro, eu não conseguia a paz de que precisava. Não tinha mais 22 anos, como a maioria dos outros moradores. Precisava de um lugar só meu, um espaço onde pudesse colocar os pensamentos em ordem. Minha rotina caseira dava a impressão de que eu vivia em um albergue.

Em um raro momento em que estava sozinho em casa, eu fiz questão de ficar em silêncio, fechar os olhos e me conectar com minha luz interior. Sentado no sofá da sala, procurei relaxar. Estava emocionado e tinha a sensação de que poderia chorar por qualquer motivo. Não que tivesse alguma razão específica, mas eu me encontrava com uma sensibilidade extra. Meditava em silêncio, pedindo por um rumo.

Não sei ao certo se adormeci ou se estive sempre alerta durante a meditação, mas me sentia mais forte e determinado a conseguir o que queria. Teria sonhado com alguma coisa? Estava confuso. Fui até a cozinha, peguei um copo d'água e fiquei olhando com nostalgia o prédio do hotel através da janela.

O telefone tocou, fazendo com que eu voltasse à realidade.

Era Denise, uma nova amiga que conheci através de amigos em comum do Brasil. Eu havia a encontrado em minha primeira semana em Londres. A empatia foi instantânea e sempre mantínhamos contato. Denise era brasileira, e Derrick, seu marido, sul-africano naturalizado inglês. A casa deles respirava arte e música. Derrick tinha um estúdio musical profissional no andar de baixo. Denise trabalhava como secretária no Imperial College, em South Kensington. Gente alegre e positiva. Denise sabia de minhas insatisfações com a minha casa.

O telefonema era para uma proposta surpreendente.

– Lufe, estamos indo viajar para o Brasil por dois meses e meio e não queremos deixar nossa casa sozinha. Gostaríamos que você se mudasse para cá durante esse período que estaremos fora.

– Como assim, Denise? Está falando sério?

– Claro que sim.

– Mas será que vou conseguir pagar? Quanto você vai me cobrar?

– Acho que você não entendeu: estamos oferecendo para ficar de graça por dois meses e meio.

Eu não acreditava no que estava ouvindo. Desta vez, a resposta para meus pedidos veio rápida demais. Morar sozinho numa casa superbacana, cheia de arte, linda decoração e música, de graça, em Londres, uma das cidades mais caras do mundo? Tinha pedido com fé um caminho nesse sentido, mas estava surpreso com a maravilha que estava se revelando.

– Não gostamos de deixar nossa casa sozinha por tanto tempo. Sempre convidamos amigos para ficarem aqui enquanto viajamos. Sabemos que precisa muito de um tempo para colocar sua cabeça em ordem, e nós ficaremos tranquilos em saber que nossa casa estará segura e bem cuidada. Não é favor algum. É troca de gentilezas. Além do mais, você é nosso único amigo que tem essa disponibilidade.

Claro que tinha sido um choque receber aquela proposta. Especialmente, naquele momento. Teria meses para economizar em aluguel e, ainda por cima, meditar, organizar meus negócios, planejar meus futuros projetos. Com certeza, em dois meses eu conseguiria um outro bom lugar para morar.

Aceitei a proposta e programamos a mudança para o dia 20 de dezembro. Era chegada a hora de intensificar meu contato com meu eu interior e aumentar a conexão com a luz superior que tanto acreditava existir. Aonde isso me levaria? Era exatamente essa aventura que eu estava disposto a viver.

Chegou o momento, e eu me mudei para a casa de Derrick e Denise. Eles partiram para o Brasil no mesmo dia, deixando comigo toda uma lista de recomendações e cuidados com a casa. Ficava em um bairro chamado Kilburn. Não era uma área nobre, mas também não era ruim.

A casa era uma delícia. Desde a entrada, eu já me senti acolhido. Instrumentos musicais, quadros de arte... Na sala principal havia uma lareira elétrica e duas prateleiras preenchidas de CDs de música brasileira. O sofá era confortável e a mesa de centro trazia lembranças das vezes que estive ali em jantares e festas. Uma rede na sala e um certo clima baiano completavam o ambiente. Para mim, era como chegar ao paraíso. Adorava ficar sozinho. Naquele momento da minha vida, eu precisava disso mais do que qualquer coisa.

Nos dias seguintes, eu me deliciei com minha própria companhia. Cozinhava, lia, dormia e ouvia as mais variadas músicas disponíveis naquela casa. Queria escutar o máximo possível naqueles dois meses.

– É minha primeira vez morando sozinho na Inglaterra! Será meu primeiro Natal em Londres! É a primeira vez! Primeira vez! Estou no caminho certo! Sei que estou! – eu celebrava.

Seguia concentrado, colocando em prática a busca pela conexão entre minha luz interior e a luz divina que estaria iluminando meu caminho.

Na véspera do Natal, eu iria jantar com meus amigos brasileiros. Então, na noite do dia 23 de dezembro, eu preparei um jantar para mim mesmo, com vários quitutes deliciosos. Nozes, damascos, um delicioso vinho francês e um prato principal acompanhado de salada. Como não gastaria com aluguel nos meses seguintes, eu me dei alguns luxos.

Acendi a lareira da casa. Resolvi não colocar CD nenhum. Eu gostava do silêncio. A iluminação indireta, o clima perfeito. Arrumei a mesa com elegância: pratos, talheres, taças de vinho e de água. Acendi uma vela e a coloquei sobre a mesa. Eu tive um calmo e tranquilo jantar particular de Natal, e com a certeza profunda de que eu não estava só, mas, sim, celebrando com todo o time espiritual que me guiava. Estava em estado de extrema conexão com a energia positiva e poderosa que regia minha vida. Eu preferia aquela forma a estar com muitas pessoas, bebendo muito e festejando como se fosse uma festa normal, e não uma celebração do nascimento de um dos maiores líderes espirituais do planeta.

Ao final do jantar, eu sentei-me sobre o tapete em frente à mesa de centro da sala. Acendi umas velinhas que havia comprado com letras coloridas que formavam a frase *Happy Christmas* (Feliz Natal). Naquele instante, a luz do fogo tinha um significado ainda maior para mim. Fechei os olhos e, por alguns instantes, fiquei em meditação. Eu me via iluminado e conectado com aquela casa e com a cidade. Estava tão sintonizado com aquele momento que não existiam mais problemas, dificuldades ou distâncias entre mim e as pessoas que eu amava no Brasil.

Naquele estado de profunda conexão interior, eu orei, pedindo que fosse guiado de forma especial durante o ano que estava chegando. Tinha consciência de que, no momento certo, algumas maravilhas se manifestariam em minha vida. Assim, procurava me colocar no caminho correto para que tudo aquilo que eu desejava se manifestasse.

Ao final, me dei de presente um perfume que comprei em uma elegante loja de departamentos de Londres. Não era prudente gastar aquele dinheiro, pois estava somente com um emprego e em busca de um novo cargo na minha área. Economizar era prioridade, mas enxerguei essa atitude de forma positiva. Era um presente para o novo eu que estava chegando. Mais realizado, mais feliz, mais satisfeito profissionalmente. Já me via usando-o em situações que me orgulharia durante o ano que viria. Abri a enorme caixa de presente que me dei imaginando que esse era o perfume digno para minha nova posição – aquele ato era uma preparação mental e energética para assumir o cargo de diretor de marketing. Era a certeza absoluta na luz que me guiava.

Passagens

NO DIA 28 DE DEZEMBRO, eu fui à reunião com o chefe mais bravo da M&Tony's. Esqueci-me totalmente dos conselhos de Margareth sobre sua personalidade mais rude e cheguei como quem teria uma conversa comum.

O encontro seguiria formalmente e profissionalmente, se não fosse por minha completa descontração, que fazia com que nós dois déssemos muitas risadas juntos.

– Venha, vamos lá em cima, preciso fumar um cigarro – falou Marcondes, bruscamente, terminando de forma repentina a entrevista.

– Claro, vamos sim.

Enquanto subíamos as escadas, continuei uma conversa que havíamos começado ainda na sala. Eu dizia ser uma ótima oportunidade trabalhar com alguém do mesmo país e da mesma cultura, pois era curioso o jeito como os ingleses tratavam os subordinados no trabalho. Brinquei sobre a possível influência da monarquia inglesa, pois os chefes pareciam um pouco tiranos e autoritários.

– Entendo – disse Marcondes. – Estou há muitos anos em Londres, e posso afirmar que sou muito parecido com eles. Gosto do jeito autoritário de gerenciar meus negócios.

Ele falou isso com um sorriso de canto, sarcástico. Assumiu ares de rei poderoso.

– Sério mesmo? – respondi em clima de descontração. – Pois, se for assim, por favor, não me ligue. Não me contrate, pois contratará a pessoa errada.

Nem bem terminei a frase e já me peguei pensando na bobeira que tinha feito.

– Vou me lembrar disso, pode deixar.

– Que bom, Marcondes, assim já começamos bem nossa parceria – completei, com a sensação de que não poderia nunca ter dito aquilo nos últimos minutos do encontro com aquele que poderia ser meu chefe.

Despedi-me. Fui tomado por um sentimento terrível de culpa. Achava que minha oportunidade de conseguir aquele emprego e finalmente trabalhar em minha área de marketing estava arruinada. Se ele tinha gostado de mim a princípio, agora, não poderia nem me ver pintado, pois jamais contrataria alguém que pudesse confrontar seu jeito de gerenciar.

Por outro lado, lembrava-me do Sr. Frank e dos sinais. Afinal, não me interessava viver de mentiras em Londres. Estava lá para me descobrir e me conectar com verdades essenciais muito maiores do que um simples emprego. E uma coisa era certa: eu não trabalharia em um lugar onde o chefe se achasse um rei autoritário. Se aquele posto fosse para ser meu, seria por minha capacidade. Seria porque eu era a pessoa certa para aquele momento da empresa, bem como a empresa seria o local ideal para eu continuar evoluindo em minha busca também. Senão, seria melhor deixar como estava.

Saindo da reunião, fui me encontrar com a Michele

– Ei, você já tem planos de onde vai passar seu Réveillon? – perguntei.

– Não sei ainda, só tenho uma certeza: quero passar com você, pois sei que é seu aniversário!

– É mesmo. Vou fazer 31 anos no dia 31 de dezembro!

– Ei, espera aí! Vamos calcular isso?

– Como assim? – perguntei.

– Veja só: 31 anos no dia 31 do 12 de 2004. Vamos somar tudo: 3+1+3+1+1+2+2+0+0+4 = 17 = 1+7 = 8

– Deu número 8. O que será que significa?

– Não faço ideia, Lufe, mas sempre ouvi que o 8 é o número do infinito, da plenitude.

– É verdade, não é? Se a gente parar para pensar, o 8 é um número que parece não ter início nem fim, que está constantemente em movimento.

– Não entendo nada, Lufe.

– Nem eu. Mas vamos acreditar que é o máximo! Que tudo que me reserva tem o poder do infinito! Afinal, são 31 anos no dia 31! Mas... E então? Aonde vamos? – perguntei.

– Bem... Sempre ouvi falar que o melhor Réveillon do Reino Unido é em Edimburgo, na Escócia. Dizem que lá os fogos estouram por trás de um castelo que fica no alto de uma montanha de pedras. O que acha?

– Por que não? Será que é muito caro?

– Vamos à estação de King's Cross e checamos isso?

Os valores eram bem mais possíveis do que pensávamos. Se fôssemos de bate-volta, passaríamos o Réveillon e voltaríamos na manhã seguinte, no primeiro trem. Cabia em nosso bolso. Compramos empolgados.

Agora, não era mais o momento de pensar sobre a vaga da M&Tony's. Era hora de relaxar, cuidar de mim e viver de forma intensa toda essa transição importante. Aniversário em 31 de dezembro sempre foi um portal muito poderoso em minha vida. Não deixaria a tensão em busca de trabalho atrapalhar nem meu aniversário, nem a virada de ano.

Trinta e um

NAQUELA MANHÃ DO DIA 31 de dezembro, cheguei à estação bem cedo. Era meu aniversário de 31 anos e eu estava eufórico por poder celebrá-lo na Escócia. O trem partiria às 8 horas e 17 minutos.

"Dia 31 de dezembro. Adoro essa data", eu pensava. "31 anos no dia 31. Este, definitivamente, é um dia único em minha vida."

Eu fiquei observando as pessoas passando de um lado para outro na estação. A maioria estava alegre com a expectativa de uma vida nova e mais feliz, um sentimento comum que a véspera de ano novo provoca.

Nasci numa data especial. No mundo todo, as pessoas se abraçam e desejam boas vibrações umas às outras. Não me recordava de nenhuma outra data que unificasse tantos países com o mesmo sentimento positivo. Eu pensava nas palavras de amor, sucesso, saúde e realização proferidas durante todo o dia, até o ápice de explosão à meia-noite, com muitos fogos de artifício no céu. Era mesmo um dia mágico, e eu procurava me conectar profundamente a essa energia.

Michele chegou quase na hora do embarque, e nós dois corremos como loucos felizes pela plataforma. Estávamos dentro do vagão rumo à Escócia, comemorando e rindo da sensação de aventura e emoção.

O trem era moderno, silencioso, com assentos confortáveis e janelas enormes – que davam a sensação de se estar voando baixo. Nos sentamos de frente um para o outro, com uma mesinha entre nós.

– Escócia, Michele! Imagina... Estamos indo para a Esss... cóoo...ciaaaa!

Eu comecei a pensar sobre minha evolução como pessoa, como homem, como um ser que tem uma vida para viver plenamente. Eu não me sentia completo, mas estava definitivamente melhor do que anos atrás. Seguia no caminho certo para algo muito maior. Sabia que aquela busca jamais cessaria, mas sonhava em evoluir constantemente. Queria que meus olhos brilhassem cheios de vida, como uma exteriorização natural do que eu construía em meu interior. Era esse o presente de aniversário que sempre pedia ao universo.

Sorri para Michele. Tinha os olhos cheios de lágrimas. Estava feliz em ver como eu chegava aos 31 anos.

– Mi, hoje é o último dia do ano. Você já fez seus pedidos para o ano que vem?

– Não, ainda não.

– Sabia que devemos escrever nossos pedidos para o próximo ano? O ideal é guardarmos e, quando possível, lermos para que possamos lembrar e fazer acontecer.

– E você? Já fez a sua listinha? – questionou ela.

– Olha, já comecei a escrever várias coisas, mas tem um objetivo que me faz esquecer tudo e focar nele como meu único desejo – eu disse, com um olhar calmo e distante.

– E qual é esse desejo tão forte e capaz de apagar os outros?

– Não... Ele não apaga os outros de forma alguma. Mas, como uma fonte de calor, esquenta todos os demais. Estou em busca da base de tudo, e não de coisas ou realizações momentâneas.

– O que você quer dizer?

– Meu questionamento para este ano é: qual a minha essência? O que sou de verdade? Qual a minha forma de encarar a vida? O que tenho dentro de mim que é tão natural e verdadeiro que não precisarei fazer esforço para me expressar e nem me sentirei cansado ao realizar meu trabalho? Como posso ser diferente da maioria das pessoas que sofrem com suas rotinas ou sonham com o dia da aposentadoria para se livrarem do mal que é trabalhar? Entende?

– Mais ou menos... Mas continue, quero entender melhor.

– Acredito que todos nós temos uma coisa única que somente nós podemos realizar. Com certeza encontraremos pela vida muitas pessoas com a missão parecida com a nossa, mas somente nós mesmos podemos realizá-la do nosso jeito. Então, em vez de tentar me adequar ao que é mais comum e esperado pelos outros, vou tentar ser verdadeiro comigo mesmo e oferecer ao mundo o que eu tenho de melhor, sem medos, e com toda a verdade da minha alma. Com certeza, muita gente vai precisar do que tenho a oferecer. Só preciso ainda saber o quê.

– Acho isso meio utópico.

– Pode ser, mas, se encontrarmos nosso verdadeiro dom e acreditarmos que ele é tão parte de nós que nem conseguimos nos imaginar sendo diferentes, então tudo pode acontecer. Tudo aquilo que quisermos.

– Às vezes eu acho que você vive num mundo de fantasias.

Seguimos em silêncio. A paisagem lá fora estava cada vez mais linda. Tínhamos passado por York. Tudo remetia a uma história de força e coragem, a um passado glorioso e guerreiro. Um povo que se orgulhava de suas tradições e de sua força. Eu amava tudo aquilo.

O celular tocou me trazendo de volta à realidade.

– Atende, Lufe! – apressou-se Michele.

– Deve ser alguém para dar parabéns pelo aniversário – eu disse, procurando o aparelho.

– Alô? – falou uma voz feminina do outro lado da linha.

Era Elaine, a mãe daquela família que eu havia conhecido no hotel. Estavam ligando do Brasil para carinhosamente me parabenizar, dizendo que me "desejavam um ano de colheita de todas as maravilhas que eu havia plantado". Uma ligação linda e confortante.

– Era aquela família que você conheceu no hotel?

– Sim, nos tornamos muito amigos. Eu os amo como se já os conhecesse desde minha infância. Engraçado, não é?

– Surpreendente. Jamais achei que um garçom poderia fazer amizades assim com os hóspedes.

– Pois eu sempre imaginei que sim – falei, enxugando as lágrimas.

– Lufe, por que tudo de bom acontece com você?

– Porque nunca enxerguei um "lado B". Eu acredito tanto que uma coisa vai acontecer que todas as ações e todos os pensamentos acabam por materializar aquilo que desejei.

Sorri, satisfeito por conseguir expressar minhas ideias nesse sentido. Era a primeira vez que eu falava com essa certeza que vinha de dentro. Sabia que conclusões assim só se revelam por meio de uma busca pessoal intensa que temos de fazer sozinhos. Ninguém poderia fazer isso por mim, nem por ela, nem por quem quer que fosse.

Michele sorria de volta, quando o celular tocou novamente.

– Uau! Agora todos vão ligar pelo aniversário. Atende!

– Alô? – eu disse, já esperando um "feliz aniversário".

– Alô, Lufe? Tudo bem? Aqui é a Margareth!

– Oi, Margareth, que surpresa!

– Pois é, estou ligando para parabenizá-lo!

– Que linda! – falei com intimidade, afinal ela estava ligando pelo meu aniversário. – Você lembrou? Obrigado!

– Sim! Claro que sim! Tanto lembrei que decidi ligar hoje com um parabéns duplo.

– Duplo?

– Sim, parabéns pelo aniversário e parabéns por ser escolhido para ser nosso próximo diretor de marketing! Você agora é parte do nosso time e queremos que comece no dia 3 de janeiro. Topa?

– Três do um? – silêncio.

– Lufe?

– Jura, Margareth? Você está me dando esta notícia logo hoje?

– Sim, pois queria que fosse como um presente de aniversário. Você merece e, pessoalmente, estou muito feliz em lhe dar esta notícia e recebê-lo aqui de braços abertos!

– Este é o melhor presente que você poderia me dar! – exclamei, já me levantando do assento e andando de um lado para outro no trem.

Eu falava alto e festejava em movimentos que chamavam a atenção de todos os passageiros, deixando Michele curiosa e envergonhada ao mesmo tempo.

– É aniversário dele... – dizia ela meio sem jeito ao inglês sentado no banco ao lado. – Ele está emocionado.

Ainda estava em choque quando me sentei. Não conseguia falar nem colocar as ideias em ordem. Ficava de olhos arregalados para o nada, como se estivesse em transe.

– Me diz o que aconteceu! – insistia Michele, sem ter a menor ideia do que poderia ser.

– Calma, Mi, deixa eu ficar quieto um pouco – eu sinalizava, sem conseguir falar.

Levantei-me, caminhei pelo trem em um mix de choro e de risos. Eu precisava de ar. Gargalhava sozinho. Andava. Ia. Voltava. Sentava. Levantava. Respirava. Caía na gargalhada novamente. Chorava rindo. Ria chorando.

– Me conta! Me conta! – Michele sacudia meus ombros.

Aquilo me fez acordar do transe em que me encontrava.

– Mi... Você não vai acreditar!

– Conta em detalhes! – ela ordenou, já sem paciência.

Falei de todo o processo seletivo, de como as coisas tinham se desenrolado até ali, das entrevistas, da mancada na última conversa com o chefe e da ligação que agora recebia, anunciando que eu fora o escolhido para ser o diretor de marketing. Diretor de marketing.

– Di-re-tor de Mar-ke-ting!? – ela se surpreendeu.

Saí comemorando pelo trem sem a menor vergonha. Michele a essa altura já festejava comigo, e nós dois começamos ali uma festa. Eu iria trabalhar com Marketing em Londres, como sempre desejei. Que presente de aniversário maravilhoso eu havia recebido!

Sempre tive certeza de que poderia ter tudo o que fosse justo em meu caminho pessoal. E, agora, naquele dia especial do meu aniversário de 31 anos, no dia 31 de dezembro, último dia do ano, eu comemorava o último dia de uma etapa e, acima de tudo, celebrava o começo definitivo de um novo ciclo que, por coincidência ou não, estaria iniciando no dia 3 do 1. Um ano que começaria com a concretização daquilo a que sempre me propus desde que havia chegado em Londres: Vencer obstáculos de forma espiritualizada.

Estava mostrando para mim mesmo e para quem quisesse ver que, quando se tem um sonho e um objetivo maior, não há nada que nos impeça de realizá-los. E isso agora não era mais teoria ou mesmo literatura de autoajuda: era real. Eu estava testando tudo na prática e usando a mim mesmo como cobaia, sem medos. Colhia os frutos do que estava plantando e, mais uma vez, comemorei por estar no caminho certo, na espiral positiva dos acontecimentos.

Simpatia escocesa

CHEGAMOS A EDIMBURGO no início da tarde. Teríamos todo o resto do dia pela frente para conhecê-la antes de nos prepararmos para a grande festa da virada do ano. Andávamos como dois turistas alucinados. Tudo era motivo de fotos naquela cidade que mais parecia um cenário perfeito de histórias de realezas. O castelo ficava no alto de uma colina rochosa. As ladeiras ao seu redor abrigavam casas e construções em pedras que datavam de centenas de anos e ainda continuavam preservadas e sendo utilizadas normalmente. Na base da colina, jardins belíssimos e muito bem cuidados.

Vimos muitos homens usando *kilt,* a famosa saia escocesa, e tocando as músicas tradicionais com gaita de fole, seu instrumento típico. A gente se divertiu. No final da tarde, fomos conhecer o castelo por dentro. Na saída, entramos em um *pub* lotado, pois Michele precisava usar o banheiro. Todos ali bebiam muito. O clima de festa começou cedo para eles.

– A toalete fica lá no fundo – eu disse. – Vou ficar aqui e pedir uma bebida. O que você quer?

– Você sabe que combinamos de não beber álcool hoje. Não podemos ficar bêbados. Estamos somente nós dois aqui. Temos de cuidar um do outro, lembra?

– Claro, Michele, não falei que não estou a fim de beber? Estou em uma pegada muito mais espiritual. O que você quer? Refrigerante? Suco? Água?

– Uma água, por favor. Já volto.

Fui ao balcão do bar. Michele entrou na fila do banheiro.

– Uma água, por favor, e um... – eu falava com o barman, quando fui interrompido.

– Uma água? Como assim? Você não vai beber hoje? – um escocês divertidíssimo e muito amigável puxou papo, mas já um pouco alterado pela bebida.

– É... Pois é... Logo hoje...

– Hoje é HOGMANAY! Dia de celebrar! – exclamou ele.

– O que é Hogman... Hogma... Hog o quê?

– Hogmanay é como chamamos a festa de passagem de ano. Não falamos Réveillon, falamos Hogmanay.

– Ah... Certo... Certo... Que legal... Hogmanay! Feliz Hogmanay!

– Pra você também – respondeu, dando um abraço forte como o de um urso. – E então... vamos beber cerveja?

– É... Pode ser, afinal hoje é dia do meu aniversário.

– Seu aniversário? No dia 31? – espantou-se o escocês.

– Sim, hoje mesmo!

– Pessoal! Hoje é o aniversário do meu amigão aqui! – ele gritou para um bando de escoceses já bêbados. – E ele é de... De... De onde você é mesmo?

– Do Brasil – respondi, timidamente.

– Do Brasil! Brasil! Ronaldo! Ronaldinho! Pelé! – todos os escoceses gritaram juntos.

– Dê aqui duas *pints* para o meu amigo brasileiro! Você vai beber com a gente, pois isso é cultura na Escócia! – ordenou o animado escocês, me fazendo beber meio litro de cerveja.

Quando Michele voltou da toalete, eu já era o cara mais famoso do bar. Todos vinham me cumprimentar pelo aniversário e me faziam beber um gole de suas cervejas.

– Lufe? Você não disse que não ia beber?

– Quem é ela? – perguntou um deles.

– É minha amiga brasileira.

Aí a festa começou de verdade. Não imaginávamos que os escoceses fossem tão simpáticos.

– Vocês usam saias mesmo? – perguntei a um deles.

– Sim. O *kilt*!

– E é verdade que não usam nada por baixo?

Curiosidade é uma coisa perigosa. Não é que o escocês, sem a menor cerimônia, levantou a saia para mostrar que estava completamente nu, mesmo com aquele frio? O bar inteiro caiu na gargalhada. Michele quase morreu de vergonha. Eu, àquela altura já tonto de tanta cerveja, caí na risada, me juntando à alegria daquele povo incrível.

– Vamos! – falou Michele. – Vamos descer para nos prepararmos para a queima de fogos.

– Só mais um pouquinho, por favor. É a melhor festa da minha vida. Meu aniversário! Calma!

– Em toda festa que vai, você diz que é a melhor da sua vida. Vamos!

– Ok... Ok... Melhor irmos...

Chegamos ao imenso jardim que, àquela hora, já estava cheio. Muitas famílias juntas, luzes dos parques, música, gente feliz e atividades tradicionais.

Eu precisava colocar para fora minha felicidade. Tinha muito a festejar e agradecer. Queria abraçar, pular, dançar... Tudo parecia querer explodir junto como os fogos de artifício.

À nossa volta, muitas pessoas esperavam pelo momento do espetáculo. Já era quase meia-noite e o local estava completamente tomado de gente. No alto da imensa rocha, estava o castelo todo iluminado de amarelo. Uma visão inesquecível, um momento para ficar marcado na nossa história. De repente:

– *Five! Four! Three! Two! One!* Cinco! Quatro! Três! Dois! Um!

Um novo ano chegou como se me abraçasse com a promessa de muitas conquistas, aventuras e realizações. A imagem da Michele feliz ali ao meu lado parecia em câmera lenta, pulando e sorrindo com o rosto iluminado pelas luzes dos fogos. O som de cada estouro dava uma sensação de que eu iria explodir por dentro.

Meu aniversário mais parecia um ritual de passagem com aquele cenário imponente da Escócia, com todos aqueles fogos coloridos por detrás daquele castelo com vários séculos de poderosas histórias de conquistas!

Se eu precisava de uma celebração para comemorar um novo ciclo, aquela certamente parecia chegar com toda magia necessária para me trazer um novo ano! Tudo novo!

Abraços e barreiras

DIA 3 DE JANEIRO, às 8 horas e 15 minutos de uma manhã gelada e azul. Esquina da Oxford Street com a Hanway Street. As ruas ainda estavam calmas, com poucos carros. O sol, tímido.

Estava ansioso para começar minha nova vida. Fiquei parado naquela esquina por alguns minutos. Agradecia, me considerando imensamente abençoado. Aquela manhã era única, e eu aguardava o relógio marcar 8 horas e 30 minutos para apertar o interfone e dar início a tanta coisa que me esperava. Sentia o sol em meu rosto e um friozinho gelado, que dava uma sensação de conforto.

Na véspera, eu tinha comunicado ao Champagne Bar o meu desligamento. Fiz questão de falar com minha chefe, Jane, e agradecer-lhe por ter acreditado em minha capacidade de realizar um bom trabalho. Ela parecia orgulhosa do *coffee station boy*. Fitei-a de forma carinhosa e, no fundo, percebi que ela também tinha um sonho enrustido por trás dos óculos e da atitude austera. Minha história de desprendimento e de muita determinação a instigava a buscar seus próprios desejos, provavelmente bem maiores do que aquele cargo de gerência do restaurante.

– Mas você vai ser diretor de marketing ou fazer parte da equipe de marketing? – perguntou-me ela.

– Vou ser o diretor mesmo. Era o que eu fazia no Brasil e essa foi minha pós-graduação também.

– Você me inspira. Desejo que seja muito feliz.

– Jane, sei que parece estranho, mas nós nunca nos abraçamos. Agora, que estou de saída, me dá um abraço?

– Um abraço? – estranhou a inglesa conservadora.

– Sim – eu disse, com os braços já abertos. – Você foi muito importante em minha vida.

Reconhecia que tinha sido muito feliz no restaurante nos meses que trabalhei por lá, mas sabia que já tinha aprendido o que tinha de aprender e que, agora, eu deveria seguir adiante.

Por dentro, agradecia por não me contentar com algo que não fosse minha verdade interior. Só assim eu pude perceber as mensagens que foram enviadas pelo universo e que me levaram até aquela manhã de 3 de janeiro. Eu me orgulhava por estar prestes a começar um trabalho mais promissor, mas também sabia que todo o caminho tinha sido mágico e que aquele novo passo não seria o último, mas apenas mais um em minha busca contínua.

8 horas e 30 minutos, pontualmente. Tomei fôlego e toquei o interfone.

Margareth me recebeu com um abraço caloroso e um sorriso contagiante. Parecia feliz em ter me selecionado para aquele cargo. Explicou-me toda a proposta financeira, como funcionavam os pagamentos e os benefícios, assim como as normas de segurança do prédio e as ações em caso de incêndio. Fomos até o departamento de marketing, onde me apresentou para toda a equipe.

Conheci Agnes, uma russa que já trabalhava há muitos anos na empresa e cuidava do mercado do Leste Europeu. Joanna, uma polonesa que tratava especificamente do mercado de seu país e que estava em constante crescimento nos negócios da empresa. Robert, das Filipinas, e amigo pessoal dos donos, era o responsável pelo mercado filipino, que sempre trazia bons resultados. Fernando, brasileiro, não representava nenhum país, mas era o designer gráfico incumbido de todas as artes elaboradas nas campanhas. Faltava um membro, ainda a ser selecionado, que cuidaria do mercado latino-americano de língua espanhola. E, por fim, Rose, a atual diretora de marketing, que deixaria o cargo para viver em Portugal, de onde seria responsável pelas comunicações da empresa naquele país.

Ela foi muito paciente, explicando cada campanha que estava em andamento e como fazia para trazer resultados de cada país em que atuavam. Em seguida, fomos ao encontro dos dois donos da empresa, que por mais de uma hora explicaram todas as expectativas e funções. Rui me deu uma lista de deveres que seria de minha responsabilidade desenvolver.

Percebi que, ao regressar para minha profissão, eu estava abandonando a mente relaxada e sem preocupações de um trabalhador de restaurantes. Agora, precisava atingir resultados, gerenciar pessoas, fazer relatórios, lidar com prazos curtos, sem hora para começar nem para terminar. Eu adorava aquilo e, pela primeira vez, me sentia um profissional integrado àquela cidade da forma que sempre esperei.

A primeira semana se passou. Na sexta-feira, meus chefes me chamaram para uma conversa.

– Lufe, estamos muito felizes com as ações que você vem realizando – disse Rui.

– Sua proposta de começarmos com o marketing interno de motivação dos funcionários foi excelente – complementou Marcondes. – Daqui a vinte dias, teremos uma reunião com todos os gerentes de lojas, coordenadores do *call center*, gerentes financeiros e representantes dos seis países onde atuamos. Estaremos reunidos num hotel para uma pequena convenção da empresa. Nessa ocasião, gostaríamos que apresentasse para todos nós o plano de marketing anual.

– Um plano de marketing para o ano todo em vinte dias? – perguntei, não acreditando no curto espaço de tempo para tal proposta, mas mostrando confiança.

– Sim, tudo bem para você? – perguntou Marcondes, em tom ameaçador.

– Claro que sim. Achei a ideia ótima – respondi, sem pensar duas vezes.

Saí de lá preocupado com uma missão dessas, pois eu tinha acabado de entrar na empresa, e parecia impossível. Mas já era hora de arregaçar as mangas e colocar a máquina em movimento.

Voltei para o departamento e convoquei uma reunião de urgência com todos os membros da equipe. Expliquei a solicitação dos chefes e combinamos de nos reunirmos durante o fim de semana para um *brainstorm* de tudo o que poderíamos oferecer.

Eu estava empolgadíssimo, falando de todas as possibilidades, quando Robert perguntou quem iria apresentar o plano aos convidados tão importantes.

– Imagino que eu mesmo, Robert. Acho que é o esperado.

– Desculpe, mas como vai se comunicar com eles? Os gerentes mais importantes estarão lá, e você não fala bem o inglês – ressaltou educadamente, mas com um tom provocador, plantando desconforto na equipe em geral.

– Robert querido, eu estou aqui me comunicando com vocês, não estou? Quem disse que serei eu quem vai escrever todo o plano? Você é a pessoa em quem mais confio para me ajudar com o inglês e poderá ser meu braço direito. Você coordena comigo todo o plano, revisa tudo, e deixa que eu me viro com a apresentação no dia.

Todos da equipe estavam preocupados em serem gerenciados por um semianalfabeto em inglês. Como podiam ter contratado alguém que nem ao menos falava o idioma? Eu seria mesmo capaz de elaborar uma campanha?

– Pessoal, não importa se sei ou não falar o idioma. Vocês são da minha equipe, certo? Vocês falam inglês, não falam? Pois marketing é feito de ações claras, objetivas e com resultados certeiros. Isso não tem língua. Tem linguagem. E, em relação a isso, vocês podem ficar tranquilos, pois ninguém poderia ser melhor do que eu aqui e agora. Sou audacioso e corajoso para fazer tudo aquilo que sempre quiseram e ninguém aqui dentro permitia que fizessem. O que é melhor, ter um chefe louco que adora incentivar as ideias criativas de sua equipe ou ter um professor de inglês?

Aquele pequeno discurso parecia ter sido o suficiente para deixá-los empolgados como um time unido, com os ânimos e a criatividade aflorados e prontos para a batalha. Começamos imediatamente os projetos para o plano de marketing. Com o passar dos dias, Robert se mostrou um bom parceiro, organizando todas as lâminas de PowerPoint que seriam apresentadas.

Mas ele havia contagiado de forma negativa toda a equipe, despertando em todos a sensação de que seriam desmoralizados por um chefe sem qualificações suficientes para representar o departamento. Agnes, a russa, se uniu a ele, pois, após tantos anos na empresa, tinha certeza de que seria promovida à diretora de marketing. Era quase como se ela quisesse me boicotar constantemente. Parecia até um roteiro de filme conviver com o filipino e a russa minando as energias da nossa equipe. Eu sentia a pressão e sabia que precisava contornar essa situação, gerenciar com sabedoria o meu time, mas, naquele momento de foco na convenção, soube separar muito bem o emocional do racional e deleguei, sem nenhum rodeio. A apresentação do que fora discutido entre nós deveria estar pronta na data certa. É claro que eu tinha medo de me apresentar na frente de tantos gerentes importantes na convenção sem saber falar inglês bem, pois havia a possibilidade de ser uma situação constrangedora. Porém, isso me deixava ainda mais excitado e disposto a enfrentar o desafio.

O discurso de um semianalfabeto

MENOS DE UM MÊS após eu ter sido contratado pela empresa, me vi caminhando até o hotel onde seria a convenção. Naquele dia, eu teria a obrigação de apresentar o plano de marketing anual, em inglês, em cima do palco para todos os gerentes. Um desafio enorme. Quase tão grande quanto o guerreiro que eu me sentia internamente.

Eu estava concentrado. Cheguei cedo com a equipe para preparar todos os equipamentos e a comunicação visual do espaço, além dos aperitivos a serem servidos nos intervalos – que também eram de responsabilidade do departamento de marketing.

A primeira parte do evento foi reservada para as apresentações dos departamentos financeiro e de recursos humanos. A pausa para o intervalo atiçou meus medos. Sentia não estar pronto para o momento que viria na sequência. Eu sabia o conteúdo, é claro, mas como me portaria à frente da plateia, formada por representantes de seis países diferentes?

Enquanto minha equipe preparava as lâminas a serem exibidas, fui ao banheiro. Eu queria ficar sozinho e me conectar com a luz superior que acreditava me guiar pelo caminho que percorria em busca de meus objetivos. Tranquei-me em uma das cabines e rezei. Era tudo o que eu sentia vontade de fazer naquele momento.

– Estou aqui, a poucos minutos de encarar tanta gente capaz de me julgar – dizia. – Sei o que faço em termos de marketing. Acredito que cheguei até aqui por motivos justos. Então, esteja comigo neste momento. Fale por mim lá na frente. Faça com que minha desvantagem por não falar inglês se torne minha maior vantagem neste dia. Que minha energia interior esteja em perfeita harmonia com a energia interior das pessoas daquela sala.

Eu saí da cabine mais calmo. Minha mente estava vazia. Não tinha preocupações, mas também não tinha a solução nem uma vaga ideia do que faria. Lavei o rosto, ajeitei o cabelo e segui para o salão.

O intervalo já havia terminado. Todos aguardavam minha chegada. Robert estava sentado com o computador à sua frente, coordenando o que seria apresentado. Parei ao seu lado e pude ver sua expressão de desespero, como se algo humilhante estivesse prestes a acontecer. Seus olhos tinham certo ar de compaixão. As meninas, Joanna e Agnes, estavam igualmente preocupadas e acuadas. Os presentes no auditório nem podiam imaginar o quão desafiante aquele momento era para mim e apenas estavam na expectativa de conhecer o novo diretor de marketing da empresa.

Fiquei parado, de costas para o público, olhando para a projeção no telão com o título da apresentação em inglês: *Marketing Plan*. Um filme parecia passar na minha cabeça. Devo ter ficado ali por alguns segundos – ou minutos, não sei –, até me virar de frente para as pessoas. Todos me olhavam em silêncio, esperando o início da apresentação. Não eram tantas – cerca de quarenta ou cinquenta –, mas pareciam uma multidão. Robert estava imóvel, somente com os olhos de descrença que pareciam gritar.

Eu respirava e procurava me situar naquela posição, naquele lugar, em tudo que tinha para dizer, não importando o idioma. Eu podia ouvir as batidas do meu coração.

"Que minha desvantagem se torne minha maior vantagem", eu mentalizava, invocando todas as forças positivas que tinham me trazido até ali.

Eu continuei em silêncio, olhando para todos os presentes. Focava nos olhos de cada um dos que estavam sentados à minha frente. Eu andava de um lado a outro para que pudesse ter certeza de que fazia contato visual com cada um dos participantes. Respirava, oxigenando o cérebro. A plateia parecia hipnotizada, pois todos me olhavam sem dizer uma palavra sequer. Estavam curiosos com toda aquela expectativa inicial.

Na última fila, à direita, estava Marcondes, o poderoso chefe brasileiro, que todos temiam e sempre tentavam agradar. Eu, transbordando autoconfiança, olhei bem forte nos seus olhos e disse em inglês:

– Boa tarde.

– Boa tarde – responderam todos, já curiosos depois de tanto silêncio.

– Como vocês perceberão em alguns segundos, se é que ainda não perceberam, meu inglês é bem iniciante. Não posso afirmar que o que falo seja realmente inglês e, ainda por cima, engulo as palavras!

Comecei a rir de mim mesmo, já descontraindo o ambiente. A plateia deu gargalhadas ao me ver assumir minha fragilidade já na primeira frase. Todos achavam bacana eu brincar tão naturalmente com uma vulnerabilidade que seria impossível esconder.

– Neste caso – continuei –, como tenho muito o que falar e pouco vocabulário para ajudar, vou nomear um voluntário para me socorrer. Assim, ele poderá me ajudar quando eu não souber como me expressar. O que acham, tudo bem para vocês? – sugeri, sem ter noção do que falava, mas já reconhecendo que estava sendo conduzido por uma força maior.

– Ok! Ok! Conte com a gente! – todos responderam, já entrando no clima informal e adorando a interatividade.

– Então, o meu nomeado para ajudas aleatórias será... Será... – eu andava de um lado para o outro. – Será... Será... Marcondes, nosso chefe!

E apontei para ele, que estava silencioso na última fila.

– Sim, Marcondes, sempre que eu não souber me expressar em inglês, você pode me ajudar? – perguntei.

– Ajudo, sim! – respondeu sorrindo, mas com certo ar de desconfiança, meio que no susto, enquanto os convidados suspiraram, em uma mistura de nervosismo e perplexidade diante daquele novato que, sem o menor sinal de vergonha, convocou o chefe mais temido para aliviar sua humilhação.

Aquilo poderia ser um motivo de demissão a curto prazo, pois ele gostava muito de ser autoritário, e se ver na condição de ajudante de palco, ainda mais por algo que eu tinha obrigação de saber, poderia, sim, ser demais para ele.

Robert levou as mãos à cabeça e quase se derreteu na cadeira, tentando sumir daquela situação.

Assim, eu comecei minha apresentação envolvendo toda a plateia. Tudo foi transcorrendo de forma profissional, mas, ao mesmo tempo, tão engraçada que parecia um programa de auditório. A cada lâmina do plano de marketing, eu utilizava técnicas que faziam os convidados interagirem com entusiasmo. Respondiam a perguntas, vinham até o palco ao meu lado e participavam ativamente do plano que desenvolvi com minha equipe. Uma vez ou outra, eu perguntava alguma coisa para Marcondes, que me ajudava sem constrangimentos.

– Marcondes, como falo “desenvolver”? Marcondes, por favor, como falo “criar”?

Marcondes, como falo: "permitir", "acreditar", "motivar", "investir", "buscar", "alcançar"?

Estava fazendo com que o chefe falasse em voz alta palavras importantes para a realização dos projetos que estava apresentando. Os participantes se contagiavam, acreditando que tudo realmente poderia ser realizado.

Neste clima de busca por resultados concretos, mas com a leveza de quem se diverte ao trabalhar, fui passando as lâminas do plano de marketing com tanta descontração e, ao mesmo tempo, tanto profissionalismo, que ia conseguindo a aprovação de todos os gerentes em relação aos projetos criados para o decorrer daquele ano. Era como se estivesse sonhando. As palavras vinham com facilidade, e a resposta do público era positiva. Fiz questão de elogiar o time que estava trabalhando comigo e, por meio das soluções propostas, ganhei a confiança dos gerentes, dos chefes e, talvez, o mais importante: a admiração da equipe.

Quando acabei minha apresentação, todos se levantaram e bateram palmas. Sim, e de pé. Acho até que foi neste momento que voltei à realidade. Eu devia estar em estado de graça, numa espécie de transe. Por um instante, parecia ter acordado ao som das palmas. Todos vieram me cumprimentar pelos projetos apresentados e dar boas-vindas.

Os dois chefes vieram juntos.

– Parabéns pela forma como conduziu a palestra – disse Rui.

– Sim, você fez do seu inglês básico o ponto alto, e facilitou a participação de todos e o entendimento correto das ações – disse meu chefe, o "ajudante" Marcondes, entrando no clima de toda aquela experiência.

– E tem mais: não teve medo de encarar o desafio e mostrou-se um mestre em superação pessoal. Era isso que esperávamos de alguém que será tão importante na motivação de todos os funcionários – complementou Rui.

Naquele momento, eu me lembrei da oração feita pouco tempo atrás, em que, sem saber como, pedi que meu ponto fraco fosse transformado em vantagem. Isso tinha acabado de acontecer de forma surpreendente e, agora, eu estava sendo elogiado por todos. Minha equipe sentia-se tão orgulhosa que, ao final, pediram para tirar fotos a fim de que aquele momento ficasse registrado.

– Obrigado, Robert. Você foi muito importante nesta apresentação.

– Não me agradeça. Eu é que devo agradecer por você me ensinar a transformar nossas desvantagens. Aprendi muito hoje.

Neve

JÁ ERA QUASE FEVEREIRO. Naquela manhã, eu tinha uma reunião importante com os membros da equipe e decidi ir ao escritório bem cedo, antes das 8 horas. Agnes chegou logo em seguida.

– Você sabia que está nevando ao norte? – perguntou ela.

– Como? Eu preciso ver isso! – me entusiasmei.

– Você nunca viu? Não acredito! – falou a russa, que deve ter nascido debaixo de uma camada espessa de neve, sem se tocar que eu vinha de uma ilha tropical ao sul do Brasil.

– Não, nunca. É o meu sonho. Onde mesmo você disse que está nevando?

– No norte. Aqui em Londres raramente neva e, se nevar, nunca vai ser aqui no centro. Tem muitos prédios, muita poluição, esquenta e derrete. Se quiser ver, tem que ir para o interior.

– Mas você disse que está nevando no norte da cidade. Se eu pegar um metrô e ir rapidinho pra lá, não vejo? – perguntei, esperançoso e já me esquecendo da reunião.

– Claro que não. Quando dizemos norte de Londres, estamos falando de cidades ao norte, não aqui nos arredores.

Fiquei decepcionado. Nunca estive tão perto e tão longe da neve. Ficaria ali, parado, só imaginando as pessoas montando bonequinhos, fazendo guerra com bolas de gelo, esquiando...

Os outros membros da equipe começaram a chegar. A conversa logo se espalhou. Nevava e eu já andava aborrecido com tanta decepção. Estava a ponto de convocar aquela reunião dentro de um trem rumo ao norte.

Após alguns cafés e chás bem quentes, começamos o trabalho. Todos estavam empolgados com as possibilidades abertas na convenção e com a liberdade de realizar ações em cada mercado, nas diferentes línguas.

– Lufe? O que achou desta opção? – perguntou Joanna. – Lufe? Está me escutando?

– Oi, Joanna, acho que pode ser boa, desde que não saia do orçamento – falei sem pensar, voltando meu olhar para o centro da sala.

Nos últimos minutos, eu tinha ficado de olho na janela, na expectativa de uma iminente possibilidade de nevar.

– Lufe, se concentre aqui. Já disse que não neva no centro da cidade – advertiu Agnes, friamente.

– Desculpem-me. Às vezes, eu me distraio com essa possibilidade. Prossigam, por favor.

Continuamos discutindo projetos em espanhol, russo, polonês, português. Tínhamos que definir como seria a campanha de lançamento da nova loja de Toronto, no Canadá. Sentia-me imensamente abençoado por estar elaborando campanhas e estratégias tão globais. Estava em Londres, um dos principais centros do mundo, criando ações de marketing em seis línguas diferentes. Eu tinha dimensão da importância daquilo, sabia admirar a bênção que havia recebido e queria fazer jus a ela.

– Lufe? Está distraído outra vez? – Robert chamou minha atenção ao me ver olhando para a janela como se estivesse em transe.

– Não, imagina. Parem de pegar no meu pé – retruquei, sorrindo, como quem não tem como negar a culpa.

Levantei-me para pegar um café que estava no canto da sala. Quando, de repente:

– O que é isso?! – gritei.

– Isso o quê? – todos perguntaram assustados.

Eu estava grudado com a cara no vidro, os olhos brilhando.

– Corre! Corre! Está nevando! Corre!

Todos ficaram perplexos com a atitude infantil e descabida do chefe. E no meio de uma reunião.

– Corre! Está nevando! Corre! – eu gritava pelos corredores da empresa, convocando todos os departamentos a descerem para a rua e ver a neve.

Eu poderia estar fazendo papel de bobo, mas não me preocupei com isso. Estava por completo naquele momento: corpo e alma vivendo dentro de um sonho. Desci as escadas correndo, abri a porta da entrada com força. Sentia cada floco de neve em meu rosto. Olhava para cima e via a consistência daqueles cristais gelados. Pareciam penas de gelo caindo do céu. Abria as mãos, eu queria sentir a neve. A rua começava a ficar toda branca. Em meus ouvidos, tocava uma música dos anjos. Eu, como um louco – ou simplesmente como uma criança –, dançava na rua com os braços abertos, em movimentos lentos. Era um silêncio mágico. Meus olhos não acreditavam no que viam. Eu ria um riso fácil e tinha a sensação de o tempo ter parado, de as obrigações profissionais terem todas evaporado.

Eu abri os olhos. Toda a minha equipe estava lá, assim como muitas pessoas do escritório, ao meu lado, dançando e se emocionando com a simplicidade da natureza. Meus olhos marejaram. Começamos a nos abraçar e dançar juntos. Batemos várias fotografias e, ali, em meio aos companheiros de trabalho, pessoas sérias e preocupadas em serem sempre profissionais, me lembrei do comercial da companhia aérea que o Sr. Frank havia me mostrado. Era muito parecido com o que eu acabava de viver naquele momento. Agora, mais do que nunca, aquela frase me tocava profundamente, pois eu parecia mesmo o personagem do comercial de TV.

– Quando foi a última vez que você fez alguma coisa pela primeira vez?

Quando foi? A última vez?

Que você fez alguma coisa...

PELA PRIMEIRA VEZ?

Tinha acabado de fazer isso. Enquanto via neve pela primeira vez, prometi a mim mesmo nunca deixar de procurar novas emoções e experiências.

Escolhas imobiliárias

EU ESTAVA TÃO ENVOLVIDO com o trabalho que não tive tempo de procurar uma casa nova para morar. Quando percebi, já estava na terça-feira da última semana. Meus amigos retornariam do Brasil, eu precisava desocupar a casa deles antes de sábado e ainda não tinha nem ideia de para onde ir.

Comprei o impresso de uma imobiliária com vários nomes, endereços e telefones de interessados em alugar um quarto em suas casas. Havia as mais variadas possibilidades. Eu não conhecia muito bem os bairros bons ou ruins e, pela falta de programação antecipada e impossibilidade de gastar muito com aluguel, não estava em condições de escolher. Isto me preocupava – moradia sempre foi um forte pilar na minha base emocional.

Comecei a ligar para aqueles que estavam dentro de minhas possibilidades financeiras.

– Alô? Vocês estão alugando um quarto em sua casa?

– Já está alugado, desculpe.

Outro:

– Alô? Vocês ainda têm um quarto para alugar?

– Sim, temos. Você precisa ser vegetariano.

– Como? Não, obrigado. – "Muita complicação", eu pensava.

De novo:

– Alô, ainda está vago o quarto em sua casa?

– Está, sim. Pode vir aqui agora dar uma olhada se quiser.

Cheguei a um apartamento ao sul de Londres. O local podia não ser tão bom quanto os que eu estava acostumado a morar – mas estava dentro de minhas possibilidades financeiras. Naquele momento, minha principal exigência era conviver com ingleses, pois tinha o objetivo de falar bem o idioma o mais rápido possível.

Ao entrar no apartamento, me deparei com paredes vermelhas e uma decoração que mais parecia a de um cabaré. Fui elegante com os donos da casa, mas, assim que pude, me despedi sem a menor intenção de voltar.

– Alô, é sobre a vaga em seu apartamento. Será que poderia vê-lo agora?

– Sim, claro, estamos à sua espera.

E lá fui eu para o outro lado da cidade, ao bairro Angel, que eu adorava. Já o conhecia pelos bares e era um lugar em ascensão. Fiquei muito motivado com aquela possibilidade e cheguei ao apartamento de quatro quartos, onde já moravam quatro rapazes. Eu seria o quinto; então, provavelmente, dois dormiriam no mesmo quarto. Quando entrei na casa dos ingleses, quase caí de costas. Havia latas de cerveja espalhadas por todos os lados, a casa cheirava mal, a cozinha estava um nojo.

– Estão mesmo cobrando 100 libras semanais por este quarto? – perguntei cuidadosamente, sem querer ofender.

– Aqui é o bairro Angel, meu amigo. Você tem que dar valor à localização em que está morando.

Era a última coisa que eu estava disposto a fazer: me mudar para um chiqueiro simplesmente porque ele ficava em um bom bairro londrino.

Olhei mais um apartamento. E mais um. E mais outro. E nada. Já eram 9 horas da noite. Desci na estação de metrô Bank e subi até a superfície para pegar o sinal de celular. Liguei para uma mulher que anunciava uma vaga. Dizia que morava sozinha, numa bela casa vitoriana, reformada, em ótimas condições, com todos os confortos necessários. Dizia também que o quarto a ser alugado tinha vista para o jardim e estava completamente decorado – entretanto, não havia estação de metrô por perto. Uma coisa chamava minha atenção e ficava martelando em minha cabeça: o campo sobre profissão que ela preencheu na ficha dizia "diretora de TV". Quem sabe morando com ela eu não teria a oportunidade de trabalhar na área de televisão, como no Brasil?

– Alô? – atendeu a mulher.

– Olá, estou ligando sobre o quarto que você está alugando em sua casa.

– Ah, sim – falou com uma voz doce. – Mas não posso falar agora, pois estou no meio de uma filmagem. Você se importa de me ligar amanhã?

– Tudo bem. Não tem problema.

Desliguei o telefone encantado, vendo que ela realmente trabalhava em TV e estava filmando. Seria ótimo ao menos conhecê-la, mesmo que não morasse com ela. Poderia convidá-la para um café, por que não?

Apontei o próximo da lista e liguei.

– Alô. É sobre o quarto. Poderia visitá-los agora?

– Sim, pode vir. Espero você no metrô.

O acesso era muito fácil. Linha vermelha do metrô, estação Mile End. Chegando lá, o rapaz já me esperava na saída. Caminhamos por apenas dois ou três minutos. Era uma rua muito especial, pois havia um canal ladeado por jardins. Comentei sobre a beleza daquele lugar. O jovem era um português que estava voltando para seu país.

Era uma casinha com cercas brancas e jardim. Na entrada, um corredor pequeno e uma escada levavam ao segundo andar. Ainda na parte de baixo, uma cozinha enorme, moderna, branca, com um largo balcão no centro. Ali, ficavam todos os eletrodomésticos e, ao fundo, um jardim cuidadosamente decorado.

– Já estou gostando deste lugar – comentei.

– Fazemos festas maravilhosas neste jardim. Não disse que seria a sua cara? – sorriu o português, que se chamava Mário.

– Olá, boa noite – falou outro morador que descia as escadas. Era jovem, sorridente e muito simpático.

– Este é o Fred – disse Mário. – Ele, assim como a maioria aqui, é médico. Sou o único diferente. Na verdade, trabalho como gerente de um restaurante em Mayfair, uma das áreas mais nobres de Londres.

– Uau, que ótimo!

– E você, o que faz? – perguntou Mário.

Fui explicando o que fazia enquanto subíamos as escadas para conhecer a parte de cima e os quartos. Passamos pela sala social. Era moderna e com decoração minimalista. Um tapete confortável, uma grande TV de plasma, um sofá baixo, iluminação indireta. Eu já me sentia em casa com aqueles dois.

Mostraram os quartos e o banheiro. Eu estava encantado com tudo, quando chegamos ao que estava para alugar.

– Entre, por favor, este aqui será seu em breve – disse Mário.

– Uau! Que lindo!

O quarto era inteiro decorado em estilo moderno. O armário embutido ocupava toda a parede e era preto, laqueado, com as portas de espelho. A cama de casal também era preta, assim como uma cômoda e a cadeira, que ficavam de canto.

– Estou impressionado – eu disse.

– Você não viu nada. Olhe aqui – falou Mário, abrindo as janelas que davam de frente para o canal.

– Que delícia de vista, nem parece que estamos no meio da cidade.

Tudo parecia perfeito, da forma como sempre quis. Pessoas jovens, inteligentes, bem posicionadas profissionalmente. Uma casa perto do metrô, um quarto bem decorado, um clima que se encaixava no meu gosto pessoal. O preço era o que eu podia pagar, e eles aceitavam que eu me mudasse imediatamente.

– Então, o que acham? – perguntei.

– Nós adoramos você, acho que vai ser ótimo tê-lo aqui. Aceitamos – disse Fred, que se encarregava de receber os aluguéis todo mês e enviá-los para o proprietário.

– Ótimo, então eu me mudo no sábado.

– Infelizmente, estaremos todos viajando neste fim de semana. Não vai ter ninguém aqui durante o dia. Você não pode se mudar na segunda-feira?

– Não posso, a partir de sábado fico sem casa.

– Bem, temos uma solução: deixamos a chave embaixo do tapete na sexta-feira. Você pega e no outro dia se muda, o que acha? Aproveita e já traz algumas coisas na sexta, para adiantar.

– Como vocês são especiais... Nem nos conhecemos e já me deixam a chave de casa sem ter ninguém aqui? Acho que fechamos mesmo nossa energia. Era o que eu estava procurando.

Naquela noite, eu fui para casa com a cabeça cheia de planos. Tinha não só encontrado o lugar ideal, mas também pessoas com uma vibração maravilhosa – que batia com a minha. Já me imaginava naquela cozinha linda, nas festas no jardim, em meu quarto todo preto de frente para o canal. Estava me sentido abençoado. Naquela noite, eu ainda consegui tempo para arrumar uma mala.

No dia seguinte, quinta-feira, fui trabalhar com um alívio extra nos ombros. Às 3 horas da tarde, aproximadamente, toca o telefone.

– Alô? – atendi.

– *Hello*? – disse uma voz feminina. – Você me ligou ontem sobre o quarto que estou alugando, mas não pude atendê-lo, pois estava filmando, lembra-se?

– Claro que sim, tudo bem? – respondi, feliz com a possibilidade de desenvolver uma amizade com aquela inglesa.

– Você ficou de me ligar hoje, mas não ligou. Então, resolvi eu mesma telefonar. Quer vir conhecer a minha casa?

– Muito obrigado pelo carinho e pela atenção, mas, ontem mesmo, depois que falei com você, encontrei o que procurava e me mudo no sábado.

– Ah, que pena, minha casa tem uma energia tão gostosa. Um jardim tão lindo. Tenho certeza de que você iria amar.

– Nossa... Gostei da forma como você fala da sua casa, parece mesmo encantadora.

– E não é só isso. Ela é bem grande. Na verdade, não preciso alugar, mas não gosto de morar sozinha. Então, tem espaço e conforto.

– Vou pensar melhor e voltamos a nos falar – respondi, com a intenção de deixar as portas abertas. Afinal, ela trabalhava em uma área de muito interesse para mim. Poderia tentar aí uma amizade. "Por que não?", eu pensava.

Fiquei com aquela mulher na cabeça o dia todo. Tinha uma voz doce e um inglês tão perfeito que parecia a rainha da Inglaterra falando. Adorei nossa conversa, e ela havia falado sobre energias, algo em que eu acreditava muito.

Naquela noite de quinta-feira, eu fui para casa e passei horas organizando minhas coisas para a mudança. Na manhã seguinte, iria até minha nova casa e pegaria as chaves. Tinha a intenção de levar o máximo de malas possível, assim não ficaria sobrecarregado no sábado.

Acordei cedo. Tomei um banho quente e um café às pressas. Quando fui pegar as malas, tive um súbito pensamento de dúvida. Eu achei melhor não me apressar e preferi contratar um carro de mudanças para levar tudo de uma só vez.

Peguei o ônibus até o centro. De lá, entrei na linha vermelha da Central Line em direção a Mile End. Quando desci na estação, pude ver o bairro durante o dia. Observei cada detalhe. Não gostei muito, mas como não podia mais morar em bairros caros como antes, era melhor me conformar.

– Onde está aquele canal lindo de quarta-feira à noite? – me perguntei, vendo um monte de mato sem nenhum cuidado, revelando o estilo da vizinhança.

Cheguei em frente à casa, e ela era mesmo muito linda. As chaves estavam sob o tapete, como combinado. Entrei. Estava sozinho. Pude observar bem os detalhes com a luz do dia. Não tinha engano, era mesmo muito bem decorada e organizada. Parecia a escolha certa, mas um nó na garganta e um aperto no peito não me deixavam sossegado.

Andava pela casa, pelo jardim e todo o entusiasmo que tinha tido há dois dias se transformou em receio. Não tinha motivos aparentes. Era a voz da mulher da outra casa que soava em meus ouvidos, uma espécie de feitiço que plantava a dúvida. Eu resolvi sair e andar pelas ruas mais próximas, conhecer um pouco da vizinhança.

Não era ruim. Nem era boa. Tinha uma universidade próxima, o que era um ótimo sinal. Dentro dos padrões ingleses, onde as casas são sempre meio parecidas, eu tinha encontrado um bom lugar com ótimas pessoas, mas meu coração parecia querer dizer algo que eu precisava ouvir.

Então, pensei em ligar para a diretora de TV. Pelo menos eu ainda tinha a desculpa de ver seu imóvel antes da decisão final. Era um pretexto para conhecê-la. Pelo que havia entendido, sua casa era mais ou menos naquela região.

– Alô? Tudo bem? Aqui é o Lufe, que estava procurando um quarto, lembra?

– Olá, como está?

– Estou próximo da estação Mile End e, pelo que você me explicou, deve ser perto da sua casa, não é? Quem sabe passo aí para conhecer?

– Acho a ideia ótima. É fácil chegar aqui. Volte uma estação, até a Liverpool Street Station. De lá, pegue um trem para Clapton Pond. São apenas três estações e no máximo dez minutos. Bem fácil. Estarei esperando por você lá.

– Ótimo, vejo você daqui a pouco.

Fazia uma linda manhã de sol naquela sexta-feira de fevereiro. Eu ainda não tinha usado os trens urbanos, somente metrô. Achei ótimo que eles não eram subterrâneos, pois podia ver a cidade pelas janelas. Chegando à estação, fiquei esperando a mulher que, em pouco tempo, apareceria. Olhei para um lado, olhei para outro... Notei que a área era estranha. Não muito limpa, não passava sensação de segurança. Arrisquei até a pensar que era meio perigosa. Como estava ali somente para conhecê-la, não me importei muito. De repente, escutei a buzina e vi a mulher me chamando de dentro de uma BMW azul-marinho parada quase à frente da estação.

Seguimos por uma área com vários estabelecimentos comerciais. Passamos por uma pequena praça com um laguinho no centro. Havia árvores grandes, mas sem folhas àquela época do ano.

– Esta é a minha rua. Veja como as casas são lindas. São todas em estilo vitoriano.

A rua realmente tinha casas coloridas, e com a luz do sol àquela hora da manhã, pareciam ainda mais charmosas.

– Veja, esta amarelinha com portas e janelas brancas é a minha.

Ela estacionou o carro, passamos por um pequeno jardim frontal. Assim que entramos na casa, ela disse:

– Vamos dar uma olhada geral e depois tomar um café? Estou congelando de frio!

Fiquei olhando aquela situação, achando a mais perfeita do mundo. Ela, uma mulher simpática que me recebe em sua casa amarelinha de portas e janelas brancas, em uma rua coloridinha de casas vitorianas, e ainda diz para tomarmos um café com sotaque típico da aristocracia britânica?

– Já gostei de você – eu disse, entrando no clima.

Seu nome era Hillary e ela me mostrou a sala de visitas com sofás de couro, tapetes antigos, uma grande TV e uma lareira com algumas cestas cheias de pequenos pedaços de madeira. Era convidativo e definitivamente confortável. Ao lado da sala, um escritório, com fotos de arte nas paredes e sua mesa de trabalho em frente a uma grande janela que tinha vista para os fundos da casa, onde ficava outro jardim. Subindo as escadas, mais dois andares, típicos das casas vitorianas.

No primeiro, chegava-se ao banheiro, que era diferente de tudo que eu havia visto, a começar pelo piso azul escuro e acarpetado. Os azulejos eram também marinhos. A banheira branca, a pia e um bom espelho completavam a decoração. Bem ao lado do banheiro, o quarto que estava para alugar. Quando entrei, cheguei a ficar sem voz. Era como um sonho, pois sempre gostei de quartos totalmente brancos, e aquele ali se encaixava em minhas expectativas. O piso era acarpetado em tom bege com pequenos pontos vermelhos. As paredes tinham sido pintadas em tom gelo. A cama era de madeira crua, coberta com um edredom branco de penas de ganso. O guarda-roupa era bem pequeno, com uma só porta revestida em espelho e uma única e grande gaveta na parte de baixo. Era antigo, estilo madeira de demolição, que chamou minha atenção imediatamente. As cortinas tinham um tom bege-claro, quase brancas, e as janelas grandes em formato vitoriano davam vista para o jardim cuidadosamente desenhado por um paisagista.

Eu não quis dizer nada, mas o quarto tinha me deixado sem reação. Logo me dei conta de um sentimento diferente, de silêncio na alma. Era estranho, pois não era falta de som, e sim um silêncio que falava muito mais do que uma multidão.

Subindo para o último andar, mais dois quartos. O da esquerda era o de hóspedes. Tinha uma cama de casal, dois guarda-roupas antigos herdados de seus avós e uma lareira em ferro original de mais de cem anos. O piso não era acarpetado, mas de madeira natural. E, por último, o quarto de Hillary. Grande, com paredes amarelas, carpete azul, uma lareira e duas janelas enormes que davam de frente para a rua. Descemos todas as escadas, passamos pelo hall da entrada e pela sala. Em um andar abaixo, ficava a cozinha, o maior cômodo da casa. As panelas estavam penduradas em um suporte no teto, próximas ao fogão. Havia balcões laterais e todos os eletrodomésticos necessários. Uma mesa de seis cadeiras, coberta com uma toalha em tons coloridos, ficava no fundo da cozinha, encostada na janela com vista para o jardim, que àquela hora da manhã estava convidativo para um café. Hillary se apressou em esquentar a água e pegar as xícaras.

Naquele momento, nenhum de nós dois falava muito. Parecia um consenso entre nós.

Eu estava encantado, não apenas com a casa, mas com aquela pessoa.

Tomamos um café delicioso e, então, eu contei para ela sobre o trato já combinado com os jovens da outra casa, mostrando a ela as chaves.

Hillary não insistiu, mas tinha um poder enigmático de persuasão e foi falando das qualidades de se morar ali, de como poderia me ajudar profissionalmente, das pessoas que poderia me apresentar, de como seria maravilhoso morarmos somente nós dois naquela casa incrível.

– Você tem certeza de que não quer mesmo morar aqui? – perguntou Hillary.

– Não se trata disso a esta altura – expliquei. – Estou já com as chaves da casa e não acho certo voltar atrás.

– Bem, não sei o que você pensa, mas se sentiu tão bem como eu me senti em recebê-lo, talvez seja melhor você decidir antes mesmo de levar suas coisas para a casa deles.

– Pode ser...

– Venha, vamos dar uma volta a pé para você conhecer o parque que tem aqui na esquina.

Caminhamos pela grama verde. A região parecia muito mais interessante do que a anterior vista horas antes.

– Seremos somente eu e você nesta casa – disse ela. – E pode convidar amigos para visitá-lo quando quiser, pois temos um quarto de hóspedes.

– Sério? Isso é excelente!

– Além do mais, a casa tem este clima de lar, e não de vários amigos tendo de dividir as despesas. Temos uma faxineira que vem uma vez por semana. A casa está sempre limpa.

– Estou realmente encantado com tudo, Hillary. Não só com a casa, mas com você. Sinto que podemos ser amigos e é disso que estou em busca.

– Que bom, sinto a mesma coisa – disse ela.

– Vou pensar sobre isso, talvez conversar com eles e voltamos a nos falar ainda hoje, pois preciso me mudar amanhã sem falta.

Não existia muita lógica em tudo o que estava acontecendo. Em ambas as casas, eu tive uma recepção calorosa. Estava feliz com as opções. Tinha de decidir.

Naquela mesma noite, encontrei-me com Anne, minha grande amiga que chegara em Londres alguns meses antes. Ela era a pessoa certa para conversar naquele momento.

– Parecem simples as encruzilhadas que a vida apronta, mas são fundamentais.

– Lufe, a gente nunca vai saber o que aconteceria se... entende?

– Como assim?

– Se fôssemos por esse ou aquele caminho, se não estivéssemos morando aqui em Londres, se não tivéssemos saído de casa de manhã, se meu patrão não fosse tão exigente, se, se, se, se... Na verdade, nunca saberemos com certeza o que aconteceria se o caminho tomado tivesse sido diferente.

– Eu sei, Anne, mas olha que situação louca: tenho à minha frente dois caminhos aparentemente ótimos. Os médicos ingleses no quarto preto de frente para o canal, ao lado do metrô e com jovens começando a vida como eu, e a mulher inglesa, do quarto branco, casa com cara de lar, já estabilizada, sem metrô nas redondezas.

– É verdade, as duas opções me parecem interessantes, mas com características bem distintas. Só você vai saber o que fazer.

– Ótimo... Me ajudou muito... *Thanks*.

– Sério... Escute mais sua voz interior. Com certeza aí está a resposta, ainda mais você que sempre foi tão conectado a isso.

– É verdade, Anne. Às vezes a gente se perde devido à pressão, mas não existem respostas mais certeiras do que as que vêm do nosso interior. Preciso me acalmar e deixar a vida e meus planos seguirem sem ansiedade.

– Agora, sim, você falou como o Lufe que conheço! Preste atenção e não tenha medo. Às vezes você poderá achar que foi pior ter escolhido um determinado caminho. Mas, ao longo do tempo, vai perceber que foi a melhor escolha para seu crescimento. Portanto, não tema. Concentre-se, peça orientação para seus guias espirituais. Você sabe o que estou dizendo, não sabe?

– Sei, sim... Aliás, topa ir comigo a um lugar?

– Vamos. Quando? Agora?

– Já!

Entramos no metrô. Sentia-me muito bem em meio a tantas pessoas desconhecidas. Olhava para todo mundo com a sensação de termos algo em comum. Não importava de onde vínhamos ou para onde íamos, estávamos todos em movimento. Eu tinha sempre o pensamento de que não poderia estar estagnado. O som do trem passando nos trilhos e as pessoas silenciosas saindo e chegando era o cenário ideal para eu entrar em estado de relaxamento da mente. Existia um clima de tranquilidade, de sono no ar. Fechei os olhos. Aquele momento era muito importante, afinal, na manhã seguinte, eu deveria me mudar para a casa nova e, até aquele momento, ainda não sabia onde ela seria. O importante era que tinha pedido com muita fé por um lar que fosse importante para mim nas descobertas que precisavam acontecer ao longo do caminho. Para minha busca pessoal. Agora, eu me encontrava diante de duas ótimas oportunidades. Concluí que meus pedidos estavam muito vagos, que eu precisava me concentrar em mais detalhes, para que não houvesse erro nem dúvida nos momentos das decisões. Mas, naquele momento, não havia mais tempo. Eu tinha alguns minutos para resolver a questão.

Abri os olhos de repente.

– Chegamos, Anne. Corre, a porta vai fechar!

– Chegamos aonde, menino? – disse ao sair, quase deixando a bolsa presa na porta do metrô.

– Vem, vamos lá conversar com o rapaz da casa, o português que te falei.

Fomos ao restaurante que Mário gerenciava. Ele nos recebeu com carinho, oferecendo uma mesa, o jantar e as bebidas como cortesia. Aquela atitude fez com que eu ficasse ainda mais envergonhado. Como eu poderia estar com aquela dúvida? Conversei com ele, agradecendo a confiança. Muito emocionado e ainda com incerteza no coração, entreguei de volta as chaves. Nos olhamos por um tempo, com respeito e em silêncio.

Naquele momento, foi traçada uma história. E eu evitaria perguntar como teria sido minha vida se tivesse mantido o plano A. Tinha a sensação de que a casa dos meninos seria melhor para mim, mas aquela mulher tinha me sinalizado possibilidades. Eu não sabia se estava encantado com o lugar ou se estava sob o encanto dela.

Entre dois caminhos aparentemente bons, eu escolhi um, como acontece tantas vezes na vida. Nem sempre a opção escolhida é realmente a melhor. Mas estava entregue de corpo e alma ao aprendizado – e isso era o que mais importava.

O pior bairro de Londres

NA MANHÃ DAQUELE SÁBADO, um carro contratado estacionou na porta de onde eu estava hospedado. Eu não tinha muitos pertences, mas havia acumulado alguns volumes. O motorista, acostumado a fazer pequenas mudanças, me ajudou carregando as malas pesadas. O dia estava ensolarado e eu, atento a tudo, pois, para mim, aquele movimento era muito mais significativo do que uma simples troca de endereços. Não me sentia feliz nem triste. Estava apenas seguindo em frente.

Sentei-me no banco do carona, coloquei o cinto de segurança e pedi que fôssemos para Hackney.

– Vamos para onde? – questionou o motorista.

– Para Clapton Pond, mas é muito perto de Hackney, por isso dei a referência. Qual é o motivo do espanto?

– Você está ficando maluco?

– Como assim? Você está me assustando! – comentei, com os olhos arregalados.

– Como pode sair daqui e se mudar para lá? Sabia que Hackney é o pior bairro de Londres? Que lá acontece a maioria dos crimes?

– Você está brincando...

– E olha pra você! Com essa cara de menino bem-nascido... Vai estar ferrado por lá.

– Você deve estar enganado. Não acho que estamos falando do mesmo lugar. Não parece em nada com o bairro que visitei ontem, quando fui ver a casa.

– Como? – indignou-se ele. – Você não conhecia? Nunca ouviu falar? Foi lá ontem e já está se mudando hoje?

– Sim – respondi, envergonhado e já arrependido.

– Meu amigo, nunca conheci alguém tão louco.

Seguimos em silêncio. Àquela altura, já não tinha volta. Estava a caminho da minha nova casa e só me restava ver o lado positivo das coisas. Era bem verdade que, na correria que estava desde que eu tinha começado o novo emprego, não tive tempo de procurar um lar como desejava e muito menos de falar com amigos sobre bairros bons ou ruins. Nunca imaginei que em um país como a Inglaterra houvesse algum lugar perigoso e me culpava por ter sido tão ingênuo a ponto de não me preocupar com isso.

Chegando à minha nova rua, procurei aprovação do motorista.

– Está vendo? Não parece tão horrível quanto você falou.

– É verdade que esta rua não é, mas muito cuidado aí nas redondezas – respondeu, não dando o braço a torcer.

Desci na frente e bati à porta. Hillary atendeu. Ela estava ao telefone e fez um sinal indicando que poderíamos entrar. Pedi ao motorista que colocasse as coisas no quarto branco no final do corredor. Em três ou quatro viagens, nós levamos toda a pequena mudança.

– Aqui está, meu amigo, muito obrigado – eu disse, entregando-lhe o pagamento pelo serviço prestado.

– Muito obrigado, e devo dizer a você que, vendo a casa por dentro, a rua e a proprietária, entendo melhor sua atitude. Não se parece em nada com o que ouvimos e lemos a respeito. Seja muito feliz aqui.

Fiquei aliviado e, assim que fechei a porta da casa, já me senti num lar. Respirei fundo e entrei com passos firmes. Hillary ainda estava ao telefone. Havia também um outro rapaz. Nos cumprimentamos rapidamente. Ele era da Tailândia e disse que, às vezes, passava uma temporada ali. Estranhei, pois Hillary tinha dito que seríamos apenas nós dois morando na casa, mas preferi não comentar. Fui direto para o quarto, afinal, havia muitas coisas a serem organizadas.

O sol brilhava harmoniosamente, dando destaque às janelas grandes e brancas com vista para o jardim. Agora, era fazer o que eu adorava: decorar e montar meu cantinho pessoal. Estava feliz por ter conseguido o que sempre desejei desde que havia chegado a Londres – uma casa bonita, morando com uma inglesa com sotaque perfeito, e, ainda melhor, que trabalhava na mesma área profissional que a minha. Claro que estava no caminho certo. Ali, ao lado de Hillary, eu sabia que viveria muitas histórias e queria estar aberto para aprender. Nada de medos ou dúvidas.

Em poucos minutos, ela apareceu com um típico chá inglês com leite.

– Bem-vindo – disse ela, me abraçando carinhosamente. – Estou feliz que tenha decidido, mas preciso sair, pois estou atrasada para uma reunião.

– Tudo bem, tenho mesmo de arrumar toda esta bagunça – eu disse, timidamente.

– Aqui estão suas chaves – ela disse.

Deu detalhes de como funcionava o sistema de alarme da porta. Mostrou também como fazer chá e utilizar alguns eletrodomésticos. Deixou pães e queijos no balcão da cozinha.

– Você é muito simpática. Obrigado. Nos vemos mais tarde.

– Claro! E hoje vamos a um bar com meus amigos. Gostaria que fosse comigo.

– Vou, sim, obrigado pelo convite.

– Ah... Não sei se mencionei ontem, mas sou vegetariana... Então, não é permitido cozinhar nem estocar nenhum tipo de carne aqui em casa. Tudo bem pra você, querido? – falou com o tom mais doce do mundo, como se não fosse algo importante.

Ela deveria ter avisado no primeiro momento, não quando eu já estava com toda a mudança feita.

– Tudo bem... Assim fico mais saudável – respondi, boquiaberto e sem alternativas.

Tentei não dar importância aos detalhes – o bairro perigoso, o tailandês morando ali, o vegetarianismo. Mas senti um calafrio só de pensar no que mais poderia vir. O importante era que estava vivendo cada vez mais próximo do estilo inglês, me integrando à comunidade londrina. Tinha um trabalho respeitável e meu domínio do idioma era maior a cada dia. Para completar, acabara de receber um convite para sair com os amigos daquela mulher, onde provavelmente eu seria o único estrangeiro.

Passei a tarde organizando as coisas. A cada prateleira arrumada, eu sentia que estava colocando em ordem minha própria vida. Me orgulhava de como estava conduzindo minha experiência na Inglaterra.

Eu precisava daquele espaço. Minha individualidade abriria caminho para o despertar de algo verdadeiro, que se encontrava dentro de minha alma. Não queria me esconder atrás de confortos, trabalhos e bens materiais. Não sabia o que procurava nem o que encontraria, mas sabia o sentimento que eu queria viver ao encontrar o que me esperava. Se tinha sido conduzido àquele momento e àquela casa, é porque eu precisava estar ali e continuar minha busca. Naqueles poucos meses fora do Brasil, eu já reconhecia vitórias e autoconhecimentos suficientes para saber que o caminho era longo, mas que a cada dia eu conquistava um degrau daquela subida. Nada estava sendo em vão.

Hillary chegou em casa ao cair da noite. O rapaz da Tailândia havia saído. Eu já estava de banho tomado e com o quarto em ordem. Tinha acendido a luminária, que dava um ar de luz indireta. A decoração era minimalista, como sempre gostei. Havia um clima de boas energias no ar.

– Uau, que lindo! – ela comentou ao entrar no quarto.

– Gostou?

– Sim, ficou muito elegante e com uma ótima energia. Parabéns!

– Obrigado.

– O que é aquilo? – perguntou, com ar mais grosseiro.

– São painéis de cores que coloquei na parede – respondi, estranhando seu tom de voz.

– Você jamais poderia ter colado alguma coisa na parede sem me pedir antes. Que absurdo!

– Desculpe, mas veja – disse, retirando delicadamente uns dos painéis. – Não estragam a parede.

– Bom, vou tomar um banho rápido para sairmos. Que tal? – perguntou ela, sem dizer mais nada e mudando totalmente sua feição, voltando a ser a doce e simpática de sempre.

– Estou pronto – respondi, deixando-a ir, mas ficando um pouco preocupado com a diferença de tratamento que tive.

Procurei não focar no lado negativo. Eu deveria estar abalado ainda com os comentários do motorista.

Naquela noite, nós fomos a um bar onde tocava música espanhola. Dançamos até altas horas. Foi uma excelente recepção de boas-vindas, um início de amizade.

Primavera

EU TINHA MUITAS AFINIDADES com Hillary, e a vida parecia ter entrado nos eixos. O que eu não conseguia entender muito bem eram suas oscilações de temperamento. Quando levei minha amiga Anne para conhecer a casa, por exemplo, ela foi gentil e se ofereceu para cozinhar um jantar. Ao final da noite superagradável, Anne e eu nos encarregamos de lavar as louças. Ríamos e conversávamos em português, sem perceber que éramos observados por Hillary. Seu olhar era raivoso.

– Vocês estão falando mal de mim? – disse ela.

– Nós? Como assim?

– Sinto que estão falando mal de mim. Só porque não entendo o português acham que não percebo?

– Imagina, Hillary... Estamos rindo de tantas coisas, por que acha que estamos falando de você?

– Não... Nada não. Não quero mais falar disso – e saiu, com passos firmes e resmungando.

Fiquei confuso.

Alguns minutos depois, Hillary voltou à cozinha e parecia a mais doce das pessoas. Sua voz era calma e delicada. Suas feições estavam bem diferentes do que eram há apenas alguns minutos. Era como se nada tivesse acontecido. Pelo jeito, ela havia se arrependido. Resolvi esquecer o episódio, mas fiquei com uma pulga atrás da orelha. Sabia que algo ali não era normal.

Pelo menos eu podia desabafar com a minha amiga.

– Sabe, Anne, tenho levado tudo numa boa, mas, às vezes, coisas estranhas acontecem com ela. Não sei explicar, mas parece sempre querer me colocar para baixo, entende?

– Como assim?

– Ah... Deixa... Não gosto de ficar focado em coisas negativas, você sabe disso.

– Sei, sim, Lufe, mas você não pode ficar guardando, senão vai estar mentindo para si mesmo, o que não é nada inteligente. Então, me conte, o que está acontecendo?

– Bem... Coisas do dia a dia. Às vezes, ela faz questão de comentar algumas coisas, como se quisesse fazer com que eu me sinta menor. Dia desses uma coisa muito estranha aconteceu.

– O quê?

– Vieram duas amigas dela aqui para jantar. Ela me convidou para participar. Estava tudo indo bem, nós quatro animadíssimos. As meninas ficaram curiosas sobre o Brasil. Então, eu disse que tinha um vídeo que havia feito sobre o país. Elas curtiram a ideia! Peguei meu computador, coloquei na mesa da cozinha para mostrar o clipe para as três. De repente, a Hillary se sentou atrás do monitor, mostrando claramente que não queria assistir. Cruzou os braços e ficou olhando com uma cara horrorosa para mim, enquanto as meninas se encantavam com o vídeo.

– Como assim?

– Ela não deu a mínima para o meu trabalho, recusando-se a dar uma olhadinha que fosse com as meninas. Quando as amigas foram embora, ela me disse de uma forma muito rude que elas eram suas amigas. Suas. Como eu ousava tomar o tempo delas com coisas minhas se elas tinham ido lá visitá-la e não a mim.

– Não acredito!

– Nem eu. Claro que me senti mal com isso. Primeiro, fiquei me culpando, sentindo-me invasivo. Depois, saquei que ela era meio louca mesmo, pois tudo aconteceu de forma tão natural, tão simples, e foram elas que insistiram para ver o vídeo. Enfim, não entendi nada, mas hoje, de novo, aconteceu com você e fico sem jeito.

Anne procurou me tranquilizar. Pediu para eu focar em coisas positivas, olhar aquela amizade de uma forma mais tranquila, mas sobretudo não mentir para mim mesmo e ficar atento.

Na manhã seguinte, o sol de primavera resolveu brilhar com toda a beleza que um domingo merece. Não estava tão frio como no dia anterior, mas isso, em Londres, ainda significava um bom casaco.

Hillary tinha saído para uma filmagem. Eu e Anne decidimos tomar o café da manhã no Mercado das Flores, que só acontecia aos domingos. Caminhávamos pelas ruazinhas da região e nos deparamos com um beco apertado.

– Venha por aqui.

– Neste beco? – perguntou ela.

– Beco, Anne? Não, isso é quase um portal! Venha.

Aquele lugar estreito era mesmo mágico. Por mais apertado que fosse, explodia estilo. Do lado direito, uma porta azul. No degrau estava sentado um menino de no máximo 20 anos. Tinha uma blusa leve, vermelha e óculos de grau com armação verde, provavelmente comprado em um brechó. Usava um chapéu de lado e conversava com uma amiga que também era cheia de estilo. À sua frente, uma bandeja com pequenos pedaços de bolos caseiros e uma plaquinha: “bolo, £1”.

– Olha, Anne... Onde você imaginaria isso? Fazem o bolo, cortam, sentam-se na frente de casa e vendem. Jovens, bonitos e autênticos.

Logo à frente, uma outra porta minúscula e um atendente de pele clara, olhos verdes e cabelo enorme estilo *black power* abria ostras.

– Ostras?

– Sim, Anne, ostras aqui, *croissants* ali... Não é o máximo?

– Estou chocada.

– Você não viu nada ainda. Está escutando essa música?

– Sim, deliciosa.

– É ao vivo, venha ver.

Chegamos ao fim do bequinho, que se abriu para uma pracinha tão charmosa que nós dois ficamos emudecidos. À nossa frente, um grupo de seis jovens tocava violinos e percussão.

– Anne, feche os olhos.

– Ok – ela disse, entrando no clima.

– Ouça esta música com o coração. Sinta o cheiro que tem no ar. Deixe o calorzinho deste sol de primavera tocar seu rosto. Está sentindo?

– Sim! – falou ela, em transe.

– Agora vire um pouquinho para a direita e abra os olhos devagar.

Anne, sem pressa, sentindo todos os estímulos da música, do sol, dos cheiros, abriu os olhos e viu a vitrine que eu considerava minha favorita.

– Uau! – admirou-se.

Era uma casa de pães toda em madeira de demolição. Nas prateleiras, cestas com baguetes, pães italianos, *croissants*, brioches... Na porta, a palavra "open" convidava para entrar apenas quatro pessoas por vez, devido ao espaço restrito. Lá dentro, a sensação era de estar voltando no tempo. O balcão rústico, a atendente, o sininho da porta, os cestos de *croissants*, o prazer em comprar tudo com moedinhas.

– Dois *pain au chocolat*, por favor – eu disse.

– Sim, senhor.

– Lufe, pede um café também – solicitou Anne.

– Aqui só se vende pães. Venha que vou lhe mostrar outra coisa maravilhosa.

Saímos de lá e entramos na portinha ao lado. Era um antiquário com peças delicadas expostas num espaço com cerca de seis metros quadrados. Em um móvel de ferro rebuscado que ficava bem na entrada, perto de algumas gaiolas antigas, uma plaquinha dizia: "chá de maçã £2".

– Por favor, dois chás de maçã!

Quando me virei, Anne estava com os olhos brilhando e sem acreditar no que estava vivendo. Aquela música de violinos, a lojinha charmosa de pães e, agora, o chazinho de maçã comprado dentro de um minúsculo antiquário.

– Sente-se, Anne.

– Onde?

– Como onde? Você não reparou? Aqui todos se sentam no chão mesmo.

As pessoas estavam sentadas no meio-fio da calçada, quase todos com uma bebida quente nas mãos. Pais, mães, crianças, jovens, idosos – não importava. Estavam todos ali escutando aquela música que ia direto ao coração, sentindo os primeiros raios da primavera londrina. O colorido das roupas era tão vívido e diversificado que parecíamos estar num grande jardim florido.

Dei-me conta de que eu estava sentindo os efeitos da chegada daquela estação. Como no Brasil o inverno não é tão rigoroso, eu nunca tinha visto a natureza ser tão contrastante. Durante o inverno londrino, todas as árvores ficam sem folhas, os parques, cinzas, e as pessoas, muitas vezes, deprimidas. Céu encoberto, frio gelado e noites escuras que começavam às 4 horas da tarde. Sentindo-me como parte total da natureza em si, pude perceber que muitos dos sonhos que eu tinha quando decidi me mudar para Inglaterra estavam, assim como as árvores no inverno, secos e sem folhas. Onde estava aquela garra de buscar o algo a mais? Até quando me enganaria com uma vida aparentemente bem-sucedida? Onde estaria o que eu procurava de verdade? Trabalho bom, casa confortável – era realmente isso que eu estava buscando?

Naquele início de primavera, tudo à minha volta estava começando a florescer, e eu, como sempre, fui mais interessado nessas conexões, sentia a chegada daquela estação com muita intensidade.

– Anne... tem alguma coisa em mim que não está muito certa.

– Como assim, Lufe? Você está doente?

– Mais ou menos. Uma doença espiritual, sabe?

– Não, não entendo...

– Quando resolvi largar tudo lá no Brasil, foi porque alguma coisa em minha alma estava precisando gritar mais alto. Tinha algo que precisava encontrar para me satisfazer internamente, para que eu, só depois disso, continuasse meu caminho... Mas agora... Parece que parei de buscar.

– Adoro suas viagens espirituais.

– Não estou brincando, Anne. Estou falando muito sério. Tem alguma coisa na minha vida aqui que não está me deixando feliz. Sinto isso, está aqui no meu peito.

– Você só pode estar brincando.

– Por quê?

– Como assim por quê, Lufe? Você vem pra cá sem falar nada de inglês, consegue morar em lugares bacanas, passar por trabalhos considerados bons em restaurantes e, como se não bastasse, está trabalhando na sua área profissional, no centro do mundo, fazendo campanhas de marketing em várias línguas, e ainda se diz insatisfeito? Infeliz?

– Eu sei que parece loucura, Anne, mas preciso colocar isso pra fora e, se não falar com você, vou falar com quem, então?

– Desculpe, você tem razão. Pode continuar...

– Não sei explicar direito. Eu tenho a sensação de que não está certo ficar onde estou. Que meu caminho só está começando e já me sinto na obrigação de me dar por satisfeito. É como se estar trabalhando como diretor de marketing e morando onde estou fosse o máximo que eu poderia conseguir. Mas minha alma vive gritando aqui dentro que o motivo pelo qual eu comecei essa jornada não tem nada a ver com o que está rolando na minha vida. Tem algo para acontecer, Anne. Eu sei disso. Minha intuição está muito aguçada.

– O que você está querendo fazer?

– Ainda não sei. Tenho a sensação de que estou sendo guiado. Cada vez que entro nessa maluquice de querer mudar minha vida, é porque tem alguma coisa no universo se contorcendo a meu favor. Aprendi a ficar atento aos sinais e sinto isso agora com muita força. Não me pergunte ainda o quê, mas que tem alguma coisa, tem.

– O que você vai fazer?

– Não sei. Algo me diz que é para ficar atento, com as percepções em alerta, sacar o que pode acontecer.

– Que papo é esse, Lufe?

– Imagine você. Esperavam de mim lá no Brasil que eu fosse um bom engenheiro, mas acabei sendo um bom produtor e diretor de TV. Porém, estava inquieto, insatisfeito e infeliz. Larguei carreira, casa, carro, família e segurança para buscar algo que fosse tão verdadeiro para mim que eu sentisse o meu dia a dia progredindo naturalmente, sem esforço, sem dor. Agora estou aqui, morando em Londres e, aos poucos, me tornando bem-sucedido. No trabalho, em casa, com os amigos e inclusive nesta cidade maravilhosa. Mas durante todo esse tempo, uma dor no peito nunca deixou de existir. Nunca. Tem alguma coisa, Anne... Preciso deixar o universo trabalhar para me mostrar, senão minha vida vai se tornar igualzinha ao que era antes no Brasil, só mudando o país, entende?

– Você não está satisfeito no trabalho?

– Não. Definitivamente não, mas não é por culpa deles. É coisa minha, pessoal, entende?

– Inacreditável...

– Eu sei... Por isso mesmo não falo sobre esse assunto com ninguém. Parece absurdo e ao mesmo tempo ofensivo. Nem eu gosto de pensar muito nisso. Mas, hoje, aqui sentado, comecei a me lembrar dos meus sonhos e... Não dá... Não posso, não quero mais saber de dinheiro neste momento, entende? Segurança e tranquilidade, mas sem tesão?! Enquanto eu tiver essa pontada no peito dizendo "continue", não posso parar, percebe?

– Acho você incrível, mas muito louco, sabia?

– Estou falando sério.

– Continue, Lufe. Continue correndo atrás dos seus sonhos. Conte comigo sempre, mas, por favor, me diga seus planos antes.

– Estou abrindo as portas e janelas da minha alma. Vamos ver o que acontece.

Amor e carinho

AQUELA INQUIETAÇÃO QUE SENTI pela manhã, no Mercado das Flores, me deixou preocupado. Por muitas vezes, durante aquela semana, eu tentei desviar os pensamentos, brigando comigo mesmo para dar mais valor às bênçãos que estava recebendo. Tinha consciência de que meu trabalho era maravilhoso, que era cercado de bons amigos e vivia uma vida confortável. Não entendia o porquê da sensação de ter abandonado minha busca, meu objetivo maior.

O motivo de minha insatisfação era lógico. Eu sabia bem o que era ser um profissional reconhecido em minha área. Já conhecia como funcionava o sistema de corporação: empresas, hierarquia, horários, metas, projetos... Foi exatamente tudo isso que me fez querer mudar de vida. Mas, agora, parecia que somente o país tinha mudado, pois a rotina estava muito parecida com a que eu vivia no Brasil.

Queria a sensação de prazer em ser quem eu era, fazendo o que fizesse. Desejava estar atento a tudo a meu redor, vivendo intensamente o momento presente. Queria uma rotina estimulante. Encontrar pessoas incríveis pelo caminho. Uma profissão que fosse a própria extensão da minha alma, tão livre quanto meus sonhos.

Estava em estado de busca constante e não queria parar. Mesmo com tantas situações mostrando que eu deveria sossegar, sentia que meu caminho era ainda mais longo e, por isso, continuaria sem medo.

Em uma noite, após o trabalho, peguei o metrô e, como de costume, desci na estação de Bethnal Green. Daquele local, eu tomava um ônibus para completar o trajeto até a minha casa. Na saída da estação, onde passava todos os dias, vi uma placa que nunca havia percebido antes: London Meditation Centre – ou seja, Centro de Meditação de Londres. Uma seta indicava a saída da direita.

Fiquei parado diante daqueles dizeres por alguns instantes. Senti um impulso irresistível de seguir aquela seta. Era como se as letras brilhassem de uma forma diferente. Meu coração começou a pulsar mais rápido. Subi as escadas e saí do lado oposto. Curiosamente, havia uma outra placa indicando o Centro de Meditação. Fui caminhando naquela direção, me perguntando o porquê daquela decisão. Não era ligado à religião alguma, eu simplesmente acreditava na fé.

"E se quiserem que eu me torne um monge?", pensei. "Não estou preparado para isso."

Cheguei a um templo simples, mas muito bonito, todo com tijolos à vista. Ficava de esquina e tinha uma pequena porta lateral de onde se via que a luz estava acesa. Curioso, mas com um certo receio, fui ver como as coisas funcionavam. Enquanto olhava à procura de alguma informação, a porta se abriu e dei de cara com um homem alto e magro.

– Desculpe, eu só estava tentando ver o que acontecia. O Centro de Meditação é aqui mesmo, não é?

– Sim – disse ele. – O que você procura?

– Não, nada... Estava só de passagem e fiquei curioso. Você trabalha aqui?

– Não, eu vim para a aula de meditação. Começa daqui a quinze minutos. Por que você não participa?

– Aula de meditação?

– Sim, o templo oferece essas aulas ensinando algumas técnicas de meditação para quem quer praticar sozinho.

– Que interessante.

– Entre, vá falar com a atendente. Vou até ali na esquina pegar um livro que encomendei semana passada. Nos vemos daqui a pouco – falou, já saindo e virando a esquina.

A porta estava aberta e pude ver um pequeno jardim muito bem cuidado. Estava todo iluminado com pequenas luzes brancas que davam a sensação de vaga-lumes no céu. Havia também uma fonte de água e uma música tranquilizante. Resolvi entrar. Fechei a porta com cuidado. Caminhei pelo jardim e cheguei à recepção. O clima lá dentro era de muita calma e era possível sentir um cheiro especial. Devia ser incenso.

– Olá, boa noite – disse uma senhora simpática.

– Boa noite.

– Você veio para as aulas de meditação?

– Bem... Eu... Estava passando... E...

– É a sua primeira vez, não é?

– Sim. Quer dizer, eu adoro meditar, faço isso em qualquer lugar, mas nunca estudei sobre isso, não sei técnica nenhuma. Simplesmente fico com a mente quieta e sinto uma conexão com algo maior e comigo mesmo.

– Uau... Você parece saber a sensação de meditar. Então, agora, quem sabe não foi trazido até aqui para aprender a expandir essa sensação?

Trazido aqui? Expandir essa sensação? Aquelas palavras ecoaram em meus ouvidos como um atendimento às minhas preces. Existia uma energia agindo sobre mim. Estava numa espiral positiva.

– Sim, acho que sim! Como posso fazer para participar?

– Muito simples. Venha até esta sala. Deixe aqui seus sapatos. Pode tirar os casacos também.

– Ok.

Deixei sapatos, casacos e bolsa em uma espécie de vestiário misto.

– Agora, venha. Ainda faltam alguns minutos – disse a senhora, já me levando a outra sala, onde cerca de vinte pessoas estavam em pé, conversando em tom muito baixo. – Aqui temos um chá bem quentinho e alguns biscoitos. Por favor, sinta-se à vontade. Vamos chamá-los daqui a pouco.

– Obrigado – respondi, percebendo que estava sozinho em meio àquelas pessoas que já se conheciam. Fiquei intrigado e tive vontade de ir embora, mas acreditava não ser por acaso eu ter sido levado até ali.

Ao chamado de um instrutor, todos se sentaram em círculo. Um homem calmo e com uma aura de paz deu as instruções de como funcionavam as práticas. Naquela noite seria ensinada a meditação chamada *Love and Kindness* – ou Amor e Carinho.

Fomos conduzidos até uma sala em tons de azul. O instrutor acendeu um incenso e nos pediu que apanhássemos as almofadas que se encontravam no canto da sala. Explicou como sentar de forma que ficássemos confortáveis durante todo o processo. Eu estava muito feliz. Sentia meu coração em paz. Minha mente se concentrava em tirar o melhor proveito daquela oportunidade.

– Hoje praticaremos a meditação *Love and Kindness*. Quem está vindo pela primeira vez?

Somente três pessoas levantaram as mãos, além de mim.

– Esta meditação consiste em quatro passos simples, e eu guiarei vocês. Será uma ação consciente, alerta. Ela não tem o objetivo de acalmar a mente, e sim expandi-la. Talvez tenham revelações importantes nesta noite.

Eu estava encantado. Era exatamente o que procurava.

– Fechem os olhos. Respirem fundo. Tentem abstrair os estímulos externos. Esqueçam as preocupações do dia a dia. Entenda que o que você procura está dentro de você, e não no mundo exterior. Então, conecte-se com a sua verdade interior. A respiração é uma forma de trazer sua atenção para seu corpo. Atente-se a como esse processo de respirar e expirar funciona – continuava ele.

Eu estava superconcentrado.

– Agora fixem sua atenção mental na ponta dos seus pés. Agora no pé inteiro, sinta-os. Deixem essa atenção e essa energia subirem para suas canelas, joelhos, coxas etc.

Assim, ele foi guiando o processo inicial, até percorrer o corpo todo: órgãos, membros, pescoço, face, olhos e assim por diante. Ao mesmo tempo que eu estava relaxado, podia sentir meu corpo em toda sua plenitude, como uma energia percorrendo das pontas dos dedos dos pés até o topo da minha cabeça. Alguma força maior, mais intensa e poderosa, passava por meu corpo. Era minha própria energia originando-se de dentro para fora.

Após alguns minutos me deliciando com essa sensação de contato total comigo mesmo, o instrutor continuou:

– Vamos, então, ao primeiro passo do *Love and Kindness*. Pense em você mesmo. Concentre-se em todas as qualidades que mais admira em sua própria pessoa. Podem ser coisas bobas e simples, mas das quais você se orgulha muito. Dedique-se agora a admirar-se com amor.

Nem sempre é fácil destacar as próprias qualidades. Pensei em como era um bom filho, em como sempre fui ótimo aluno e como tratava bem meus amigos. Tinha orgulho de ter me colocado naquele caminho de busca. Gostava de saber que acordava sempre de bom humor, mesmo nas segundas-feiras chuvosas. Sentia autoadmiração pela garra e coragem de realizar meus projetos pessoais. Gostava da minha aparência simples, mas saudável. Tinha orgulho dos meus talentos. Amava meus olhos azuis – não só pela cor, mas também pela forma como enxergavam o mundo, sempre por uma perspectiva mais positiva. Minha mente trazia milhares de motivos pelos quais eu me amava e todos eles eram ligados a algo muito maior do que coisas materiais ou de aparências. Nunca tinha parado para pensar em como eu era lindo por dentro e, agora, ali, minha alma estava me dizendo isso como se fosse uma voz interior branda e sincera. As lágrimas escorriam, mas eu me mantinha em estado meditativo intenso.

– Vamos agora ao segundo passo. Pensem em alguém por quem tenham profunda admiração. Alguém de quem sintam orgulho pelas atitudes. Aquela pessoa que você simplesmente admira, sem nenhuma obrigação.

Comecei a pensar em meu amigo Leandro. Sem dúvida, ele era uma pessoa que eu admirava muito. Alguma coisa nele era especial. Sempre disposto a ajudar. Sua característica mais forte era o incansável desejo de ver os amigos progredirem. Estava sempre impulsionando as pessoas a realizarem seus sonhos e desejos. Era um filho maravilhoso. Foi um estudante determinado e, agora, era uma das maiores promessas da empresa em que trabalhava. Estava programando filhos com a esposa e, certamente, seria um pai perfeito e excelente companheiro. Era muito bem-sucedido em sua profissão. Tinha um humor bacana e, ao mesmo tempo, só se sentia feliz ao ver os outros felizes ao seu lado. Ficava em êxtase com histórias de superação e de sonhos. Eu realmente o admirava e sentia que o inspirava também.

– Neste momento, antes de entrarmos na terceira fase, vamos colocar você e essa pessoa admirável juntos – disse o instrutor. – Pense em vocês pertencendo ao mesmo grupo de energia. Veja os dois se encontrando. Sorria para essa pessoa. Sinta como sua energia maravilhosa se funde com a dela. Veja como brilham e emanam uma força do bem, do amor, juntos.

Foi intenso. Senti a expansão do meu próprio corpo, que se conectava com a luz de Leandro. E, então, com uma luz divina ainda maior. Sorria com a alma.

O instrutor prosseguiu:

– Neste terceiro passo, imaginem alguém que não conhecem, ou melhor, sobre quem vocês não têm informação alguma. Pode ser o porteiro do prédio, a menina do caixa do café onde você foi hoje de manhã, a vizinha, uma pessoa do trabalho com quem vocês não têm contato... Qualquer pessoa sobre quem não tenham muito conhecimento.

Pensei, então, no atendente de uma pizzaria bem pequena que ficava próxima à minha casa. Eu passava por ali todos os dias quando descia em direção à minha rua. Não havia mesas. Era somente para pedidos e entregas. A frente da pizzaria era uma janela grande de vidro com não mais de 2,5 metros de comprimento. Sempre que passava, eu via um rapaz de cerca de 30 e poucos anos. Tinha barba preta, cabelos lisos. Devia ser muçulmano. Estava sempre sorrindo. Sempre. Quando me via passando, levantava os braços, abria um sorriso largo e gritava:

– Olá! Olá, meu amigo!

Eu acenava para ele de volta, igualmente feliz, cumprimentava-o com admiração. Mas nunca paramos para conversar. Nunca comi uma pizza dali. Fosse a hora que fosse, fizesse sol ou uma grande tempestade, toda vez que eu passava por ali, o rapaz da Pizza Vesúvio, em frente à Mesquita de Hackney, me saudava sorridente, amigável e distribuindo o mais sincero dos sorrisos.

Por que ele agia assim? Será que tinha noção de como fazia bem às pessoas com sua atitude tão simples e admirável? De que país ele era? Como será que foi parar ali na Inglaterra?

Será que veio muito jovem e construiu toda a sua história ali? Era casado? Tinha filhos? Trabalhava naquele lugar ou era proprietário da pizzaria?

– Pensem sempre numa coisa – interferiu o instrutor. – Quando encontrarem as pessoas neste mundo, sejam elas de qualquer nacionalidade, cor, religião ou cultura, sempre teremos duas coisas em comum com esses desconhecidos, algo que em nosso íntimo é muito similar ao deles. E exatamente por essas duas coisas, podemos dizer que somos iguais e assim nos conectamos, respeitamos a energia interior deles ao compararmos com a nossa. A primeira coisa: ninguém quer sofrer. Isso mesmo, ninguém quer sentir dor, se machucar, perder entes queridos, ficar com fome, com sede, sentir necessidades... Ninguém! Nisso somos todos semelhantes. Segunda: todos nós queremos ser felizes. De diferentes maneiras, nosso desejo é sempre ser feliz. Nem que seja apenas por essas duas semelhanças, podemos olhar para as pessoas nas ruas e imaginá-las na mesma busca que nós. Ninguém quer sofrer e todos queremos ser felizes.

Adorei aquela observação e continuei pensando naquele homem. Como ele seria quando estivesse sozinho e ninguém o visse? Será que chorava de saudades de alguém? Será que pensava nos negócios, em como expandir, atender mais clientes? Será que dançava sozinho ouvindo música muçulmana? Será que pertencia mesmo àquela crença?

– Agora que estão em sintonia com a pessoa que mais admira, incluindo a si próprio, convidem esse desconhecido para se juntar a vocês. Insiram esse novato nessa energia linda que está se formando. Lembra como você e seu amigo brilhavam com tanta sintonia? Pois agora está chegando esse novo integrante, que pode se fundir ao grupo e tornar essa energia ainda mais intensa. Receba-o de braços abertos.

Eu estava em estado de graça, sentindo como nunca os efeitos daquela meditação. Visualizava minha luz muito forte somando-se àquelas duas pessoas de quem eu só conseguia ver as qualidades. A luz resultante era como um globo pulsante.

Em minha visão mental, enxergava os olhos e sorrisos do meu amigo Leandro e do desconhecido da Pizza Vesúvio. Sentia um amor de verdade, que ia muito além de minhas percepções carnais. As lágrimas escorriam naturalmente, mas meu rosto estava imóvel, pois me encontrava em estado profundo de meditação.

– Chegamos então ao quarto passo – disse o instrutor. – Você deve se lembrar de uma pessoa com quem tenha um leve desconforto, um pequeno conflito. Não pense em grandes desavenças, pois senão será muito forte. Concentre-se em algum aborrecimento pequeno. Agora, vá além, mais fundo. Lembre-se que essa pessoa também tem as mesmas semelhanças que você, que não quer sofrer e deseja muito ser feliz.

Imediatamente a pessoa que me veio à mente foi Hillary, o que me deixou desconcentrado. Procurei focar mais, voltar à concentração, relutando em usá-la nessa posição de desavença.

Procurei me concentrar ainda mais. Pensei em várias pessoas, mas era a imagem dela que acabava brilhando à minha frente. Era muito forte, muito maior que minha força para evitar sua presença. Sentia-me incomodado, quando o instrutor, como se fosse capaz de ler meus pensamentos, falou a todos:

– Não relute se alguém inesperado aparecer nesta etapa. Talvez sejam revelações importantes que sua intuição já sabe, mas que você ainda não enxerga fisicamente.

Não pude mais resistir. Deixei minha mente livre para expandir da forma como seria melhor. Respirei fundo. Ainda estava incomodado, mas parecia que algo precisava sair de dentro de mim. A imagem de Hillary era muito clara à minha frente. Senti uma dor angustiante no peito. No meu íntimo, eu percebi que várias situações já tinham me magoado, mas nunca havia processado aquilo abertamente. Eu sabia que, em brincadeiras bobas, ela havia feito eu me sentir incapaz, talvez por se considerar muito superior a mim.

Pensei em todas as coisas maravilhosas que ela tinha me proporcionado desde que nos conhecemos, e em como ela era gentil quando lhe era conveniente. Lembrei-me de sua voz doce, de sua família linda e de como cozinhava bem. Pensei em sua pessoa admirável, por estar em forma e praticando ioga com quase 50 anos, e por ser vegetariana há mais de 25. Imaginei suas aventuras na África, filmando documentários em povoados distantes e de como era carinhosa e sensível com crianças. Eu sabia que ali havia uma alma maravilhosa e que não era por maldade cada vez que ela me ofendia e me tratava com indiferença – mas, sim, por falta de me perceber ou de me conhecer de verdade. Eu gostava dela, e o amor que sentia por aquela amiga nova seria suficiente para perdoá-la por aqueles pequenos deslizes.

"Ninguém faz com a gente aquilo que não permitimos", eu pensava.

Se ela havia me maltratado, era minha culpa também. Foi um processo mais difícil do que eu imaginava, mas, ao final, eu estava conseguindo admirar várias qualidades de Hillary.

– Vamos, então, trazer essa pessoa para dentro do círculo de amor que foi criado. Abra os braços e convide-a para se tornar parte dessa luz brilhante de amor e carinho. Faça com que a energia maravilhosa vinda de si mesmo, daquela pessoa que você mais admira e daquele desconhecido encantador envolva esse novo integrante com amor, carinho e paz, e que ele seja parte desse todo. Fique concentrado por alguns minutos nesse processo de integração – recomendou ele, sabendo que era a parte mais difícil.

Aquela energia positiva parecia explodir de forma muito intensa, forte e estimulante. Vi o sorriso e a alegria do Leandro, meu melhor amigo, senti a felicidade do desconhecido, pude perceber minha própria satisfação pessoal e, então, olhei para frente e abracei mentalmente Hillary, completando a sensação de plenitude. Estávamos os quatro abraçados com uma força tão forte e tão brilhante que eu já não podia segurar para mim.

– Agora que encontraram a fonte, vamos expandir essa energia de amor do modo mais abrangente possível. Pensem em lugares e situações que vocês gostariam que essa energia contagiasse e se espalhasse, e distribuam, de coração, todo esse amor e carinho.

Eu pensei em todas as pessoas que estivessem andando de metrô naquele exato momento, no pessoal da minha empresa, na minha família no Brasil, em todas as pessoas que estivessem nos *pubs* espalhados pela cidade ou que estivessem sozinhas em casa, sentindo-se solitárias. Não podia mais me controlar. Minha energia estava muito intensa e se espalhava de forma poderosa por cada canto daquela cidade. De repente, visualizei algo que mudaria a percepção que eu tinha sobre minha experiência na Inglaterra. Enxerguei, mentalmente, a cidade de Londres. Era como se a visse do alto. Eu a enxergava exatamente àquela hora. Parecia acontecer em tempo real. Estava tudo escuro, com as luzes da cidade acesas. Visualizei luzes mais intensas ao longe. Depois, mais perto, e mais perto... Até se aproximarem de mim e eu quase poder tocá-las.

Eu não entendia o que estava acontecendo. As luzes fortes pipocavam em diferentes pontos e não se apagavam. Ao contrário: a cada momento uma se acendia e ficava lá brilhando para mim. Estava feliz em ver aquilo, mas ao mesmo tempo confuso. Em meu estado meditativo e de consciência expandida, eu percebia exatamente trinta e uma luzes que estavam conectadas a mim de alguma forma, mas não sabia o que eram. Como eu poderia ter clareza tão exata desse número "trinta e um"? Eu já tinha visto algo parecido uma noite quando trabalhava no restaurante. Foi, então, que subitamente veio um entendimento do que tinha acontecido no Soho, de uma forma nítida e muito mais reveladora. Eram elas. O que isso significava? Sentia que eram pessoas que eu encontraria ali e que seriam conectadas à minha história. Brilhavam intensamente, e Londres me mostrava que elas passariam por minha vida e trariam aquilo que eu estava buscando. Eu estava agora vendo, sentindo, ouvindo e me misturando àquela cidade.

– Respirem fundo. Sintam as pontas dos pés. As canelas, os joelhos, as coxas, o tronco, os braços, o pescoço. Deixem a mente voltar para esta sala – o instrutor foi nos trazendo de volta à realidade.

Quando abri os olhos, estava em estado de lucidez completa. Acabara de passar por uma experiência única, que só fora possível porque me encontrava preparado para viver aquele momento.

Provavelmente, eu tinha sido levado até ali por alguma força maior que me mostrava o caminho a seguir.

Nova fase – de novo

INTERNALIZEI AQUELA EXPERIÊNCIA da meditação de uma forma tão intensa que tive a certeza de que era hora de experimentar uma nova reviravolta. Eu sentia, entretanto, um pouco de medo de largar o conforto e a segurança que havia conquistado e de ter que recomeçar, mais uma vez, lutando por alguma coisa que eu ainda nem sabia o que era.

– Isso é coisa de louco! – falava comigo mesmo. – Mas loucura mesmo é não enxergar que o que construí aqui em Londres até hoje é a mesma coisa que eu havia construído no Brasil. Foi isso que vim fazer aqui? A mesma vida que já tinha lá? Trabalho bom, casa boa e segurança? É isso que vai ser minha vida?

E foi numa reunião de trabalho que decidi interromper o chefe:

– Rui! – disse, abruptamente. – Preciso lhe dizer algo importante e tem de ser agora.

– Sobre os resultados da empresa?

– Não, sobre mim mesmo. Adoro vocês, acho que a empresa tem uma história linda. Amo saber que faço parte dela. Mas preciso me demitir.

– Como? – assustou-se com o inesperado.

– Não posso continuar mentindo para vocês nem para mim. Tenho um caminho a seguir em Londres. E continuar minha jornada não envolve trabalhar aqui.

– Lufe, vá para a sua sala. Descanse hoje à noite e volte amanhã. Essas coisas não são assim tão drásticas.

– Rui, volto amanhã para falarmos sobre os detalhes. Não vou deixá-los sem terminar o que comecei, mas precisamos acertar minha saída.

– Até amanhã – respondeu Rui, convidando-me a me retirar, na certeza de que se tratava de uma explosão de estresse.

Na manhã seguinte, retornei à sua sala e fui recebido com um sorriso.

– Bom dia. E então, está mais calmo?

– Sim, estou bem mais calmo. Foi ótima sua sugestão de relaxar para pensar melhor.

– Não disse? Às vezes, o estresse faz a gente falar coisas que não devíamos. E, então, vamos continuar de onde paramos?

– Não, Rui. Na verdade, com a cabeça fria, pude pensar bem. Estou definitivamente saindo da empresa.

– Você está falando sério?

– Absolutamente.

– E qual a sua proposta?

Então, propus elaborar duas campanhas simultâneas. Uma, institucional, envolvendo ações pontuais nas lojas e, paralelamente, outra campanha, promocional, para atrair a fidelidade dos clientes. Levaria dois meses para finalizar e entregar tudo funcionando. Ao mesmo tempo, nós teríamos tempo de preparar o meu substituto. Sairia da empresa na última quinzena de junho.

– Adoro a ideia das campanhas. Você sabe o quanto pedi por isso, mas acho que vai se arrepender muito de sair da empresa. O que vai fazer? Voltar a ser garçom?

– Ainda não sei, mas uma coisa é certa: seja lá o que for fazer, será mais um passo na direção daquilo que vim buscar aqui. Vamos deixar a vida se movimentar.

– Pense melhor, Lufe. Gosto de você e quero seu bem, então, me escute. Não vê que está na melhor posição que poderia estar? Não seja inocente de pensar que se pode viver de sonhos. Isso aqui é a realidade, entende?

– Acho que existem tantas realidades quanto sua imaginação pode conceber, e acredito muito em uma imaginação criadora.

– O que isso significa?

– Que nós criamos a realidade que a nossa imaginação quiser. Simples assim.

– Você é louco, sabia?

– Sim, sempre desconfiei disso.

– Bom... Faça o que achar melhor, mas não diga que não avisei, ok?

Saí da sala direto para o departamento de recursos humanos. Eu estava disposto a comunicar a decisão à coordenadora. Rui, por sua vez, tinha certeza de que eu mudaria de opinião no decorrer daqueles dois meses.

Dei início à elaboração das campanhas com uma animação nunca sentida. Só estava saindo por um chamado interno, e não por insatisfação profissional. Não estava feliz e já havia tido a oportunidade de ver que aquele buraco não tinha fundo. Não iria repetir a mesma história só pela segurança e pela ilusão de um bom emprego. Minha busca era maior. Muito maior que meus medos e minhas inseguranças, e isso me fazia ser destemido.

Não era o que pensavam as pessoas ao meu redor.

– Lufe, você não é daqui. Hillary é autônoma porque é inglesa, conhece todo mundo e por isso se dá bem... Mas, você? Pense melhor. Não saia do seu emprego assim – aconselhava o tailandês, que, na verdade, era estudante de medicina e ficava cada vez mais tempo na casa.

– Ele tem razão. Falamos isso porque gostamos de você, querido. Não pense que estou preocupada com o aluguel, mas acho que não está agindo com a razão – dizia Hillary.

– Obrigado, pessoal. Entendo vocês, mas cheguei a um momento da minha vida em que me comprometi comigo mesmo a não me enganar mais. Então, se tempos difíceis vierem, eu encaro, mas não posso me esconder atrás de falsos confortos e passar a vida fingindo que estou bem alimentado e agasalhado, quando minha alma grita de fome e de frio. Vou me jogar nessa viagem até o fim. Foi por isso que vim até aqui e não volto sem alcançar o objetivo final.

– Faça como quiser, mas não diga que não avisamos – disse Hillary, saindo da cozinha.

Parecia que ninguém no mundo acreditava em mim.

Junto com minha equipe, criei duas campanhas que, curiosamente, envolviam a valorização do ser humano e seus sonhos. Eu sabia que cada indivíduo tinha um dom especial e queria me especializar em reconhecer e valorizar o talento de cada pessoa. Isso sim era uma parte essencial de minha busca.

Agora que as campanhas estavam concluídas, tinha chegado o momento de me desligar da empresa.

– Você tem certeza do que está fazendo? – perguntou Marcondes, o chefe mais bravo.

– Sim, Marcondes. Espero que você me entenda.

– Não entendo, mas se tem alguma coisa aí querendo acontecer, não sou eu quem vai ficar no meio do caminho.

Minha equipe do departamento de marketing me presenteou com cartões. As mensagens eram lindas. Invariavelmente, eu era chamado de "maluco". Escreveram coisas do tipo "você ajudou a mudar minha vida" ou "aprendi com você coisas que vou levar para sempre". Quando li a frase "você despertou em mim a vontade de fazer acontecer", chorei emocionado. Olhava para cada um com o sentimento de que tudo tinha valido a pena.

– Já sabe o que vai fazer agora? Digo, onde vai trabalhar? – perguntou o espanhol.

– Ainda não sei. Não faço a menor ideia – disse, me dando conta que estive mesmo tão envolvido nas campanhas que não havia parado para planejar aquele pequeno "detalhe". – Só sei de uma coisa: vou resolver isso em Paris.

– Em Paris?

– Sim. Faz um tempinho que sinto Paris me chamando. E não quero seguir a lugar algum antes de pisar naquela terra e ter a sensação de que está valendo a pena.

– Você é mesmo louco!

Sorri. Naquela noite festejei com amigos a entrada na nova fase da vida.

Um guia para Paris

FUI ATÉ A AGÊNCIA de turismo onde trabalhava Angélica. Precisava lhe contar da minha demissão.

– E o que você pretende fazer? Onde vai trabalhar?

– Não sei ainda. Estou totalmente livre e desempregado.

– Você é louco ou o quê? Fico morrendo de medo por você. Como vai sobreviver, Lufe?

– Não fique assim, Angélica. Apenas me mande para Paris. Eu preciso saber por que ela me chama tanto.

– Você é o cara mais chique que conheço. Pede demissão, não tem ideia do que vai fazer e ainda quer ir para Paris? Isso não tem lógica!

– E o pior: estou totalmente sem grana. Tenho o suficiente para sobreviver apenas por um mês e meio. Então, como posso ir a Paris e voltar da forma mais barata que eu puder por cerca de cinco dias?

Angélica conseguiu um pacote promocional para estudantes via Eurostar, o trem bala que liga Londres a Paris por baixo do Canal da Mancha. Lá, eu ficaria hospedado num albergue em Montmartre. E o restante seria tentar sobreviver gastando o mínimo possível.

– Sabe, Lufe, vejo que você faz loucuras, mas está sempre confiante. Não me pergunte por que, mas, no fundo, tenho certeza de que vai ser muito mais feliz daqui para a frente.

– Obrigado, Angélica. Também não sei ao certo o que vem por aí, mas estou desenvolvendo o que está aqui dentro de mim. Tenho convicção de que estou construindo meu mundo de dentro pra fora, e não ao contrário, entende?

Saí de lá com o bilhete do trem em mãos. *London-Paris-London*. Estava a caminho do desconhecido, sozinho e feliz, pronto para viver aquilo que viria na sequência da minha trajetória.

Caminhei até o centro da cidade. Tudo parecia perfeito. As pessoas, os parques, o céu azul e o calorzinho do verão inglês. Meus sentidos vibravam mais aguçados do que nunca. Eu estava livre, completamente livre.

Cheguei em casa feliz com a decisão de viajar. Contei meus planos a Hillary.

– Você tem algum guia de turismo de Paris?

– Guia de Paris? Você vai mesmo fazer essa loucura? E, pior, ainda acha que vou compactuar com isso?

– Como? Me desculpe, Hillary, mas nós somos amigos ou não?

– Ser amigo para mim é acordar alguém que está fazendo uma loucura. Isso, sim, é amizade.

– Entendo você e sua preocupação, mas precisa se conter em me julgar o tempo todo. O que é isso? Pode acreditar em mim pelo menos uma vez?

– Não estou julgando, mas o que você faz é muita irresponsabilidade. Você não conhece Londres como eu conheço e acho que não é capaz de se dar bem sendo louco dessa forma.

– Para saber se uma pessoa é ou não capaz de alguma coisa, precisamos conhecê-la melhor. Por um acaso, você já se interessou por minhas habilidades e realizações para me dizer se sou ou não capaz de alguma coisa?

– Não quero mais dizer nada. Tento alertá-lo porque gosto de você e te quero bem. Se não quer me escutar, o problema é seu.

– Obrigado. Aliás, como tinha prometido, está aqui a sua segurança – falei, entregando a ela um envelope com o dinheiro para o pagamento de dois meses de aluguel adiantando.

– Você acha que estou preocupada com isso? – perguntou, com uma voz cínica. – O que me preocupa é você estar bem, só isso, não me leve a mal.

Ela contou as notas na minha frente, verificando se estava tudo certo com os aluguéis.

– Está tudo certo, Hillary?

– Está, sim, mas como você vai fazer quando vencerem estes aluguéis?

– Isso eu respondo daqui a dois meses. Enquanto isso, pergunto de novo. Você tem um guia de Paris?

Fiquei até 2 horas da madrugada preparando a bagagem e lendo o guia emprestado por Hillary. Acordei e tomei um banho rápido. O táxi já me esperava para me levar à estação. Cheguei antes das 5 horas. Algumas pessoas já se concentravam na porta que avisava o horário da partida: 5 horas e 30 minutos.

Aquele trem era mais moderno e bonito do que o trem em que eu tinha viajado para Edimburgo, na Escócia. Iria para a França pela primeira vez, sem dinheiro e sem saber o motivo. Sabia somente que precisava estar lá. Nada poderia ser mais importante naquele momento.

Claro que me sentia um louco. Mas eu começava a gostar daquele sentimento.

Paris é a mãe

PISEI EM TERRAS PARISIENSES pela primeira vez, desejando, acima de tudo, comer meu primeiro *croissant* original.

Meu sorriso não se desfazia. Meus olhos brilhavam. Nem sentia o peso da mala e da mochila com a câmera fotográfica.

– Paris! Paris! Paris!

Uma das promessas que fiz para mim mesmo estava cumprida. Não iria morrer sem conhecer Paris. Falava baixinho:

– *Paris, ma chérie*, muito prazer! *Je m'appelle* Lufe!

Comi um *croissant* em uma *pâtisserie* tipicamente parisiense. Saí caminhando por aquelas ruas lindas da cidade. Subi as escadas de Montmartre até chegar à basílica de Sacré Coeur. Cheguei facilmente ao albergue, seguindo o mapa e todas as anotações que eu tinha feito em meu guia.

Ficava numa ruazinha minúscula, com apenas quatro casinhas muito charmosas. Um restaurante na esquina com toldos rebuscados recebia a clientela em suas mesas e cadeiras na calçada. Aquela cena me remetia aos cenários imortalizados pelo famoso fotógrafo francês Henri Cartier-Bresson.

O albergue era o último da rua, que acabava numa longa escadaria. Aliás, eu já havia notado que as escadarias de Montmartre eram uma atração à parte. O charme daquela cidade estava em todas as esquinas. A beleza das casinhas, as flores nas janelas, as casas de pães... A fachada do pequeno hotelzinho era verde-clara e o quarto, simples, pequeno, mas muito confortável. Tinha todo o clima que sempre vi nos filmes franceses. Uma grande janela se abria para um pátio interno com uma árvore ao centro. Lá embaixo, cadeiras e mesas onde outros hóspedes tomavam café. O som de passarinhos invadia o quarto. Do lado de dentro, uma pequena pia e um espelho. A cama tinha uma coberta com estampas floridas. Havia também uma mesinha e uma cadeira de madeira bem antigas.

– Paris, Paris, estou em Paris! – eu comemorava a todo momento.

Sempre ouvi falar que o melhor de Paris se conhecia a pé. E assim eu fiz. Queria ver os cartões-postais mais óbvios, assim, ficaria livre para depois desfrutar à vontade. Fui passando por ruas, vielas, jardins. Tudo que estava no mapa.

Durante esse longo tempo de caminhada, eu ia colocando os pensamentos em ordem. Muitas histórias haviam acontecido na minha vida nos últimos meses. Precisava viver e vivenciar muitas coisas ainda, mas estar em Paris, naquele momento, era algo marcante. Era como se dissesse para mim mesmo que havia conseguido vencer todos os presságios e incredulidades das pessoas que me cercavam. Sabia que elas não faziam por mal, mas não entendia por que todos tinham a estranha mania de sempre achar que meus sonhos dariam errado.

Agora, caminhando ali, naquelas ruas de Paris, não como um turista comum, mas como um morador de Londres, um cidadão do mundo, sentia o prazer de estar me tornando o homem que sempre havia desejado ser. Lembrei-me de uma célebre frase citada por Albert Einstein que dizia que "uma mente que se abre a uma nova ideia, jamais volta ao tamanho original". Achava aquilo lindo e via meu cérebro imensamente maior do que era há alguns meses e em constante crescimento. Eu queria mais, sempre mais.

Algumas vezes, durante a caminhada, eu me senti esnobe e inconsequente por passar tempo numa das cidades mais desejadas e visitadas do mundo. Eu estava desempregado e sem a menor ideia do que seria minha vida na próxima semana. Ao mesmo tempo, amava a ideia de saber que estava na cidade mais desejada e visitada do mundo, desempregado e sem a menor ideia do que seria minha vida na semana seguinte. Era uma ambiguidade estimulante.

O cenário era perfeito, quando, quase sem perceber, parei numa esquina muito movimentada. Olhei para o lado e pude ler numa placa pintada à mão o nome da rua. Era a famosa Champs-Élysées. Fiquei alguns minutos em silêncio, observando o movimento e as pessoas que passavam por ali, quando, maravilhado, vi à minha frente o imponente Arco do Triunfo.

Quase fui andando em sua direção. Eu sentia que precisava estar lá. Não sabia bem o porquê, mas eu estava magnetizado por aquele monumento construído em comemoração às vitórias militares de Napoleão Bonaparte. Fui passando como em câmera lenta por baixo do Arco, vendo todas aquelas imagens esculpidas, e sentindo o poder e o simbolismo ao qual aquilo me remetia. Essa imensa estrutura é um símbolo magnífico que homenageia guerreiros e vitoriosos. Pessoas destemidas, que estavam sempre prontas para as lutas da vida.

Fui até o caixa, comprei o bilhete e entrei por uma pequena porta.

Quando pisei no primeiro degrau da escada, uma coisa surpreendente aconteceu. Algo que mexeu com toda minha base de referência. Parecia não saber mais onde eu estava e o que fazia ali. Era um corredor escuro e muito estreito. Fechei os olhos, me apoiei na parede e respirei fundo. “O que é isso que estou sentindo?", perguntei a mim mesmo. "Me sinto tão sozinho e tão pesado."

Meu estômago parecia revirar, e eu tinha uma forte sensação de falta de ar.

"Acho que vou voltar. Estou me sentindo claustrofóbico aqui", pensava.

Ao mesmo tempo, eu sabia que precisava enfrentar aquele mal-estar e continuar. Tinha a nítida sensação de que precisava seguir em frente. Eu fui subindo com dificuldade, até que minha percepção clareou, como se uma forte luz de consciência invadisse minha alma.

Eu percebi que ficava mais leve a cada degrau que subia no curto caminho que me levaria ao topo. Parecia que abandonaria anos e anos de desejos reprimidos. Me libertava de tantos "nãos" e "nuncas" e muitos "jamais". Era como se cada "você não é capaz", muitos outros "você está louco" e um punhado de "você não tem coragem" ficassem pelos degraus. Minha mente voava na velocidade da luz. "Acho melhor você não se arriscar" e "deixe de ser um sonhador", assim como "estou falando para o seu bem", eram esmagados a cada passo que eu dava em direção ao terraço.

Tudo acontecia de forma muito natural, como se fosse uma revelação surpresa preparada pela própria Paris. Nos últimos degraus, eu podia avistar a pequena porta no terraço. Uma luz intensa invadia o final da escadaria. Era o último portal que eu precisava atravessar para mostrar a mim mesmo que faria tudo o que sonhasse de coração e que minha fé sempre me levaria aonde quer que eu desejasse.

Sonhar valia a pena. Não que Paris fosse uma coisa impossível em minha vida, mas estava usando aquela cidade e aqueles momentos como uma simbologia. Poderia ter sido em qualquer lugar do mundo, mas, ali, no Arco do Triunfo, atravessei a porta, e a luz do sol intenso de verão me cegou por alguns instantes. Quando, enfim, pude ver normalmente, minha mente se aquietou, minha alma relaxou. O ar fresco entrou por minhas narinas invadindo todo meu corpo e não tive mais dúvidas: tinha que ser ali. Tinha que ser daquela forma. Eu precisava ter passado sozinho por aquela experiência de me libertar de maus agouros. Estava me percebendo diferente. O que teria acontecido? Teria triunfado? Vencido os medos, as descrenças, a sensação de impossibilidade que tentam nos segurar durante toda vida?

Arco do Triunfo. Quantas pessoas visitam esse monumento todos os dias, batem fotos e simplesmente vão embora? Eu estava lá, não batendo fotos, mas, sim, na porta de um futuro ainda mais brilhante.

Paris estava toda à minha volta, linda. A palavra "triunfo" invadia meus sentidos. Era como se eu estivesse num profundo estado de meditação, mas de olhos e mente abertos, enxergando como nunca. Quando olhei para o outro lado, inesperadamente, surgiu à minha frente uma cena, que, se tivesse imaginado, não seria tão perfeita. Lá estava ela. Alta, linda e em destaque no meio de tantas outras maravilhas: a Torre Eiffel.

Eu estava realizando um sonho de infância.

Chorava, não por estar fazendo turismo em Paris. Chorava, emocionado, por perceber o homem que me tornava ao longo da vida e que, naquele momento, estava em Paris. Era uma perspectiva muito mais forte. Era um encontro mágico entre o Lufe maduro e o Lufe criança sonhadora.

Em silêncio, observei a cidade do alto. Minha mente estava vazia, limpa, imersa naquele momento. Resolvi ficar ali, quieto. Fechei os olhos, respirei fundo e me visualizei dentro daquele contexto. Agora eu fazia parte da cidade. Podia senti-la, e ela me acolhia. Eu a percebia inteira, como se fosse uma grande energia feminina. Linda, decorada, brilhante. Era como se eu me protegesse com o carinho de uma grande mãe.

Naquele momento tão intenso de conexão comigo mesmo e com a cidade, uma mensagem e um sinal de inspiração vinham à tona. Algo alertava de que eu precisava me despertar, acordar para mim mesmo. Que não bastava ver, mas que deveria ser capaz de enxergar pessoas, lugares e situações. Seria a melhor lembrança que eu teria da cidade. A forma como ela estava me despertando para a importância de acreditar em mim mesmo e ficar atento para saber enxergar o que muitos não conseguiam ver.

Percebi, de uma forma que somente um coração aberto pode compreender, que Paris estava agora em minha vida como uma força feminina e poderosa, assim como Londres me protegia com uma energia masculina, forte e imponente. Um grande pai e uma grande mãe – ou seriam um grande guerreiro e uma guerreira inigualável? Independentemente da associação, eu sabia que agora tinha as duas cidades me apoiando lado a lado. Sentia a energia de anos de história e de batalhas fluindo através de mim com uma intensidade fenomenal. E isso tudo no topo do arco chamado Triunfo, monumento magnífico em homenagem àqueles de alma destemida.

Eu, jornalista

EU VOLTEI A LONDRES sedento por caminhar pela cidade. Naquele primeiro dia pós-Paris, queria sentir outra vez a energia masculina, após a mensagem que tive no Arco do Triunfo. Estava muito relaxado, tranquilo e conectado ao presente, apesar de ainda estar desempregado, sem dinheiro e sem perspectivas profissionais.

Andei à beira do Tâmisa. E, sobre a ponte Waterloo, fiquei admirando a cidade. London Eye, as casas do Parlamento, o Big Ben e toda a imponência que Londres transmitia. Não existia tensão. Não existia preocupação. Eu estava convicto de que, permanecendo na espiral positiva, seria levado ao próximo passo do meu caminho.

Respirei fundo, fechei os olhos e senti o vento em meu rosto. De certa forma, imaginava aquele vento como se fosse eu mesmo em movimento, passando por toda a cidade, me conectando com cada cantinho. O sol estava quente. E meu sorriso, constantemente aberto.

Ainda mantinha os olhos fechados quando meu celular tocou. Era Otávio, criador de dois jornais semanais em Londres. Um voltado para a comunidade latino-americana, em espanhol; outro, em português, para os brasileiros que lá viviam.

Eu, como diretor de marketing da M&Tony's, sempre fui um ótimo cliente dos jornais.

– Lufe, por favor, preciso conversar com você.

– Sobre o que seria? Já não trabalho mais na empresa. Agora tem um novo rapaz na minha posição. Você quer o contato? É para anunciar no jornal?

– Eu não gostaria de falar pelo telefone. Você pode passar aqui ainda hoje?

– Na verdade, estou perto de vocês. Devo chegar aí em trinta minutos.

Otávio me recebeu com grande euforia, como sempre fazia quando eu ainda era seu cliente, mas, desta vez, ele parecia querer me dizer algo, mas não sabia como. Ele me explicou todo o processo dos jornais e porque ele os tinha criado em dois idiomas.

– Sabe, Lufe, sou espanhol. Por isso, o jornal voltado para essa comunidade tem muito mais sucesso e resultados do que o escrito em português.

– Compreendo.

– Mas a comunidade brasileira aqui é enorme, e acredito muito nesse mercado.

– Sem dúvida nenhuma, Otávio.

– E é por isso que chamei você. Quero propor que seja o novo coordenador do jornal brasileiro.

Espantei-me com uma proposta chegando tão cedo. Lembrei-me do quanto acreditei que, assim que eu voltasse a Londres, uma oportunidade maravilhosa apareceria. Era meu primeiro dia de volta e estava acontecendo de verdade. Fiquei calado, escutando, e ao mesmo tempo agradecendo por sentir que não só vivia na espiral positiva, como também ela estava cada vez mais veloz na revelação de resultados.

– Sim, acho que você é o cara certo para coordenar este jornal. Faça dele o que achar que deve ser feito, pois acredito muito no seu trabalho. Por isso, eu lhe ofereço pagamento exatamente igual ao que você recebia na M&Tony's.

Mas não me mostrei muito animado. Para aceitar ser empregado novamente, eu precisava de algumas condições e estímulos, pois não poderia entrar em outra armadilha limitante que me impedisse de seguir meu caminho.

– Eu topo se eu puder, além de coordenar o jornal, escrever uma coluna de viagens. Isso sim será estimulante para mim e irá atrair anunciantes ligados ao turismo. Sabe, Otávio, comecei a me conhecer melhor ultimamente e entendi que preciso ter a mente sendo sempre estimulada. Algo além de apenas negócios. Confie em mim. Se eu mantiver essa coluna e puder viajar de vez em quando, você estará trabalhando com um profissional com o qual nunca trabalhou. Preciso me sentir livre e com a cabeça arejada, entende?

– Mais ou menos, mas estou disposto a aprender – disse ele.

– Sei que sou um pouco diferente, mas, se entender o meu mecanismo, você vai ver seu jornal lhe trazer mais resultados do que antes. E então? Aceita?

– Para mim está perfeito.

– Então estamos juntos nessa – disse, estendendo a mão para selar o acordo.

Saí da redação do jornal com a certeza de que estavam acontecendo coisas em sincronia. Há apenas alguns dias, eu trabalhava em uma empresa, mas estava infeliz. Joguei tudo para o alto, mesmo com todos os amigos me chamando de louco e fazendo as piores previsões possíveis para meu futuro na cidade. Decidi seguir meu caminho, colocando-me mentalmente em uma espiral positiva. Viajei despreocupado. Fui em busca de realizar mais um sonho e me considerei privilegiado ao perceber uma mensagem magnífica no alto do Arco do Triunfo. Agora, eu recebia uma proposta interessante de trabalhar num jornal e ter uma coluna de turismo que me proporcionaria viajar de vez em quando. Além do mais, receberia o mesmo salário de antes, então, meu nível de vida não cairia. No fundo, eu sabia que aquele seria mais um passo na direção do que estava buscando. Fazia parte da minha trajetória, e eu estava me abrindo para percorrê-la com garra.

O jornal não era grande coisa. Mas eu queria pegar aquela mídia que estava sem resultados e transformá-la em um caso de sucesso. Isso é o que profissionais competentes fazem. Esses desafios me estimulavam. Otávio precisava de mim, e eu o ajudaria com certeza. Sua proposta era um voto de confiança nas minhas habilidades profissionais.

Fui para casa e fiquei em silêncio, sentado à mesa da cozinha. Perguntava a mim mesmo por que eu ainda morava naquela casa. O que eu estava fazendo ali? Por que era obrigado a conviver com uma mulher que fazia eu me sentir para baixo?

Levantei, tomei um copo de água e fui para meu quarto.

Estaria enfrentando um novo desafio e precisava me concentrar. Sentado na cama, tranquilizei minha mente, como havia aprendido nas aulas de meditação, e senti uma paz reveladora. Se Hillary era talvez a única pessoa negativa em minha vida e, ao mesmo tempo, tão importante, era porque eu precisava estar atento ao aprendizado de vida que seria minha convivência com ela.

Via claramente seus dois lados, o doce e amigável, e também o provocador e maldoso. Para os amigos, ela se mostrava sempre uma dama, educada e companheira. Em casa, tinha prazer de me rebaixar.

Ter alguém próximo que se parece a melhor de suas amigas, mas que, no fundo, faz pequenas ações maléficas todos os dias é bem pior do que ter um inimigo declarado ou uma vilã pronta para guerrear contra você.

Eu iria focar no lado bom e tentar neutralizar a parte negativa. Assim, poderia entender o motivo de eu estar naquela relação. Se saísse da casa naquele momento, deixaria aquela etapa incompleta, e a vida acabaria por me colocar mais uma vez em uma situação similar, até que eu aprendesse o que deveria aprender. Só assim me libertaria do círculo vicioso. Estava disposto. Não tinha medos.

Decidi usar as descrenças e desvalorizações dela como um estimulante. Cada vez que ela me atacasse com palavras que desafiavam minhas capacidades, eu assimilaria aquela provocação como um impulso, uma força ainda maior que me faria mais poderoso e determinado a realizar o que me propusesse. Era assim que transformaria a energia negativa dela em combustível positivo para continuar meu caminho.

Quase guru

TRACEI UM PLANO de crescimento para o jornal e o colocava em prática.

Eu consegui patrocinadores para minha coluna que viabilizaram a possibilidade de escrever, fotografar, viajar e ainda trazer investidores para o jornal. Era uma agência especializada em viagens de fim de semana. Com eles, fui cavalgar no País de Gales e conheci várias cidades do interior da Inglaterra e da França. Otávio estava satisfeito com a valorização do produto e com o crescente número de anunciantes.

Uma grande companhia de aviação portuguesa havia criado uma ação promocional com o departamento comercial do jornal. As ações incluíam matérias a serem realizadas em Portugal. Fui a Lisboa. Lá conheci as delícias da culinária portuguesa e a rica história de meus antepassados. Também visitei Cascais e a belíssima cidade de Sintra.

Na semana seguinte, a família brasileira que eu havia conhecido no hotel resolveu me visitar em Londres. Vieram a avó Elaine, Aline e a filha Larissa.

Aline e eu decidimos ir sozinhos a Oxford, no interior do país. Ela logo quis pegar um táxi na saída do hotel.

– Não! Como assim táxi, está louca?

– Por quê?

– É muito caro ficar andando de táxi aqui. Por que vai gastar dinheiro à toa? Venha, vamos pegar o metrô.

– Ah, não, Lufe, vamos de táxi, vai?

– Você não veio aqui para me visitar? Se isso é verdade, então entre no meu mundo. Do meu jeito. Comigo aqui em Londres você vai deixar de ser essa princesinha mimada. Vai andar de metrô, ônibus, tudo. E vai ver como isso é ótimo.

Chegamos à estação de trem e embarcamos logo em seguida.

– Não acredito que você me disse aquilo.

– Por quê? Fui duro?

– Não, foi verdadeiro. Nós nunca falamos sobre isso, mas no Brasil somos uma família muito rica. Se não bastasse meu pai ser, como posso dizer, milionário, me casei com um homem ainda mais bem-sucedido e, ao mesmo tempo, eu me tornei uma advogada muito respeitada, com clientes que me fazem ainda mais rica.

– Uau... Que bom... Como você é sortuda! Parabéns, mas por que me diz isso?

– Digo porque em toda a minha vida as pessoas sempre me trataram diferente. Na escola, parecia que eu era protegida. Seguranças me seguiam o tempo todo. Muitas vezes, eu desconfiava dos meus amigos, pois nunca sabia se eram leais ou se apenas me bajulavam por causa da minha condição privilegiada.

– Eu entendo. Quer dizer, imagino.

– Você nos emocionou muito quando nos conhecemos, pois nos mostrou Londres de uma forma muito simples e, ao mesmo tempo, muito elegante. Hoje, quando me fez andar de metrô e ônibus, dizendo para eu deixar de ser a princesa, me senti muito privilegiada.

– E eu?! Estou me vendo em um filme, Aline. A princesa e o vagabundo. Onde estão as câmeras?

– Não brinca. Estou falando sério. Houve anos de nossas vidas em que eu e meu irmão tivemos de passar longas temporadas nos Estados Unidos por ameaça de sequestros.

– Sério mesmo? Nunca tinha pensado por esse lado.

– Então, gostaria de aprender com você, sabe? Conseguir me entender melhor. Você não tinha referência nenhuma nossa e, mesmo assim, nunca sentimos uma amizade tão simples e verdadeira.

– Obrigado, Aline. Acho que agora entendo muitas coisas. O porquê de vocês serem tão sofisticados. Que engraçado... Eu ficava sempre preocupado em vê-la gastando seu dinheiro aqui, queria sempre lhe mostrar o que era mais barato. Lembra como fiquei envergonhado de vocês me pagarem um jantar? Parece que faz tanto tempo e tal, mas... Me desculpe... Aonde você quer chegar?

– A lugar nenhum. Só que talvez eu frequente mais Londres. Quero circular à vontade, aprender muito com esta cidade. Você poderia me ensinar a meditar? Tenho um vazio no peito e não acho que psicólogo nenhum vai fazer melhor do que tenho visto você fazendo a si mesmo.

– Ótimo! Então está marcado. Vamos nos concentrar mais nestes dias para conversarmos sobre o que tenho descoberto. Mas uma coisa é muito importante: só você poderá fazer por si mesma. Esse é o tipo da coisa que não se compra mesmo. E já deu o principal passo: a vontade de mudar.

– E o quanto acha que posso melhorar? Onde pensa que posso chegar com isso?

– Aline, eu não sei por que você me procurou, pois sou uma pessoa ainda com milhares de dúvidas. Sou autodidata. O que tenho aprendido está sendo assimilado no dia a dia, no decorrer do caminho, entende? Dou minhas cabeçadas por aí, errando e aprendendo, mas minha alma está aberta para receber as mensagens que sempre chegam quando estamos dispostos a escutar.

– Quero entender cada vez mais.

– Ótimo! Vamos conversar muito sobre isso.

– Vamos, sim. A propósito, temos um convite para lhe fazer e você não pode dizer não. Vamos juntos para Praga, na República Tcheca?

– Calma, Aline, calma... Vocês podem ir e nos encontramos aqui na volta, mas não é meu momento. Estou totalmente sem grana para esse tipo de extravagância.

Aline deu um grito que me interrompeu com o susto.

– O que foi? – perguntei.

– A única coisa que não tenho problema neste mundo é com dinheiro, e não gostaria que justamente isso fosse a razão de não ter um amigo querido ao meu lado. Se for esse o caso, você já sabe que está resolvido.

Embarcamos rumo a Praga, numa viagem mágica para nós quatro. Estávamos em plena conexão e, em meu íntimo, eu sabia que ajudava muito aquela família que tinha muito dinheiro, mas que vivia certa carência de afeto e carinho entre si. A mãe de Aline, Elaine, parecia reviver sua juventude. Ela sorria o tempo todo, e a depressão que dizia sofrer não se manifestava nem por pequenos instantes. Eu e Aline conversávamos longas horas sobre o caminho que eu vinha percorrendo até ali. Ela parecia se inspirar, e eu, em contrapartida, insistia em estimulá-la a encontrar sua jornada pessoal.

– Inspirar não é copiar – eu dizia. – Aprenda a escutar seu coração e os chamados únicos que vai receber. Daí, é só seguir sem medo.

De volta a Londres, eu as convidei para jantar e as apresentei a Hillary, que estava vivendo dias de felicidade e bom humor devido ao sucesso de seu último trabalho na TV. Aline adorou a amiga inglesa e logo passaram a se corresponder constantemente.

Aquela amizade inesperada talvez fizesse Hillary ter uma visão diferente de como era a vida no Brasil. Um novo parâmetro de comparação. Também pude perceber como Hillary a respeitava mais devido à sua condição financeira privilegiada. A visita delas desta vez tinha sido curta, mas de grande importância para a consolidação da nossa amizade.

Um fotógrafo em meu caminho

ESTAVA ME SENTINDO VITORIOSO. Meu horário era flexível, viajava para vários países com as despesas pagas, recebia um bom salário, podia frequentar festas e restaurantes bacanas e me tornava respeitado no meio da mídia local. Recebia convites exclusivos para os principais eventos culturais da cidade e era considerado uma referência em meu meio. Estava num bom momento de realizações de meus desejos, quando recebi a notícia de que precisava ir a Edimburgo, na Escócia, cobrir um evento de corrida de aventuras pelo jornal.

Seria minha segunda vez na cidade. A primeira tinha sido na data do meu aniversário, quando minha vida passou por uma grande transformação. Embarquei naquele trem como garçom e retornei como diretor de marketing. Agora, seria uma experiência diferente. Fui convidado pela organização do evento e seria recebido com toda estrutura – hotel, translado, restaurantes, tudo pago pelos patrocinadores. Muita coisa havia mudado dentro de mim desde aquela vez, e não só externamente.

Trabalhei sem parar no primeiro dia. Corria tanto quanto os próprios atletas para registrar os melhores momentos.

À noite, após o jantar, preferi caminhar sozinho até o hotel. No trajeto, passei pela praça de onde era possível ver o castelo que, àquela hora, estava iluminado exatamente como eu havia visto em minha primeira visita.

Vi um pequeno banco de madeira e decidi sentar-me por alguns instantes. Sentia um aperto no peito, uma vontade de estar sozinho e, ao mesmo tempo, de gritar para todo mundo ouvir.

As lágrimas começaram a cair. Agradecia pelas maravilhas que estavam acontecendo e por todas as realizações que se manifestavam em minha vida desde então. Chorava, agradecia, orava, mas a dor não saía do peito. Sabia que não tinha mais o mesmo brilho nos olhos como antes.

A cidade parecia me instigar a observar minha própria vida por uma perspectiva mais madura, quando comparada à daquele jovem de meses atrás. Parecia que um século havia se passado. Eu provocava em mim mesmo uma autoanálise sobre o caminho que estava percorrendo. Será que estava sendo honesto comigo mesmo e com minha busca, ou a aparente vida que eu levava era só um desvio de tudo aquilo que eu procurava?

Por que Edimburgo mexia tanto comigo? Eu tinha tudo para me orgulhar do que estava fazendo. Afinal, levava uma vida magnífica e não tinha do que reclamar. Qual o motivo para que a cidade levantasse aquela dúvida de forma tão forte?

Agora, eu não podia mais negar o que espiritualmente já estava claro. Precisava tomar uma decisão e retomar o caminho que me levaria ao verdadeiro encontro com o que eu procurava.

Fiquei sentado, não sei precisar por quanto tempo. Desde que havia entrado para o jornal, eu me dedicava com tanto afinco para provar que poderia fazer dele um bom produto que me perdi na ilusão de ser bem-sucedido profissionalmente. Agora, eu estava disposto a nunca mais me desviar de minha busca legítima.

Edimburgo parecia me deixar uma mensagem clara: eu já havia arriscado tudo o que tinha construído antes, e só por isso conquistava um pouco do que desejava espiritualmente. Não poderia parar agora. Em silêncio, procurei me conectar com a espiral positiva, que parecia ficar cada vez mais poderosa e veloz.

Voltei para Londres cheio de dúvidas e questionamentos. Precisava retomar o caminho, mas ainda não sabia como.

Uma tarde do início do novo trimestre, quando eu chegava à escola, vi pela janela um rapaz sentado no sofá da recepção, muito concentrado em seu notebook. Fiquei curioso. Disfarcei e me sentei ao seu lado. Pude ver que ele trabalhava com algumas fotografias na tela, mas não eram fotos comuns. Parecia ser fotógrafo profissional. Fiquei curioso ao ver aquelas imagens. Eu fotografava todos os dias, mas não tinha a técnica e muito menos havia pensado em me especializar no assunto.

O nome dele era Hélio e, como eu havia suspeitado, ele era mesmo um fotógrafo profissional de São Paulo e estava ali há poucos meses, mas não trabalhando com fotografia. Como todos os brasileiros recém-chegados, ele conseguia empregos temporários para se sustentar. Não demorou muito para nos tornarmos amigos. Nas semanas que se seguiram, falamos de projetos, planos e experiências que vivíamos em Londres.

Eu estava sempre correndo e animado com tudo o que fazia. Isso chamava a atenção de Hélio, que não estava necessariamente feliz. Um dia, logo após a aula, me despedi de todos com pressa, pois precisava correr para casa. Tinha que entregar uma matéria grande para o jornal na manhã seguinte. Quando estava prestes a pegar o ônibus, o novo amigo me chamou:

– Espere! Preciso falar com você.

– Oi, Hélio. O que foi?

– Estou precisando conversar com alguém e acho que você é o cara certo.

– Então, entra no ônibus comigo e conversamos no caminho, pode ser? Estou bastante atrasado.

– Por mim, tudo bem – falou, enquanto subíamos no ônibus *double deck* número 38, ainda antigo, aberto na parte de trás.

– O que está acontecendo, meu amigo?

– Não sei, acho que estou com depressão. Vejo você sempre feliz, trabalhando no jornal, trazendo novidades e coisas bacanas para contar. Eu, aqui, me afundando nesta cidade. Não sei o que vim fazer aqui.

– Mas como posso te ajudar?

– Tenho reparado em você desde que nos conhecemos e vejo que tem essa determinação e garra que contagia todo mundo. Então, pensei que, se pudéssemos conversar um pouco, seria muito bom para mim. Estou precisando bastante, sabe... Estou bem triste mesmo.

– Amigão... Estou correndo com uma matéria que preciso entregar amanhã sem falta e também com muito trabalho estes dias, desculpe.

– Entendo, não tem problema... – ele falou, desanimado.

– Mas...

– Mas o quê? – perguntou Hélio.

– Tenho uma ideia louca. Hillary, com quem moro, está viajando para os Estados Unidos. Volta na sexta-feira.

– E?

– Então, temos de hoje, segunda, até sexta para você ficar lá em casa.

– Como assim?

– Não tenho tempo de me dedicar o tanto que você precisa. Vejo que está precisando de energia forte. Assim, pelo menos, nós conversamos de manhã e à noite. Nunca durmo cedo mesmo.

– Não tem problema? – perguntou ele.

– Não. Temos quarto de hóspedes lá. E você pode me dar uma coisa em troca.

– O quê?

– Pode me ensinar algumas técnicas de fotografia. Preciso muito aprender.

– Fechado! Adoro ensinar – falou, já empolgado.

– Ótimo, assim aprendemos eu e você. Quando quer ir?

– Já estou indo. Preciso disso agora. Você se importa se eu dormir lá hoje?

– Claro que não. Será um prazer.

Fomos conversando pelo trajeto, que normalmente demorava quarenta minutos. Hélio me contou que estava trabalhando em um hospício.

– Sim, não é de tudo ruim. Preciso limpar os quartos, os banheiros e ajudar em tudo o que for preciso. É uma casa com poucas pessoas, mas isso está me deixando com uma energia muito baixa.

– Imagino, pois você é um artista.

– Sim, e não só isso. Minha casa também está um caos. As pessoas são muito negativas, sempre reclamando da vida, de dinheiro, da cidade, de quem lava a louça... Isso me deixa com uma sensação horrível.

Chegamos em casa e logo preparei um jantar bacana, acompanhado de boa música e vinho. O que aquele amigo estava precisando era se reencontrar com sua essência, sua alma e sua arte. Conversamos muito naquela noite. Antes de dormir, Hélio já parecia outra pessoa. Seus sonhos e seu brilho já começavam a dar sinais de recuperação.

Na manhã seguinte, precisávamos sair cedo. Quando Hélio desceu até a cozinha, o café já estava na mesa.

– Só você mesmo! – disse ele, ainda sonolento.

– O quê?

– Acordar com essa energia toda, já cantando, feliz.

– Sabe, Hélio... quando a gente tem um projeto de vida, um plano, uma busca, parece que vem um brilho diferente de dentro pra fora. É só encontrar o seu.

– Imagino que sim.

– Pare para pensar comigo. Você poderia ter escolhido vários lugares neste mundo para estudar inglês, mas escolheu aqui, Londres.

– É verdade. Nem sei por que vim parar nesta cidade.

– Eu sei.

– Por que, então? Me diz o que vim fazer aqui.

– Isso eu não consigo te responder, mas ela pode dizer isso melhor do que eu.

– Ela quem?

– Londres.

– Está me zoando?

– Não, claro que não. Comece a admirar esta cidade e a pedir que ela lhe mostre os caminhos e os porquês de você estar aqui. Quando menos esperar, ela vai se revelar de uma forma surpreendente.

– Você está falando sério mesmo?

– Como nunca falei antes.

– Como posso começar?

Fui até meu quarto e peguei um símbolo que o ajudaria a se lembrar de admirar aquela cidade todos os dias. Desci e expliquei a Hélio do que se tratava.

– Meu amigo, muitas pessoas pensam que os sinais que recebemos precisam ser mágicos e vindos do céu, como se as nuvens se abrissem e uma voz forte e ecoante falasse ao som de clarinetes dos anjos.

– Para de me zoar – pediu, dando risada.

– Estou falando sério. As mensagens vêm do nosso dia a dia. Pode ser um comercial de TV, uma manchete de jornal, um conselho de um amigo, um passarinho, uma folha que cai de uma árvore etc. Simples assim. Tudo pode ser um estalo para quem está aberto a enxergar, entende? Até mesmo uma palavra que estão usando na *Visit London*, a campanha de turismo de Londres.

– Como? – perguntou, agora muito confuso.

– Veja.

Abri a mão e mostrei a ele um chaveiro simples, branco, que tinha o nome da cidade escrito de forma diferente.

– O que é isso?

– *LondON*.

Lond estava em preto e *ON*, em letras vermelhas maiúsculas.

– Por que *ON* está em vermelho e diferente do resto?

– Para mostrar que Londres está sempre *ON*, ligada, conectada, pra frente, chamando você para ser sempre mais. Guarde esta lembrança. *LondON*. Repete comigo.

– *Lond ON... Lond ON* – ele repetiu.

– De agora em diante, ela será sua maior aliada para descobrir o que veio fazer aqui.

Hélio ficou em silêncio. Estava admirado. Sabia que estava diante de uma oportunidade de aprendizado e precisava degustá-la.

Naquela semana, ele me ensinou técnicas de fotografia. E eu procurei despertá-lo para sua força interna, suas crenças, sua capacidade de vencer obstáculos. Eu fotografava no automático, ele enxergava a cidade no automático. Ambos mudamos – passamos a compreender melhor.

Na quinta-feira, preparei uma surpresa. Queria comemorar em alto estilo a semana de grandes aprendizados de ambos. No jantar daquela noite, brindando o que nós dois tínhamos evoluído em tão pouco tempo, pude perceber a luz que brilhava de Hélio. Era uma imagem muito distante daquele homem cabisbaixo e depressivo de apenas quatro dias atrás. Uma eternidade havia se passado.

– Como você está se sentindo?

– Não sei explicar ao certo, mas, pela primeira vez, estou vivendo Londres, aliás *LondON*, e encontrando tudo aquilo que vim buscar. Sinto que estou preparado para aprender o que a vida tem para me ensinar. Estou com meus canais abertos, parece que nunca estive tão acordado em minha vida.

– Isso é ótimo, meu amigo. E eu, em contrapartida, aprendi muito com você. Não só de fotografia, mas também como me manter sempre conectado com o lugar em que vivemos.

– Sério?

– Absolutamente. E por isso tenho uma surpresa para você.

– O quê?

– O que você tem planejado para este fim de semana?

– Nada.

– Pois falei com meu patrocinador da coluna de turismo e consegui incluí-lo em minha viagem. Disse que você era meu fotógrafo. Podemos ir juntos! Topa?

– Claro que sim! Mas para onde vamos?

– Holanda! Amsterdã!

– Você é louco?!

– A vida é louca, meu amigo, e eu só vou no fluxo.

Deus em Amsterdã

ERA A CIDADE das bicicletas e da liberdade.

Na primeira noite, curtimos os bares e o *Red Light District*. É ali que ficam as prostitutas, dentro de janelas com as luzes vermelhas. Parecem peixes em aquários, expondo-se como mercadorias nas ruas muito estreitas, frequentadas por milhares de pessoas vindas de todas as partes do mundo.

– Que loucura isso, não é? – disse Hélio.

– Eu li que as prostitutas aqui são regularizadas, têm sindicato, pagam os impostos e contam com plano de aposentadoria.

– Sério?

– Sim, é uma profissão como qualquer outra. Aliás, isso é o bacana aqui em Amsterdã. Tudo pode. Você é livre e, por isso mesmo, há o respeito. As coisas fluem com civilidade, já reparou?

– É verdade.

Aproveitamos a noite como nunca. Existia um êxtase no ar, um clima de celebração.

No dia seguinte, fomos fazer os passeios programados pelo grupo e pelo patrocinador. Escrevi, fotografei e, juntos, conhecemos a cidade.

À tarde, alugamos duas *bikes* e saímos pedalando. Rodamos entre canais, pontes e ruelas. Por diversas vezes, paramos em frente às casas com suas grandes janelas e cortinas abertas e, admirados, observamos famílias se dedicando à arte.

Às vezes, nós parávamos e fotografávamos juntos. Cada um em sua viagem interna, observando e assimilando o que mais nos tocava. À beira de um dos inúmeros canais, tinha acabado de terminar uma feira de frutas e verduras. Os feirantes ainda recolhiam algumas caixas. O sol estava se pondo, mas ainda com raios quentes que pareciam desenhados à mão naquela luz. Uma sensação de preenchimento interno, de felicidade, de amor, de conexão com a cidade começou a tomar conta de mim. Parei a bicicleta e comecei a admirar os detalhes daquele instante sem fim.

Esqueci-me da companhia de Hélio e fiquei em profundo contato comigo mesmo. A rua, as pessoas, as aves, os barcos, as árvores e eu ali naquele cenário à beira de um canal.

Um assobio gostoso começou a cantar em meus ouvidos, uma música que parecia ecoar alto, com uma melodia mágica. Algo divino vindo de não se sabe onde. Senti que minha alma estava sendo tocada em mais um daqueles momentos em que eu precisava ficar atento.

Mas de onde vinha aquela música, aquele assobio de ritmo suave?

Não havia mais barulho de carros, pessoas, passarinhos, nem mesmo da minha mente. A única coisa forte que existia era o eco daquele som dentro de minha cabeça, como se fosse uma grande mensagem.

Olhei para o lado direito e avistei a uma pequena distância um senhor com cabelos e bigodes brancos, andando tranquilamente, com uma sacola de palha nas mãos, assobiando e movimentando lentamente a cabeça. Aquela cena parecia estar em câmera lenta. O velho senhor foi se aproximando,

aproximando e assobiando de uma forma cada vez mais envolvente, até passar em minha frente. Eu ali, parado, continuava em transe, completamente envolvido. Acompanhava com o olhar os passos delicados daquele senhor, o assobio cada vez mais alto e intenso ecoando na mente.

Ele continuou seu caminho até desaparecer. Foi então que acordei e quase que simultaneamente encontrei o olhar do Hélio. Ele também estava em silêncio e com lágrimas nos olhos. Tinha visualizado e sentido aquele momento assim como eu.

– Você viu isso, Hélio?

– Estou chocado! – exclamou ele, com os olhos arregalados.

– Mas você... Quero dizer... Você... Você... Sentiu isso?

– Não pode ter sido normal. Você também escutou o assobio? – perguntou Hélio.

– Você quer dizer... Só o assobio e nada mais? Ecoando na mente?

– Sim... Parecia um eco na cabeça, não era?

– Não acredito... Tivemos a mesma percepção? Onde você estava?

– Parado aqui ao seu lado.

– Eu não tinha visto! – eu disse.

– O que você acha que foi isso?

– Não sei, mas parecia estar dizendo alguma coisa, não era?

– Sim, pensei que fosse uma espécie de mensagem – disse Hélio, ainda admirado.

– Acho que a gente acabou de ver Deus, ou pelo menos de escutar um recado que Ele mandou por alguém.

– Foi isso que pensei na hora. Não foi normal.

– Não foi, com certeza não foi. A gente recebeu um "oi" de alguém lá de cima!

Aquele tinha sido o momento mais marcante da viagem e das histórias que contaríamos por anos e anos de amizade.

Ao cair da tarde, notamos a entrada de uma pequena galeria de arte. Ficamos curiosos e entramos. Uma jovem mulher nos antedeu e, com muita simpatia, disse que ali era um espaço exclusivamente dedicado a fotografias.

Comecei a olhar as fotos de uma exposição dos ídolos da música mundial de todos os tempos. A maioria em preto e branco, mas algumas eram coloridas. Todas tinham algo que me fascinava. De uma forma ou de outra, transmitiam muita emoção e capturavam a verdade de um momento único do artista.

Em minhas tentativas de compreender os sinais da vida, eu não podia deixar de pensar em tudo o que estava acontecendo. Era uma mensagem? Será que Amsterdã estava tentando me dizer algo? Será que o assobio não foi um despertar? Que conexão eu realmente estava tendo com aquela cidade conhecida pela liberdade de expressão e pensamento?

Acreditava que nada era coincidência quando se estava vivendo na espiral positiva.

Será que estava mesmo viajando com um fotógrafo em uma cidade envolvida pela arte, visitando galerias fotográficas por algum motivo em especial?

E aquela câmera em minha bolsa? Estaria ela querendo fazer mais do que registros jornalísticos? Por que eu estava tão conectado com aquelas fotos mostrando músicos como pessoas reais fazendo o que mais amavam em suas vidas? Por que enxergava os artistas fotografados daquela galeria como mestres?

Podia ver que cada um deles transcendia seu trabalho, como se fosse a extensão de seu próprio ser. Seu dom era registrado de tal forma que se podia sentir a energia intensa entre o artista e o que ele estava fazendo, fosse cantar, tocar ou simplesmente deixar-se fotografar, com os olhos brilhando, vivendo seus propósitos cheios de verdades.

Pois era isso que eu via naquelas fotos. Não apenas alguém fundido ao próprio talento, mas também a visão de uma terceira pessoa sendo capaz de enxergar e registrar isso de forma brilhante: o fotógrafo.

Estava atento e assimilando tudo ao meu redor, mas, por dentro, a pergunta era a mesma. Estaria seguindo o caminho certo ou me iludindo com as facilidades que aquele trabalho no jornal me proporcionava? Precisava encontrar a resposta o quanto antes.

Chacoalhão de amigo

O QUE TINHA ACONTECIDO em Edimburgo e em Amsterdã não eram simples acasos, muito menos sinais sem importância. Minha mente estava inquieta. Sentia que algo tinha mudado dentro de mim – e agora precisava me concentrar e deixar aflorar o que fosse importante.

Nas semanas seguintes, eu trabalhei, escrevi, fotografei e cedi às pressões do chefe do jornal para que me dedicasse quase que exclusivamente ao departamento comercial, com intenção de trazer mais anunciantes.

Minha mente estava uma desordem. Aquela noite em Edimburgo não saía da minha cabeça. O assobio em Amsterdã e a surpreendente mensagem vinda por meio das fotos na galeria me deixavam apreensivo e agoniado. Eu queria ser como aqueles artistas, uma própria extensão da minha alma. Algo forte de dentro para fora. Mais: eu tinha gostado muito de ver como um profissional era capaz de registrar essa energia tão sutil.

Parecia que toda a minha vida em Londres se transformara. Não havia mais aquela fluidez e harmonia de antes. Meu peito doía ao sentir que tinha algo para explodir, mas eu precisava manter a calma até que esse momento se revelasse sozinho.

Passei dias nervoso e não sabia mais o que fazer para me colocar mais uma vez no caminho certo de minha busca. Tinha o conhecimento de como a tensão e o nervosismo atrapalhavam ainda mais a chegada das mensagens e revelações, mas não conseguia evitar.

Hillary tinha fechado um excelente contrato nos Estados Unidos e prolongado sua estadia por lá. Voltaria apenas dali a duas semanas. Eu estava só e nada poderia ser mais perfeito naquele momento.

As luzes estavam todas apagadas. Subi direto para meu quarto sem nem ao menos acendê-las. Fechei a porta. Queria ficar isolado, sozinho. Sentei-me na cama. Já estava mais calmo, e o silêncio começava a tomar conta da minha mente. De olhos fechados, meditei, pedindo para que Londres se comunicasse comigo e me mostrasse o que eu precisava enxergar para me colocar de novo no caminho certo da minha busca.

Acordei no outro dia, já quase meio-dia, com meu celular tocando. Tateei a mesinha ao lado da cama, tentando encontrar o celular.

– Alô... – atendi com uma voz rouca de quem acaba de acordar.

– Estava dormindo até agora? – perguntou uma voz familiar.

– Que horas são?! – falei, ainda sem abrir os olhos.

– Bem, pelos meus cálculos, aí já deve ser meio-dia.

– Espera aí... Quem está falando?

– Sou eu, amigo, o Leandro!

– Leandro! É você!? – exclamei, dando um pulo na cama. Como vão as coisas por aí?

– Por aqui está tudo ótimo. Na verdade, estou de férias desde a semana passada. Não iria viajar para lugar nenhum, pois tenho muitas coisas a fazer por aqui, mas, hoje, não sei explicar, acordei com muita vontade de visitá-lo aí em Londres.

– Seria perfeito, Leandro. Perfeito!

– Pode me receber aí por alguns dias?

– Que pergunta boba! Claro que sim! Sempre! Aliás, agora é o melhor momento, pois a inglesa com quem moro está viajando e só volta daqui a quinze dias. Temos a casa só para nós.

– Ótimo! Vou ainda esta semana e devo ficar com você por uns dez dias. Depois, a Karla vai me encontrar e vamos seguir sem rumo pela Europa. Uma espécie de lua de mel atrasada. O que acha?

Tinha certeza de que Leandro iria se orgulhar de mim. Afinal de contas, havia deixado tudo para trás. Agora, ele ficaria hospedado em minha casa e poderia ver que eu tinha me tornado bem-sucedido em Londres, trabalhando num local que me proporcionava viagens e aventuras, além de já ser tão bem relacionado na cidade quanto era em Floripa. Eu tinha muitos planos de estabelecer raízes naquele país, pois sentia ali um terreno fértil para cultivar meus sonhos. Com certeza, Leandro aprovaria minha decisão e contaria a todos quando voltasse ao Brasil. Passei dias arrumando os recortes de jornal, as matérias que eu havia fotografado e escrito, e as fotos das viagens que realizei. Não via a hora de encontrar meu grande amigo.

Leandro chegou com o espírito aventureiro. Queria descobrir a cidade sozinho antes da chegada da esposa para, assim, apresentar Londres a ela pessoalmente, como se fosse um morador londrino. Eu estava sobrecarregado no jornal e nos encontrávamos somente pela manhã e à noite.

Ele era um alto executivo de uma empresa de comunicação no Brasil. Era acostumado com o sistema de corporações, ao contrário de mim, que sempre tive alma de artista e aversão à hierarquia.

Contei a ele tudo o que tinha passado, todas as reviravoltas profissionais vivenciadas por mim em Londres. Leandro começou a acompanhar mais de perto minha rotina. Estava mesmo motivado a entender melhor como andavam meus projetos. Perguntava a todo momento sobre o novo trabalho, juntava informações, dados e expectativas. No final da primeira semana, durante um jantar em casa, ele me ofereceu um planejamento de marketing e crescimento do jornal elaborado com riqueza de detalhes, digno de um mestrado internacional.

– Uau, Leandro! O que é isso, meu irmão?

– Uma ideia de planejamento do seu jornal para este ano.

– Caramba, você gastou os dias de suas férias trabalhando e pensando em mim? Você é louco mesmo, não é?

– Louco não, só que acredito muito em você. Sei que estou diante de um talento único neste mundo, mas acho que o jornal em que trabalha é muito ruim.

– O quê? – me espantei.

– Desculpe, Lufe, mas você é muito melhor que esse jornal.

– Bem, acho que foi por isso mesmo que me contrataram, não é? Você precisa ver como era horrível quando entrei, não tinha esta seção, nem esta, e...

– Para! – interrompeu Leandro. – Preciso te dizer por que fiz este planejamento.

– E por que foi?

– Para que você tenha uma opção, caso queira insistir no caminho profissional em que está agora.

– Não entendi.

– Se você continuar a mentir para si mesmo, como vejo claramente que está, pelo menos, terá aqui um bom guia que vai fazer este jornal ser um grande sucesso.

– Oi? Mentindo pra mim mesmo?

– Chego a ficar decepcionado vendo você assim – disse ele rispidamente.

– Nossa... Não precisa pegar pesado. Só estou tentando...

– Tentando o quê?

– Por que você está falando assim comigo, Leandro?

– Por que, Lufe? Ainda pergunta?

– Sim, quero saber por que pensa assim.

– Porque você saiu de um trabalho de grande orgulho no Brasil, atrás de uma busca maior dentro de si mesmo, e tenho certeza de que não foi com o objetivo final de trabalhar nesse jornaleco, mesmo que seja aqui em Londres!

– Achei que você ia ficar orgulhoso.

– Orgulhoso eu estaria se visse em seus olhos a luz que sempre esteve aí. Aquela luz de guerreiro, entendeu?

Fiquei calado, escutando com atenção, pois via que ele me falava a mesma coisa que Edimburgo e Amsterdã estavam tentando me dizer. Não estava fácil ouvir o que ele dizia. Nada fácil.

– Você está apagado, se escondendo, se enganando e perdendo tempo só porque eles lhe proporcionam uma ou outra viagenzinha para o exterior?

Eu sabia que ele falava a verdade. Esse era o problema de se estar diante do melhor amigo da minha vida. Ele me conhecia bem demais. Sabia que tinha algo errado e podia perceber isso no meu olhar, na falta de brilho e de motivação. Leandro era esperto e inteligente demais para se deixar impressionar por pouca coisa.

– Estou mentindo? – insistiu.

– Não, não está. Mas você não conhece a realidade aqui. Para falar a verdade, me sinto um grande vencedor. Acha que foi fácil chegar a este ponto em que estou? Acha?

– Que ponto?

– Como assim que ponto? – perguntei, irritado com aquela atitude dele.

– Sim, quero que me conte que tal ponto é esse em que você se orgulha de estar! Vamos! Diz! – retrucou, aumentando o tom de voz.

Eu não acreditava no que estava acontecendo. Recebi meu amigo em casa com todo o carinho e atenção. Não existia no mundo ninguém de quem eu quisesse estar mais próximo naquele momento do que Leandro, mas fiquei decepcionado ao vê-lo em minha cozinha, após o jantar, falando como se eu fosse o pior dos perdedores, me colocando para baixo. Aquela não era uma característica dele que eu conhecia.

– Por que está falando comigo neste tom?

– Não disfarça. Não tente mudar de assunto. Diz aí que tal ponto é esse!

– Ralei muito desde que cheguei aqui! Não sabia nem falar meu nome direito em inglês e já consegui trabalhos... E... E... Tenho orgulho de ter ido passo a passo conquistando esta cidade... Acima de tudo, me sinto o máximo por não ter me deixado levar pelo pessimismo de muitas pessoas que me cercam. Fui diretor de marketing de uma empresa internacional, fiz campanhas em seis línguas... E... Também... Moro bem, curto a vida, aprendo todos os dias, eu estou... Estou...

Eu já não conseguia falar. Meus olhos estavam cheios de lágrimas, minha voz engasgada, parecia que tinha ódio em pensar que ele não me respeitava. Estava chocado. Comecei a chorar, mas Leandro não estava disposto a parar aquela conversa ainda.

– Está o quê? Hein? Envergonhado?

– Envergonhado de quê? Está louco?

– Sim, envergonhado de estar se iludindo. Isso mesmo! Se i-lu-din-do!

– O que você quer dizer, Leandro?

– Quer me convencer de que atravessou o mundo para acabar nesse jornalzinho de quinta? Não tem vergonha de parar sua busca pessoal só por causa de uma viagenzinha ou outra que eles lhe proporcionam?

Leandro tinha tocado fundo. Minha respiração estava ofegante. Era um misto de ódio com pavor, de curiosidade com a vontade de sumir, de mandar aquele amigo para o inferno. Não conseguia me mexer, nem falar nada. As palavras "parar a busca pessoal" tinham me atingido em cheio. Estava desarmado.

– Não me venha com essa sensação de vitorioso, Lufe. A mim você não engana. Você é um guerreiro muito mais forte e muito mais audacioso. Não pode se contentar com o que estou vendo aqui.

– Como assim? Aonde você quer chegar?

– Simples... O que você quer?

– Como?

– É isso mesmo! O que você quer?

– Não entendo – eu falava com os olhos lacrimejados, a alma em transe, a respiração ofegante e a mente em frangalhos.

– Você não estava feliz no Brasil, não é verdade? Quis mudar. Veio pra cá. Trabalhou, aprendeu, conseguiu um bom emprego. E agora? Qual a diferença entre hoje, aqui em Londres, e o passado, quando você trabalhava na TV? Quis transformar sua vida?! Por quê? O que mudou se você comparar as duas fases?

– Como?

– Por que você quis sair daquela empresa no Brasil? Me diz! – falou alto, em tom autoritário.

– Porque eu precisava encontrar alguma coisa que não sabia. Encontrar minha essência, o que sou internamente e exteriorizar isso naturalmente.

– E encontrou? Você está vivendo aquilo que buscava?

– Acho que sim. Estou viajando, curtindo e fazendo um bom trabalho no jornal!

– Isso é besteira! Não minta para mim, Lufe. E pior, não minta para você mesmo. Sabe que não está falando a verdade!

Ele levantou-se, já perdendo a paciência.

– Bem... Acho que não estou feliz mesmo. Alguma coisa que não sei explicar está pesando em meu peito. Tem muitas coisas em minha cabeça – resmunguei, já em desespero.

– Então me diz!

– Dizer o quê? Que saco! Não aguento mais! Que pressão! Não faz isso comigo! – eu falava, fragilizado.

– Você nunca desejou procurar trabalho, Lufe, pois isso você sempre teve. Não foi isso que veio buscar aqui, definitivamente não. O que estava procurando era você mesmo, certo?

– Certo.

– Trabalho, qualquer um pode conseguir, mas você sempre desejou ser um profissional verdadeiro para si mesmo, com seu talento transbordando de dentro pra fora, lembra?

– Sim...

– Pois assim que se encontrar como profissional, e não como uma pessoa que tem um trabalho, vai poder se libertar de uma vez por todas e, assim, trabalhar onde quiser, aqui em Londres, em Nova York, em São Paulo, na China, até na Lua, sabe por quê?

– Me diz... Por favor.

– Porque a mecânica funciona de forma contrária. Primeiro, você se torna aquilo que sempre quis ser e, então, parece que o mundo todo se transforma e você passa a escolher onde e como quer trabalhar.

A questão que Leandro estava levantando era muito importante. Escondia minha imensa insatisfação atrás de pequenos benefícios, atrás, principalmente, da oportunidade de viajar com as despesas pagas. Qual o motivo de sair pelo mundo à procura de mim mesmo? Voltar para o mesmo ponto de partida, mudando apenas o cenário da ação? Meu amigo conhecia minha alma e procurava me despertar para seguir em frente, sem me enganar com as ilusões no meio do caminho.

– Me diz o que você quer ser, afinal! Qual é a sua profissão? Hein?! Você veio aqui buscar alguma coisa que fosse maior que você! Já sabe o que é?

– Não!

– Sabe, sim! – gritou. – Está aí dentro, e você não pode mais mentir. Está sentido que precisa sair e tem de deixar a coisa acontecer, amigo. Coragem! Me diz! – insistiu duramente.

– Eu? Quero ser? Profissão?

– Sim!

A tensão aumentava entre nós dois, e Leandro já estava quase em cima de mim, aos berros.

– Eu... Eu... Eu...

– O que você quer ser? O que faz você ser um profissional completo? Me diz?

– Eu quero... Ser...

– Fala, Lufe, fala! – incentivou Leandro, já abaixando o tom de voz.

– Fotógrafo!

– Repete! – ordenou o amigo

– Eu quero ser fotógrafo. Exclusivamente fotógrafo.

Leandro sentou-se. Respirou fundo. Acalmou-se. Tomou um gole de vinho.

Eu estava exausto olhando para meu amigo. Continuava em choque, mas minha alma parecia calma, como se tivesse entrado num estado de paz interior nunca antes experimentado. Olhava para Leandro buscando um apoio.

– Você sempre viu a vida assim, com enquadramentos que contam histórias. A partir deste momento, deste segundo, você será o que quiser ser. Você me disse fotógrafo. Então, agora, você é um fotógrafo, e não alguém que, além de tudo, fotografa, entende? Foca nisso, não desvie nem para a direita, nem para a esquerda. Olhe direto e vai.

– Ok – respondi, respirando fundo, enxugando os olhos e tentando me recompor na cadeira.

– Fala. Eu quero ouvir – pediu em voz branda e amigável.

– Eu sou fotógrafo. Eu sou fotógrafo.

– Mais alto.

– Eu sou fotógrafo! – me animei. – FO-TÓ-GRA-FO, e só isso! Mais nada!

Leandro se levantou, me deu um longo abraço.

– Eu sabia que você conseguiria.

Eu, sem saber, fui exposto às técnicas de liderança que ele usava com suas equipes no Brasil. Tinha tirado de dentro de mim algo que estava esperando a hora certa de transformar de vez a minha vida.

Tempo

A ESPOSA DE LEANDRO, Karla, chegou na semana seguinte. Passamos dias maravilhosos juntos, aproveitando uma Londres ensolarada. No final da semana, eles iriam para França, Itália e outros países europeus.

Eu iria outra vez para a Escócia, no mesmo dia em que partiriam rumo à Europa. Fui convidado pelo departamento de turismo para escrever matérias especiais sobre aquele país que sempre me chamava em momentos de mudança, e este parecia ser decisivo.

Não podia ser mera coincidência. Muitas coisas estavam em sintonia. A vinda do meu amigo, as revelações sobre minha nova profissão e a necessidade de estar sozinho para organizar tanta informação em minha mente. Será mesmo que eu havia encontrado o que sempre busquei? Aquela viagem não poderia ter vindo em momento melhor, pois eu poderia refletir sobre todas as mensagens e os alertas que havia recebido.

A programação incluía passar dias rodando pelo norte do país, região conhecida como Terras Altas, ou Highlands Escocesas. Teria muito tempo para pensar em como conduziria minha vida dali em diante.

Queria ficar em silêncio. Precisava acalmar minha alma para escutá-la com sabedoria. O que vivenciei naqueles últimos dias teve um significado muito grande. Sentia meus pensamentos inquietos, buscando algo fundamental para meu futuro. Se estava chegando a hora de revelar o que eu buscava, queria que fosse sem dúvidas ou receios, e parecia que se aproximava o momento de dar o maior de todos os passos.

Tinha certeza de que não estava sozinho, pois sentia uma energia positiva atuando em todos os momentos. De alguma forma, os lugares por onde passei e as cidades por onde andei revelaram mensagens e respostas para o que eu procurava. Nada tinha sido em vão, pois eu estava atento o tempo todo.

Agora, eu passava por um momento decisivo de mudanças e não sabia o que faria, mas, com fé, pedia que fosse iluminado em minha busca final.

Estava radiante com a revelação sobre minha profissão, me sentindo conectado com a condição de fotógrafo. Precisava canalizar aquela força e aquela certeza com sabedoria. Queria estar cada vez mais atento e me sentir corajoso para realizar o que me propunha.

Passava meus dias respirando com calma, oxigenando meu cérebro e me preparando para o grande desafio que viria.

Chegamos ao castelo Eilean Donan, um dos mais importantes símbolos da Escócia, construído numa espécie de península, dando a sensação de flutuar no meio do lago. Esse castelo foi cenário do filme *Highlander*. Fomos recebidos por um típico escocês, vestido com o *kilt* em xadrez verde e azul-escuro, tocando instrumentos típicos.

Seguimos viagem até chegarmos à Ilha de Skye, com paisagens deslumbrantes e povo hospitaleiro. Caminhei sozinho por longas horas na pequena praia de pedras que ficava em frente à pousada simples onde nos hospedamos. Minha mente continuava em silêncio, e eu respeitava aquele momento. Não tinha intenção de forçar nenhuma resposta precipitada.

No dia seguinte, circulamos pela ilha, passando por estradas longas aos pés de montanhas altas e imponentes, bem como penhascos assustadores que encontravam o mar. Sempre em silêncio, permanecia concentrado, orando como nunca, pedindo luz para seguir meu próximo passo na vida. Mas nenhuma revelação se manifestava. Seguimos viagem, chegando ao famoso Loch Ness, lago conhecido pela lenda do Monstro do Lago Ness. Eu não demonstrava entusiasmo, apenas admiração.

Ao contrário das outras viagens que tinha feito pelo jornal, onde sempre ficava animado e em êxtase, desta vez, eu me mantinha quieto e sem muita empolgação. Parecia mesmo que era uma viagem interior, tão forte e tão assustadoramente poderosa quanto as enormes cadeias de montanhas escocesas.

Na estação de Edimburgo, onde aguardava a partida do meu trem de volta a Londres, uma senhora de cerca de 60 anos, usando um vestido branco com rendas, sentou-se ao meu lado. Segurava uma sombrinha grande em tons de azul. Tão logo se acomodou quis iniciar uma conversa. Eu estava de braços cruzados e nem um pouco interessado em falar, profundamente entregue ao meu silêncio interior.

– Tudo bem, meu filho? Já está começando a esfriar, não é?

Sorri, concordando.

– Você está esperando o trem?

Parecia óbvio, pois estava com as malas na plataforma da estação, mas não quis ser mal-educado com aquela velhinha e respondi com um sorriso.

– Sim, o próximo trem para Londres.

– Londres, que ótimo. Acho que vamos juntos.

– Que bom – eu disse, sem querer esticar conversa.

– Mas não vou ficar por lá, vou só trocar de trem – ela insistia, para meu desespero.

– É mesmo? E para onde a senhora vai? – perguntei, sem o menor interesse em ouvir a resposta.

– Para Paris – respondeu a senhora.

– Ah, Paris.... – suspirei inesperadamente – Adoro aquela cidade.

Foi então que pude enxergar pela primeira vez aquela senhora. Ela tinha olhos verdes. Sorriu delicadamente e fiquei totalmente entregue àquele momento, sentindo um conforto surpreendente por tê-la ao meu lado.

– Você ainda se lembra bem da última vez que foi a Paris? – ela perguntou com uma voz suave.

O trem chegou logo depois daquela pergunta intrigante.

Fiquei ali ainda sentado, olhando a velha senhora entrando num vagão da primeira classe. Sua pergunta tinha tocado fundo na minha alma, e a viagem de retorno a Londres teve um gosto especial de satisfação. Durante todo o trajeto, eu parecia estar revivendo o filme da minha vida. Pensei nas minhas prioridades. Saí do meu país para encontrar algo que valeria para a vida toda – e não tinha preço. Minha descoberta interior não poderia ser comprada, e sim conquistada com muita sabedoria.

Minha viagem a Paris foi um marco entre um ciclo e outro. Na volta, acabei aceitando o emprego no jornal. Deixei-me levar pelo óbvio, pelo mais correto e mais seguro. Caí no time dos "muitos". Afinal, qualquer um aceitaria a proposta que me foi oferecida – mas não era isso que eu buscava. Portanto, o mais correto seria ter refletido um pouco mais. Certamente, eu concluiria que nada poderia ser mais valioso que o tempo para me dedicar a mim mesmo e ao meu encontro pleno.

Entre tantas coisas que eu podia concluir naquele trem, tornar-me fotógrafo em tempo integral era uma das conquistas mais valiosas. Mostrar ao mundo como o enxergava. Como poderia trazer essa visão de dentro pra fora?

O que eu precisava agora era de tempo. Um tempo só para mim.

Cinco libras por dia

DE VOLTA A LONDRES, anunciei ao chefe do jornal meu desejo de sair da empresa.

– Mas temos muito trabalho a ser desenvolvido aqui. Seria ótimo se continuássemos juntos – disse ele.

– Entendo, Otávio, e me desculpo por isso. Mas não vou deixá-lo desamparado. Vou lhe entregar um planejamento de marketing para o jornal para os próximos doze meses. Em trinta dias, me desligo definitivamente, mas, antes, vou preparar a melhor estrutura que eu puder deixar para você – respondi, já imaginando adaptar o planejamento feito por Leandro.

Otávio me admirava por aquela decisão. Ele mesmo devia ser louco para sair atrás dos seus sonhos e projetos, dava para ver em seus olhos. Mas, como dono do jornal, não podia se dar ao luxo de ser livre. Se dizia frustrado em me ver seguir meu caminho, mas não tinha argumentos contra o que estava claro: eu tinha um sonho e continuaria a buscá-lo sem desvios.

– E o que você vai fazer? Onde vai trabalhar? Como vai sobreviver em Londres?

– Quando saí da M&Tony's, estava me preparando para ficar em paz, sem trabalho, me dando a chance de descobrir o que nem eu mesmo sei. Entre meus desejos, sentia que, se estivesse trabalhando em qualquer coisa que fosse, seria uma distração para meu objetivo final, entende?

– Na verdade, estou confuso. Explica melhor isso...

– Sinto que preciso me concentrar em minha busca interior, e trabalhar, simplesmente porque preciso pagar contas e atingir metas, me distrai da minha missão.

– Mas nós precisamos trabalhar para viver... Já imaginou todo mundo saindo de seus empregos para buscar seu interior? Não dá para sustentar uma situação assim!

– Não imagino todo mundo fazendo isso, mas tenho certeza de que alguns devem se sacrificar para descobrir aonde uma loucura dessas vai levá-los. E estou disposto a fazer isso.

– O que você vai fazer?

– Bem, parece insanidade, mas decidi não fazer nada.

– Como assim? Ganhou na loteria?

– Não, na verdade ganhei foi a inspiração que sempre esperei. Com algumas economias que tenho, mais o salário que vou receber ao final deste mês, vou me dar de presente três meses de licença. Vai ser apertado, mas maravilhoso.

– Nunca faria isso e não conheço ninguém que já fez, mas se quer assim, vamos cuidar para que trabalhe o máximo por aqui antes de ir.

Aquele último mês foi intenso. Minha cabeça funcionava como um motor potente. Estava com os sonhos aguçados e, mesmo dormindo poucas horas, nunca me sentia cansado.

Chegou o dia de deixar o jornal. Embora escutasse de toda a equipe que eu era um louco inconsequente, não conseguia disfarçar minha felicidade em me recolocar de volta no caminho.

Agora, era a hora de cuidar de mim mesmo.

Saí de lá com uma sensação de início de tudo, de ponto zero. Estava livre outra vez e entregue ao fluxo ascendente da espiral positiva.

Passei no banco, retirei o montante necessário para pagar adiantado três meses de aluguel. Isso me daria o tempo de que precisava para descobrir o que fazer. Na estação de metrô, comprei o cartão válido para trinta dias de transporte e separei um dinheiro para comprar os outros sessenta dias.

Considerando minha programação de três meses de despesas básicas pagas, eu poderia me concentrar apenas na minha busca pessoal e no aprimoramento da nova carreira profissional como fotógrafo. Estava livre de aluguel e de transporte por cerca de noventa dias. Parecia que tudo o que eu tinha ido buscar na Inglaterra finalmente começaria a dar sinais de realização. Eu só havia me esquecido de um pequeno detalhe: pagando aluguel e transporte, quanto sobraria para alimentação?

Os cálculos não tinham sido tão bem feitos quanto imaginava. Então, para comer nos próximos três meses, eu teria a ínfima quantia de cinco libras por dia – o que em Londres era uma insanidade.

– Não acredito que tenha feito essa loucura! – disse Hillary, espantada.

– Não acho que seja loucura. E sim, coragem.

– Você deu muita sorte quando fez isso da primeira vez, mas agora foi longe demais. Está abusando muito da boa sorte, não acha?

– Não, não acho – eu dava respostas curtas, decididas, nada disposto a argumentos e discussões.

– O que você vai fazer?

– Vou meditar por três meses – eu disse, cheio de confiança.

– Meditar? Por três meses? Era só o que me faltava. E como vai sobreviver?

– Bem, você já recebeu os aluguéis. Então, tenho onde morar e você não tem com o que se preocupar. Comprei também o cartão de transporte, assim tenho como ir à escola e fazer o que tiver de fazer.

– E?

– Bem... E cinco libras por dia para alimentação.

– Só isso?

– Estou mesmo precisando de um regime. Além do mais, meditar não deve dar tanta fome assim, não é? – comentei, fazendo piada de mim mesmo e já mostrando que não estava para brincadeiras.

Nas semanas que seguiram, minha rotina teve uma mudança tão radical que eu tinha a sensação constante de ter acabado de abrir os olhos. Tudo estava diferente. As árvores, as ruas, o céu, as pessoas, o clima, o gosto do chá, do café e até da água e, principalmente, a forma como eu mesmo me percebia. Podia ver coisas que sempre estiveram por perto, mas eu não estava aberto para enxergar.

Levava uma vida simples. Acordava cedo, aproveitava o dia com intensidade. Meditava diariamente. Estava cada vez mais concentrado em mim mesmo.

Usava a parte da manhã para organizar minhas coisas pessoais. Muita tralha acabava sendo jogada no lixo. A cada papel ou objeto desnecessário que era dispensado, eu me sentia mais leve e mais preparado para seguir em frente. Esvaziava armários, gavetas, pastas do computador e, principalmente, minha mente. Estava consciente de que tinha apenas uma vida – e queria usá-la da melhor forma possível para evoluir espiritualmente. Para mim, qualquer materialização externa seria simplesmente uma consequência da realização interna, por isso me dedicava tanto àquele propósito.

Minha única obrigação era ir à escola na parte da tarde e estudar com afinco em meu curso de inglês.

À noite, eu meditava antes de dormir. Comia pouco. Procurava ficar a maior parte do tempo em silêncio, abrindo a mente e me colocando em alerta para receber as tão desejadas fagulhas de inspiração.

Os amigos da escola tornaram-se mais e mais importantes em minha nova vida, especialmente a Bia, que me incentivava com entusiasmo a seguir meu caminho tão incomum. Passávamos horas caminhando pela cidade, conversando sobre como acreditar nos sonhos era fundamental para se viver em plenitude. Bia trabalhava numa lanchonete e, sabendo da minha situação limitada de cinco libras diárias para alimentação, sempre me trazia sanduíches de presente. Era curioso viver aquele momento. Uma semana antes eu era como um ídolo para aqueles amigos, trabalhando para um jornal, viajando por outros países com despesas pagas e, agora, eu dependia da generosidade das amigas. Era como se elas dissessem "acreditamos em você". E eu sabia que teria saudades daquela limitação que me fazia tão bem.

Estava concentrado em conhecer as pessoas, me conectar com outras culturas. Valorizava cada vez mais as relações humanas. Quanto mais meditava, mais concluía que cada indivíduo tem um dom especial, assim como eu devia ter o meu guardado no peito e pronto para se manifestar.

Foi nessa época também que fortaleci meu contato com Nadia, uma empresária de sucesso no ramo de joias e relógios de luxo. Gostava muito de conversar com ela naquele momento de transição da minha vida. Ela era uma inspiração por seu sucesso e suas relações sociais em Londres. Era uma incentivadora nata e jamais me recriminou pela decisão tomada. Ela me impulsionava a acreditar em mim mesmo, a buscar sempre o melhor que Londres tinha a me oferecer. Nadia me incentivava a ter um trabalho autoral, um projeto ao qual eu pudesse dedicar toda minha energia.

A experiência vivida no Arco do Triunfo não saía da minha cabeça, assim como a imagem daquela senhora em Edimburgo. Não queria ser como muitos, como a maioria das pessoas ao redor do mundo, que passavam a vida toda se enganando atrás de trabalhos, condições financeiras, traumas, medos, *status*, eventos sociais, falsos amores e que ficavam constantemente mentindo para si mesmas. Queria eliminar todas essas barreiras que me separavam da luz que eu acreditava me guiar.

Meu objetivo era enxergar esse ponto de luz, uma visão muito além do que os olhos poderiam ver.

Este foi o meu primeiro grande *insight* depois das semanas iniciais de meditação: reconhecer os dons e talentos especiais de cada indivíduo. Queria ser capaz de enxergar a Luz nas pessoas e desenvolver uma profunda conexão com as manifestações divinas em nossas vidas.

Fotógrafo em meditação

ERA INÍCIO DE DEZEMBRO, as ruas estavam tomadas por decorações de Natal. Naqueles dias, eu passava boa parte do meu tempo com os amigos da escola. Ninguém acreditava em minha determinação de seguir com o plano de meditação por três meses – e gastando apenas cinco libras com alimentação por dia.

Divertia-me com minha própria história e em como eram diferentes as percepções de cada um. Eu apostava tudo no que acreditava e não considerava minha atitude uma desistência, e sim uma persistência corajosa. Eu me encontrava num momento de completo desprendimento material. Queria mesmo me fortalecer como pessoa, de uma forma tão verdadeira que não seria a falta de um ou outro almoço, ou cerveja no bar que iria atrapalhar aquela jornada.

Em casa, comecei a fazer o que Hélio havia me ensinado. Primeiro, iniciei os estudos sobre técnicas fotográficas. Em seguida, passei a observar e separar minhas fotografias em grupos, procurando achar similaridades entre elas. Dessa forma, eu entenderia com mais clareza o meu olhar particular e o modo como eu enxergava e construía composições, cenas e histórias que queria contar através das fotos. Na verdade, desde aquela forte revelação com Leandro na cozinha da minha casa, assumi a identidade de fotógrafo. Não me importava se era profissional ou não, pois não tinha mais dúvida sobre minha carreira e, certamente, o aprendizado viria com experiência e tempo.

Eu passava boa parte do dia entretido com as fotografias, assim como meditava e me colocava em contato com minha verdadeira energia interior. Minha busca tinha esse ponto em comum entre a meditação e a fotografia. Ambas estavam relacionadas a como eu enxergava as pessoas e o mundo à minha volta.

Minha mente estava mais conectada, mais aberta e captava constantes impulsos e ideias. Anotava qualquer coisa que viesse à minha cabeça.

Certa manhã, estava sozinho à mesa da cozinha, tomando uma xícara de chá com leite e observando um casal de esquilos na janela à minha frente. Prometia ser um lindo dia de sol, apesar do frio. Estava em paz. A mente tranquila, mas com ideias borbulhantes. Hillary entrou na cozinha fazendo barulho e provocando:

– E aí, boa-vida? – ela bateu com a mão na mesa, atraindo minha atenção. – Vai mesmo passar todo esse tempo sem trabalhar?

– Estou trabalhando – respondi calmamente.

– Ah é? Em quê? Posso saber?

– Estou aperfeiçoando meus negócios. Cuidando de mim mesmo e da minha própria empresa, não vê? – rebati, já percebendo que ela tinha a intenção de me provocar desde cedo.

– Olha, Lufe, devo dizer a você que Londres não é um parquinho de diversões, não, viu, querido! Você pode ser engolido por esta cidade e nem perceber o buraco em que está entrando. Sei que tem seus planos, mas acredito que não é capaz de sobreviver aqui sendo fotógrafo. Aliás, sabe-se lá quanto tempo ainda vai levar até que possa realmente se considerar um fotógrafo de verdade, não é?

Eu não disse nada. Simplesmente voltei minha atenção aos esquilos, que pareciam me ensinar muito mais do que ela.

– O que você vai fazer daqui a alguns meses, hein?!

– Ora, é exatamente disso que estou cuidando, não se preocupe.

– Preocupar, eu? Não, querido, isso não é problema meu, eu tenho mais o que fazer, mas você, sim, deveria se preocupar – resmungou.

Naquela tarde, saí confuso, queria estar fora de casa, longe daquela influência negativa.

Por que, afinal, ela gostava tanto de me colocar para baixo? Já tinha percebido isso em diversas outras ocasiões, mas como sempre passava muito tempo fora de casa, trabalhando ou na escola, relevava as provocações sem muito problema. Agora que tínhamos mais tempo juntos, as coisas tinham piorado muito, e eu sentia isso cada vez mais forte. Ficava ofendido a cada vez que ela dizia que eu não era capaz de realizar o que me propus. Por qual razão ela tinha esse prazer em me diminuir?

Pensava constantemente em me mudar, conseguir outra casa, novos amigos, mas ao mesmo tempo resistia, pois achava que, se não fosse capaz de me harmonizar dentro da minha própria casa, nunca poderia realmente me considerar bem-sucedido em meu desenvolvimento espiritual. Não negava que estava cada vez mais difícil, mas não admitia fugir dos desafios.

No cair da noite, decidi andar um pouco pela Regent Street, quando uma voz familiar me chamou, surgida inesperadamente em meio à multidão. Era Nicola, um amigo italiano com quem tive bastante contato na época em que trabalhei na M&Tony's.

– Fazendo compras?

– Na verdade não, estava só precisando andar um pouco pela cidade.

– Também estava querendo arejar minha mente, que coincidência boa. Que tal tomarmos um drinque em Knightsbridge?

– Adorei a ideia. Vamos! – concordei, já sentindo a vida se movimentar naturalmente. Estava no fluxo e me deixaria levar.

No bar, conversamos por horas, rindo e relembrando histórias.

– E você, Nicola? Como anda a vida? O que tem feito de diferente?

– Sabe, Lufe, apesar de ter um alto cargo na Câmara de Comércio, eu estou totalmente desanimado profissionalmente.

– Mas seu cargo é de grande importância e de muito prestígio.

– Com certeza, mas tem algo dentro de mim querendo mudar.

– Conheço bem essa história – disse, com um sorriso irônico.

– Tenho medo de não conseguir manter meu nível de vida, mas estou em um estado de tristeza profunda depois de tantos anos neste trabalho.

– Acredite meu amigo, eu entendo você. E já sabe o que vai fazer?

– Em um ano, termino meu curso de Psicologia.

– Psicologia? Quer dizer que você não só quer mudar de vida, como já se preparou para uma profissão nova e está quase concluindo? Está no caminho certo, com certeza.

– É verdade, mas não acho que consiga continuar em meu trabalho atual por mais um ano, até terminar.

– Bem... Acho que não posso dar conselhos sobre isso, mas posso falar de exemplos, o que acha?

– Como assim?

– Não lhe contei, mas não estou mais trabalhando no jornal.

– O quê? – assustou-se Nicola. – O que está me dizendo? Conheci você trabalhando naquela empresa financeira. Demitiu-se. Foi para o jornal. E agora se demitiu de novo? Nem tenho coragem de perguntar onde está trabalhando agora. Deve ser bem melhor que os dois!

– Mais ou menos.

– Como assim? Onde você está trabalhando? Diz logo.

– Em lugar nenhum. Estou sem trabalhar.

– Então você foi demitido? Lamento muito, Lufe. Meu Deus... Como você está se virando?

– Não fui demitido. Eu pedi para sair. Não aguentava mais mentir para mim mesmo e precisava encontrar minha verdadeira vocação, assim como você está se sentindo agora. Preciso ficar este tempinho sem fazer nada para ver se decido qual caminho tomar.

– E por um acaso ficar sem grana é a solução? O que você fica fazendo o dia todo?

– Estou me dedicando à meditação.

– Você deve ter ficado louco. Pode mandar internar no hospício – brincou, mas com um tom de preocupação real. – Como assim meditação?

– Bem, não fico o dia todo em posição de lótus, fazendo o "ohm", mas estou me conectando com a minha energia interior em busca de respostas mais verdadeiras. Muito parecido com os conflitos que você tem passado no momento.

– Eu jamais teria coragem de abandonar meu trabalho e ficar sem grana. Preciso já ter algo encaminhado, senão... Não tenho coragem. Não... Não tenho! – repetia ele, como se estivesse falando consigo mesmo.

– Imagino que não, mas me preparei bem. Paguei as despesas básicas de três meses. Acho que nesse período alguma luz vai se acender em meu caminho.

– Três meses? Só tem dinheiro para três meses? Tem que ter muita fé para tomar uma atitude dessas.

– Eu sei e eu tenho – falei, com segurança.

– E já sabe pelo menos o que quer fazer? Tem alguma ideia?

– Sim.

– E o que seria?

– Vou me tornar fotógrafo profissional.

– Lufe! Pelo amor de Deus! Preciso interná-lo.

– Por que, Nicola? Como assim?

– O mercado de fotografia em Londres é um dos mais concorridos do mundo. Você sabia que fotógrafos de todos os países vêm para Inglaterra em busca de oportunidades?

– E daí?

– E daí que eles já têm muitos anos de experiência. Como você vai concorrer com eles? Você está começando agora, aos 31 anos?

– Quase 32, faço daqui a alguns dias.

– Você é louco.

– Não sou, não, Nicola. Sou sonhador, mas também guerreiro, pode acreditar. Não quero concorrer com ninguém. O que quero é ser eu mesmo, encarar como trabalho e profissão aquilo que vier naturalmente daqui de dentro. Se olharmos dessa forma, não existirá concorrência, pois existem pessoas no mesmo ramo, mas igual a mim ninguém nunca será.

– Você não pode estar falando sério.

– Estou sim... Eles podem ser muito melhores e mais experientes, mas cada pessoa tem uma visão, uma forma única de enxergar o mundo. Eu tenho a minha e sei do meu potencial. Não quero mais saber de trabalhar para os outros. Quero ser eu mesmo em tempo integral e falar com as pessoas no mundo todo. Quero conseguir tocá-las de uma forma especial.

– Com fotografia?

– Sim, também com fotografia. Sinto que necessito falar. Tenho coisas que preciso colocar para fora e assim inspirar outras pessoas. Vejo que muita gente parece estar em um estado de dormência constante. Sempre reclamando, com medo de mudar, se protegendo, vivendo dentro de uma rotina pior que uma prisão. Meu coração me diz que preciso chegar até elas de uma forma diferente. Mostrar que, às vezes, se libertando do conforto do dia a dia, alcançamos a realização muito mais intensa de nossos sonhos.

– Você está querendo dizer isso para mim, não é?

– Você não é o único, mas está me dizendo que não aguenta mais sua vida de funcionário público e tem medo de se jogar em sua verdadeira vocação, não é? Pois cada um sabe o que faz. Eu preciso sonhar e realizar o tempo todo, sem proteções, sem válvulas de escape.

– E se não der certo, Lufe? Vai fazer o quê? Voltar a ser garçom?

– Nicola, escuta uma coisa com carinho: não tem como dar errado. Não existe o plano B. Quando a gente se concentra e se dedica com alma e determinação, sempre vai dar certo, entende? Sempre!

– Mas você precisa pensar caso não dê. Falo isso para o seu bem.

– Quem sabe não nos encontramos hoje por alguma razão, hein? Você está em movimento, Nicola. Acorda! É muito melhor focar em tudo que vai dar certo em sua nova carreira como psicólogo do que no medo de não ter como se sustentar. Tenho certeza de que vai ser muito feliz nessa nova etapa.

– Olha, não sei se é maravilhoso, mas conheço um fotógrafo italiano, amigo meu, que está fazendo muito sucesso aqui em Londres. Posso apresentá-los e, quem sabe, você não trabalha como assistente? É o melhor jeito de aprender e se enturmar no mercado.

– Você está falando sério? – me espantei, já percebendo a razão daquele encontro inesperado.

– Sim, claro. Ele fotografa moda e faz as capas das revistas mais famosas do mundo. Amanhã mesmo ligo para o Luca e fico torcendo por você.

Nicola fez questão de pagar todas as despesas daquela noite como uma forma gentil de dizer que acreditava e torcia por mim. Já era quase meia-noite quando nos despedimos. Eu segui, com a certeza de ter sido conduzido àquele encontro de uma forma abençoada e, por que não dizer, planejada pelo destino, parte da espiral positiva que eu tanto acreditava me conduzir.

Fotógrafo em formação

ACORDEI EMPOLGADO no dia seguinte. Olhei para fora da janela. Parecia uma manhã muito fria lá fora. Sentei na cama com as pernas cruzadas e a coluna ereta. Coloquei o travesseiro no colo e apoiei as mãos sobre ele. Respirei fundo, entrando em estado de meditação. Podia ver e sentir que minha vida seguia o fluxo positivo que eu tanto queria. Já me via vivendo como sempre sonhei. Respirando calmamente, eu invocava cada vez mais minha luz interna, minha verdade que viria de dentro pra fora.

Fui despertado do estado meditativo pelo som do celular indicando a chegada de uma mensagem de texto. Era Nicola. Enviava os contatos de Luca, o tal fotógrafo italiano.

Passei a manhã inteira ensaiando como falaria com aquele profissional. Cheguei a fazer um guia escrito para não me perder no inglês. Não fazia ideia de como Luca era nem de como me trataria. Mas imaginava que ele poderia se tornar meu mestre.

Um pouco tenso, mas confiante, teclei os tão esperados números, e uma voz com sotaque italiano atendeu. Luca foi rápido e de poucas palavras, apesar de muito receptivo. Marcou um encontro para o mesmo dia no bar do hotel St. Martins Lane, em Covent Garden, às 5 horas da tarde.

Cheguei ao centro da cidade duas horas antes, tamanha era minha ansiedade. No horário combinado, entrei no hotel. Apreensivo. Com um pouco de medo. Não fazia ideia do que encontraria.

Lembrava, porém, de uma frase que tinha lido há muitos anos. Dizia que "o medo era a fé ao contrário". Quando temos medo, é como se acreditássemos no que não pode acontecer. Então, tratei logo de alinhar meus pensamentos, espantando o temor. Chamei a coragem para mim mesmo e entrei.

A recepcionista do bar foi avisar o fotógrafo sobre minha chegada. Fiquei ali admirando aquele hotel. O design, os móveis, a iluminação, o glamour... Olhei para trás e lá estava Luca, que me convidou para sentar numa mesa com várias outras pessoas. Percebi uma empatia imediata entre nós e, ao contrário do que imaginei, devíamos ter a mesma idade.

Todos me cumprimentaram com simpatia. Estavam ali a agente de Luca, seu assistente de muitos anos e mais dois produtores. Sentei-me ao lado do fotógrafo.

– Mas... Você tem alguma experiência?

– Não exatamente. Tenho feito fotojornalismo trabalhando em jornais e revistas.

– Sei... Mas eu fotografo moda. Você quer isso para você?

– Sim, quero muito, e mesmo que eu não saiba ainda, sou um bom aprendiz.

– Você pode participar de alguns ensaios comigo, mas não como assistente, e sim como segundo ou terceiro ajudante. Precisa aprender com eles, entendeu?

– Sim, claro.

– E mais, não vou pagar nada. Aliás, quem deveria me pagar era você, por ter a oportunidade de aprender tanto.

– Está falando sério?

– Não, não estou... Mas é verdade o que digo.

– Sei disso e agradeço muito por me dar esta oportunidade.

– Está certo. Vamos deixar de papo furado e beber um vinho.

Bebemos juntos e logo me senti parte daquele meio. Vivia intensamente aquele momento. Estava num hotel de design no centro de Londres, com aquelas pessoas jovens e bem-sucedidas no mundo *fashion*. Os papos giravam em torno das modelos mais famosas do mundo, as revistas, os estilistas, os próximos ensaios e as festas. Era uma vida internacional. Eles falavam em Milão, Nova York e Paris como se falassem de um bairro próximo e acessível a qualquer momento. Tive a impressão de estar no caminho certo.

Marcamos um encontro para o dia seguinte, no escritório de Luca, no Soho. Aos poucos, eu pude perceber que não sabia absolutamente nada sobre moda. Não conhecia os nomes de fotógrafos famosos e nem das modelos mais badaladas. Não tinha conhecimento sobre as agências e muito menos sobre designers e estilistas. E, pior, não entendia nada dos equipamentos, câmeras, luzes e nunca tinha pisado num estúdio fotográfico profissional. Realmente, eu precisava começar do zero. Considerava a mim mesmo um cara de pau por estar ali, mas com vontade sincera de aprender e fazer acontecer.

Nos dias seguintes, eu parecia estar flutuando em meus próprios sonhos. Visitamos estúdios, fizemos seleção de modelos e checamos revistas de todo o mundo em busca de referências. Nomes famosos giravam a todo momento, assim como conversas sobre as festas, pessoas influentes e todo aquele burburinho que gira em torno do mundo *fashion*. Estava assimilando tudo com voracidade. Ao final da segunda semana, eu já estava enturmado, mas nunca conseguia me sentir realmente inteiro. Gostava mais da amizade e da pessoa bacana que Luca revelava ser, do que de todo o circo que envolve o universo da moda. Queria aprender como aquele mercado funcionava, mas ao mesmo tempo sentia algo estranho em meu peito. Era como se estivesse em constante luta comigo mesmo. Minha alma estava receosa de se jogar de cabeça. Ainda não estava cem por cento envolvido. Era um sentimento estranho que, a princípio, eu pensava ser por causa do meu pouco conhecimento sobre a área. Sentia como se estivesse aprendendo tudo sobre uma piscina, mas não sabia ainda se queria ou não mergulhar em suas águas.

– Como você pretende sobreviver aqui em Londres? – perguntou Luca na saída de uma loja especializada em revistas internacionais de moda, numa rua transversal à Oxford Street. – Você sabe que não vou pagá-lo e, pelo que estou vendo, ainda vai ter que aprender muito antes que eu possa incluí-lo num orçamento. Quero que você faça uma coisa.

– Pode dizer.

– Fique com a chave do meu escritório. Sinta-se livre para usá-lo sempre que precisar. Quero que devore aqueles livros de fotografia que estão lá. Estude muito. Pesquise, questione e use seu tempo para aprender o máximo que puder.

– Está falando sério?

– Como nunca. Não existe segredo de sucesso maior do que se educar, aprender e se dedicar. Nosso trabalho tem muito de inspiração e talento, mas precisamos dominar as técnicas para saber como materializar o que temos em mente.

– Pode deixar comigo, Luca. E quanto à sobrevivência aqui, não se preocupe. Fiz uma programação e logo vou poder trabalhar com fotografia por mim mesmo.

– As coisas não são assim tão fáceis. Não acho que esteja preparado. Sério mesmo. Você bem sabe que esta cidade é muito cara e complicada. Estamos em dezembro, e janeiro e fevereiro são conhecidos por poucos trabalhos. Eu mesmo viajarei na maior parte do tempo.

– O que você está querendo sugerir?

– Sugiro que encontre um trabalho como garçom.

– Como assim, Luca? Está brincando?

– Você vai precisar trabalhar, meu amigo, e aqui todos são assim. Já disse que não vou te pagar e fico preocupado. Você pode trabalhar três dias por semana e ainda sobram quatro para investir em fotografia.

– Entendo você, mas sinto que estou me preparando para algo maior e acho que é uma longa história pra lhe contar agora.

– Existe louco para tudo. Não vá dizer que não avisei. Mas eu me preocupo com você.

– Engraçado, parece que já escutei isso uma infinidade de vezes, mas admito que não achava que iria ouvir isso de você.

– Faça como achar melhor. Iremos nos ver agora somente dia quinze de janeiro.

– Como assim?

– Viajo amanhã. Depois, vem Natal, Ano-novo etc. Logo em seguida, vou fotografar no Caribe para a revista Cosmo.

– E eu, vou junto?

– Você deve estar brincando, não é?

– Não, não estou.

– Nos falamos ano que vem, Lufe, boa sorte! – disse, desprezando meu pedido abusado.

Luca se despediu e continuou seu caminho com naturalidade. Fiquei parado, observando ele sumir em meio à multidão, como se aquela cena estivesse em câmera lenta, meio desfocada, colorida.

– Vou fotografar no Caribe, para a Cosmo... – eu repetia as palavras dele.

Era sem dúvida algo fascinante, estimulante, e eu, como qualquer mortal, achava tudo aquilo o máximo. Mas me lembrei do desvio de caminho feito durante o tempo trabalhando no jornal.

Agora, ali, parado no meio da Oxford Street, vendo meu mais novo amigo se afastando, percebi com uma clareza impressionante o porquê sempre o chamava de mestre. Realmente aquela brincadeira tinha uma boa dose de verdade. Eu respeitava muito o mercado *fashion*, mas minha procura no campo da fotografia eram as almas, as vidas, as experiências que pudessem brilhar de dentro dos olhos, e não roupas, tendências ou festas intermináveis. Gostava de estar com Luca e não deixaria de estar com ele, aprendendo ao máximo, mas essa não era minha história.

Ele, tentando me mostrar sobre o mundo fascinante da moda, me ensinou muito mais do que fotografia. Estava me mostrando como encarar o mercado, a concorrência e a me reinventar todos os dias. Era isso que eu admirava nele, então, seria este meu maior aprendizado. Um ensinamento digno de mestre.

Lembrei-me do Sr. Frank, de quando ele me dizia que as mensagens poderiam vir das formas mais inesperadas. Reconhecer os milhares de mestres que nos rodeiam todos os dias. Isso, sim, era o que eu mais buscava. Saber que cada pessoa, cidade, situação que passam em nossas vidas podem ser um mestre importante em nossa caminhada. Reconhecer de verdade as mensagens que nos cercam nos momentos mais corriqueiros do dia a dia – essa foi a principal coisa que aprendi naquela etapa de minha busca.

Trinta e dois anos, desempregado

FAZIA POUCO TEMPO que eu tinha me colocado na situação de desempregado, mas já era o suficiente para ver que havia feito a escolha certa. Tive a oportunidade de me conectar com pessoas interessantes e de conseguir um mestre que mais parecia um amigo. Éramos da mesma idade, com a diferença de Luca já fotografar para as mais importantes publicações de moda do mundo, dirigir um Porsche e ainda ser o queridinho de algumas *superstars* de Hollywood.

Uma inspiração para mim. Entretanto, eu tinha a sensação clara de que aquela não era a minha história pessoal. Tinha algo dentro de mim que ainda me fazia procurar meu próprio caminho dentro da concorrida profissão de fotógrafo. Precisava que meu trabalho me levasse a uma realização maior, mais espiritual, mais completa e com uma essência mais profunda e enriquecedora do que somente pagar as contas ou aparecer em capas de revistas. Pelo menos naquele momento inicial.

Comecei a passar longas horas no escritório. Estudava luzes, lentes, composições e buscava referências na história moderna da fotografia. Dedicava-me também às técnicas de tratamento de imagens. Não foram poucas as vezes que cheguei cedo e, quando a noite caía, eu ainda me encontrava rodeado de livros e revistas, concentrado e extremamente determinado.

Dez dias antes do Natal, eu acordei inspirado. Tinha passado boa parte da noite meditando. Fui até a cozinha, sentei à mesa e fiquei sozinho com um olhar distante, como se estivesse numa espécie de transe. Minha velocidade mental estava funcionando de forma extremamente rápida, mas muito suave. Sentia algo mais forte, como se o corpo estivesse formigando e a mente, perdida em algum lugar onde as inspirações e ideias fervilham.

Fui acordado do transe pelo chamado de Hillary, que acabava de adentrar a cozinha.

– O que foi? Que cara é essa? – perguntou ela.

– Bom dia – respondi assustado. – Não é nada. Só estou aqui quieto tendo um acesso de ideias e projetos.

– Já está na hora, não é? Faz muito tempo que está sem trabalho.

– Sabe, Hillary... Estou com uma ideia maravilhosa.

– Ideia, é?– disse ela, abrindo a porta da geladeira sem dar muita atenção.

– Estou pensando em fazer uma exposição fotográfica.

Ela me olhou de forma incrédula por cima dos ombros, com um olhar de desprezo e as sobrancelhas levantadas enquanto segurava a porta da geladeira.

– Você? Fazendo uma exposição fotográfica? Só pode estar brincando, não é?

– Não. Estou falando sério, Hillary. Vou fazer uma exposição mostrando pessoas especiais que encontramos no dia a dia em Londres.

– Por favor, veja se entende uma coisinha simples, querido. Uma exposição fotográfica é só para fotógrafos muito famosos, muito conhecidos e muito talentosos, entendeu?

Fiquei calado, notando seu desprezo, sua expressão de quase nojo, enquanto ela estava imóvel, segurando a porta da geladeira.

– Coloque-se no seu lugar e arranje um emprego, pois essa cidade vai te engolir, querido – disse ela. – Você sabe que NÃO É CAPAZ de fazer uma exposição fotográfica.

Fiquei abismado com sua audácia e frieza. Permaneci calado. Que pensamento limitante as pessoas têm. Por que uma exposição só pode ser sobre a coletânea de algo já realizado durante a vida? O que eu estava disposto a fazer era uma exposição para mostrar a minha visão como fotógrafo, ou seja, uma mostra de um trabalho para abrir os olhos, fazer enxergar além do que se pode ver e assim abrir os caminhos da minha futura profissão. Isso era mesmo atípico, então, não tinha nada a dizer a ela, mas também não a julguei. Ao contrário: me culpei por ter revelado um dos meus projetos. Naquele momento, ali na cozinha de casa, numa manhã em que eu me sentia abençoado e iluminado, decidi o que faria.

Estava determinado a fazer uma exposição fotográfica – e faria. Hillary jamais saberia. Agora era hora de colocar essa ideia no papel e refiná-la até o ponto de execução. Se tinha uma coisa de que eu não duvidava era da minha capacidade de realizar tudo aquilo que sonhava, ou pelo menos de trabalhar duro para isso.

Mais uma vez, eu escolhi a cidade de Londres como melhor companhia. Fui caminhar pelas ruas decoradas para o Natal. Quando estava na calçada, esperando para atravessar, olhei para a decoraçãom, que naquele ano era inspirada no desenho *A Era do Gelo*. Quase perdi a respiração.

A imagem gigante bem à minha frente era daquele tigre com enormes dentes, olhos ameaçadores e determinados a me engolir.

Fiquei apavorado. Será que Londres concordava com Hillary? Será que era um sinal? "A cidade vai te engolir" – me lembrava dela dizendo. Eu não podia acreditar naquilo. Será?

Abandonar meus sonhos, arranjar outro emprego? O que aquela mensagem estava me dizendo?

Fechei os olhos, parado naquela esquina, e, como se não houvesse ninguém ao meu redor, fiz uma pequena oração. Me coloquei em profunda harmonia com a luz que eu tinha certeza de que me guiava. As palavras da Hillary, "a cidade vai te engolir", ecoavam dentro de mim. Medo? Eu não iria me entregar.

Abri os olhos. Estava calmo. Estava reconectado. Olhei novamente para aquela imagem e comecei a rir sozinho.

Aquele tigre não era Londres pronta para me engolir. Aquele tigre, com olhos determinados, na verdade, era eu.

Patrocínio

ENGRAÇADO... Eu sempre passo por um portal transformador no dia do meu aniversário, 31 de dezembro. Naquele ano, não foi diferente. Acordei cheio de disposição no primeiro dia do ano e já fui logo dando um pulo da cama e ligando meu computador. Escrevi durante horas. Parecia estar em transe.

Aquilo só podia ser a manifestação de tudo o que eu vinha pedindo em meu interior. A forma como me via escrevendo não era normal. Meus dedos não paravam um minuto. Meus olhos estavam embaçados de lágrimas, e eu mal podia ver a tela do computador. O projeto saía naturalmente. Uma experiência parecida com a que vivi no Brasil às vésperas de partir para Londres.

Antes das 2 horas da tarde, eu já tinha todo o projeto da exposição fotográfica pronto, com título, planejamento e conceito forte e emocionante. Estava em estado de alerta. Olhava para o computador e não acreditava na magia e na beleza do que eu tinha acabado de escrever.

Nos dias seguintes, eu refinei os detalhes e todos os dados necessários para sua concretização. Pude notar que existia uma forte sintonia com a forma como eu me via evoluindo em meu caminho pessoal. Parecia que tudo o que havia vivido e visto desde que cheguei a Londres estava se manifestando em um só projeto. Percebia que aquela exposição nada mais era do que eu mesmo me colocando de dentro para fora, como sempre sonhara.

Tornava-me fotógrafo, sabendo que a fotografia para mim seria, além de minha nova profissão, uma forma de mostrar ao mundo minha visão da vida e das descobertas que experimentava desde que comecei meu caminho. O foco principal da exposição seria mostrar que as pessoas que passam por nossas vidas podem ser, na verdade, grandes mestres e professores, por mais simples que sejam as condições do encontro. Amigos, conhecidos ou desconhecidos. Se estivermos alertas nas pequenas situações do dia a dia, poderemos receber grandes ensinamentos. Essa era a base do projeto. Enxergar a essência das pessoas, com a mente receptiva, com o coração aberto e com um olhar da alma, que pode enxergar muito além do que os olhos podem ver.

No dia 7 de janeiro, consegui marcar um café com a mais improvável das pessoas capazes de investir em minha exposição. Marcondes, o exigente dono da empresa financeira onde trabalhei como diretor de marketing. Meu ex-chefe era conhecido por seu temperamento difícil, autoridade exagerada e paciência curta. Entre várias lendas em torno de seus abomináveis dias de mau humor, existia uma que era certeira: Marcondes odiava ex-funcionários, principalmente aqueles que se demitiram. Diziam que ele se sentia pessoalmente ofendido. Ou – e esta era a possibilidade que eu achava mais plausível – ele não gostava que alguém pedisse demissão, pois adorava demitir pessoalmente, aos berros, para que todos pudessem ouvir.

Naquela tarde, cheguei a um café localizado perto da matriz da empresa, no bairro londrino do Soho, para um papo descontraído com Marcondes. Queria sentir como ele reagiria ao projeto. Apesar de eu precisar muito, não achava realmente que pediria o patrocínio naquela ocasião.

– Como anda a vida? – perguntou ele, já com um jeito suspeito, talvez pensando que aquele encontro fosse para que eu implorasse pelo emprego de volta.

Conversamos sobre diversas coisas e fatos que aconteceram desde que saí da empresa. A conversa estava amistosa, como dois velhos amigos que se gostavam e se respeitavam acima de tudo. Tive certeza da admiração de Marcondes por mim quando ele me propôs a criação de projetos terceirizados.

– Para campanhas terceirizadas e projetos especiais, posso ajudar, sim, com certeza, mas tenho aqui comigo uma coisa que certamente nunca lhe ofereceram – arrisquei, sem a menor intenção de desviar meu foco. – Criei um projeto que tem toda a identificação com sua empresa e seus clientes, pois normalmente estão em Londres por opção, quase sempre em busca de um sonho, de uma vida melhor. Montei um projeto em que vou mostrar que as pessoas à nossa volta podem ser nossas grandes inspirações e os verdadeiros mestres em nossas vidas.

– Não estou entendendo nada – disse ele. – Não fale difícil, vá direto ao ponto, Lufe. O que você está planejando?

– Uma grande exposição fotográfica, em que vou mostrar pessoas comuns como exemplos positivos de vida em Londres. Pessoas que se tornam pequenos mestres em nossas vidas simplesmente fazendo parte do nosso dia a dia. Esta será então uma exposição de INSPIRAÇÃO, entende?

– O que você quer dizer?

Expliquei como desejava mostrar, através de imagens e textos, que as pessoas próximas a nós podem inspirar nossas vidas de uma forma inesperada. Que o verdadeiro sucesso seria saber reconhecê-las e como elas podem influenciar nossas vidas.

– Você, por exemplo, antes de montar sua empresa, construir este império presente em tantos países, quantas pessoas lhe disseram que não conseguiria? Quem era você, meu amigo? E hoje, não só é um empresário bem-sucedido, como também foi capaz de influenciar e inspirar muitas vidas durante todo esse trajeto.

– Bem, neste caso, não sei se as pessoas gostam de mim tanto assim – comentou.

– Não digo gostar... Digo influenciar, inspirar. Você mudou minha vida em Londres, sabia disso? Foi como um sonho quando fui aprovado por você para entrar na empresa. Minha história aqui deu uma reviravolta linda. Algo que eu desejava com muita força aconteceu a partir do seu "sim".

– E como vai se chamar a exposição?

– *Energy Beyond Vision,* ou seja, Energia Além do que os Olhos podem Ver ou além da casca protetora que, muitas vezes, colocamos em nós mesmos e nos outros.

– E como você acha que posso ajudá-lo?

– Preciso muito do seu patrocínio. A sua empresa trabalha com pessoas. Gente que luta para realizar sonhos todos os dias.

– Entendi. Deixe-me ver o projeto. Vou pensar com carinho e quem sabe no mês que vem conversamos melhor.

– Mês que vem, Marcondes? Não posso...

– Por quê?

– Porque se você não patrocinar logo, vou precisar arranjar um emprego normal. Algo que vou ter de fazer para pagar as contas. Se isso acontecer, vou perder este foco que é tão importante para que as coisas aconteçam de forma intensa.

– O que você quer dizer? Precisa que eu te patrocine agora para que não precise arranjar um emprego?

– Em poucas palavras, sim. Você precisa ser o primeiro patrocinador. O início de tudo.

– Quer saber? Você é louco! – ele falou, bebendo um gole de chá e comendo um pedaço do muffin de *blueberries.*

Eu me mantive imóvel, olhando para ele com um brilho especial no olhar e sentindo uma luz forte que parecia me dizer: "Não tema... Seu projeto é importante para muitas pessoas".

– Sabe – continuou Marcondes –, entre tantos projetos que recebo, desenvolvi uma capacidade de apreciar aqueles que me tocam fundo. Sei que o que está fazendo é verdadeiro. Quero fazer parte disso. Passe esta semana na empresa. Vou dar ordem ao departamento financeiro para preparar o pagamento a você. Se era do que precisava para dar andamento a esse projeto, não precisa mais esperar. Considere-o aprovado.

Eu não disse uma palavra sequer, além de obrigado. Meus olhos cheios de lágrimas foram o suficiente para que ele entendesse minha felicidade. Demos um forte aperto de mãos e um grande abraço para selar o acordo. Saí dali andando como se não sentisse o chão sob meus pés e me perguntando sobre o que acabara de acontecer. Consegui fechar o primeiro patrocínio. Iria mesmo fazer uma exposição fotográfica em Londres. Enquanto caminhava pelas ruas do Soho naquela tarde de inverno, lembrei-me de vários momentos e experiências que havia vivido. Parecia uma longa viagem até ali. Uma jornada muito maior do que apenas atravessar o Atlântico entre Brasil e Inglaterra.

Mecenas

MINHA AMIGA ALINE, daquela família que conheci trabalhando no café da manhã do hotel, chegaria a Londres em 12 de janeiro. Ficaria por duas semanas. Hillary aceitou que eu a recebesse como hóspede. Coincidentemente, naquele mesmo dia, eu estava programado para receber o primeiro cheque do patrocínio da M&Tony's.

Logo cedo, eu me encontrei com a diretora financeira, Marli. Ela já estava com o cheque preparado e me convidou para um café. Queria entender o projeto que eu estava fazendo.

– Lufe, quando você saiu da empresa, não tive tempo de lhe dizer algo muito importante. Sua passagem por aqui marcou a história da M&Tony's. Ainda falamos com carinho sobre como nos fez acreditar em sonhos, em nós mesmos e em como podemos ser mais leves e felizes em Londres.

– Que bonito, Marli. Eu não tinha ideia dessa influência...

– Sempre senti que você tem uma missão importante na vida. Vai com toda fé. Acredito no que está realizando. Continue plantando essa semente de sonhos ao seu redor.

Aquela conversa me deixou atento sobre a responsabilidade que eu tinha ao despertar sentimentos tão profundos nas pessoas e em mim mesmo. Ela, sem saber, me deu um "patrocínio" maior do que o dinheiro que recebi de suas mãos. Marli me deu confiança naquele início, em que cada apoio era muito significativo.

Voltei para casa feliz com o primeiro patrocínio e com o grito de largada da exposição. No caminho, eu fui meditando e pedindo orientação sobre o processo de compra de equipamentos. Eu sabia que precisaria conseguir outro patrocinador. Câmera e lentes fotográficas eram muito caras, e eu não tinha ideia do que fazer, mas estava certo de que alguma luz seria dada e de que eu seguiria minha direção intuitiva.

Aline chegou no início da noite. Com a ajuda de Hillary, eu havia preparado um delicioso jantar de boas-vindas. Após a refeição, convidei Aline para ver uma coisa em meu quarto. Certamente, uma desculpa para despistar Hillary por alguns instantes. Eu sabia que tinha poucos minutos, mas queria que minha amiga fosse a primeira pessoa a saber de meus novos planos. Ela era motivadora, incentivadora e adorava ver as pessoas conquistando e realizando projetos. Seria maravilhoso dividir com ela aquela nova fase de minha vida.

– Nossa, que quarto bacana!

– Gostou? É simples, na verdade, mas procuro manter a...

– A energia boa! É isso! Que energia gostosa aqui dentro – interrompeu ela.

– Que ótimo que consegue notar, pois tenho meditado aqui desde que parei de trabalhar. Além disso... Foi aqui que desenvolvi meu projeto.

– Projeto?

– Pois é, tenho algo aqui que ninguém sabe... E hoje é o dia mais especial para mim...

– Por quê?

– Porque agora, aqui, neste momento em que falo com você, este projeto já está patrocinado, ou seja, já vai acontecer.

– Conta logo!

– Olha, Aline... Prometi para mim mesmo que não contaria a ninguém. Mas não me pergunte o porquê, sinto uma vontade enorme de dividir isso com você.

– Conta logo e para de frescura.

– Ok... Mas me prometa que não vai contar nada para a Hillary, por favor.

– Prometido.

– Bem... O projeto está aprovado, e o primeiro patrocinador já pagou uma parte.

– Ótimo! Conta logo!

– Vou fazer uma exposição fotográfica em Londres, mostrando a importância de termos a alma aberta para reconhecermos as pessoas que fazem parte do nosso dia a dia, e como elas podem ser grandes mestres em nossa evolução pessoal, profissional, e espiritual – falei, enquanto mostrava o projeto que, àquela altura, já estava com uma versão mais bem-acabada, com imagens que representavam a ideia do que seriam as fotos depois de concluídas.

– O que você quer dizer?

– Bem, vou incentivar as pessoas a enxergarem nas outras a energia que os olhos não podem ver e observarem como estamos sempre cercados de gente capaz de nos transmitir as mensagens que precisamos ouvir na hora certa, ou mesmo nos conduzir para os caminhos corretos em nossas buscas pessoais.

E assim fui explicando os detalhes de como planejava construir a exposição, como estava lidando com os vários aspectos que pretendia abordar e como viabilizaria a montagem das fotos.

– Lufe, você é incrível. Que projeto lindo, estou arrepiada.

– Sabe, Aline, sinto que esta exposição vai me levar a fazer algo que será muito maior do que sei hoje. Mas estou seguindo o fluxo da minha intuição. Não sei, não me pergunte, mas sinto que estou sendo guiado, entende?

– Eu queria muito fazer parte disso tudo. Como posso ajudá-lo?

– Bem, talvez você possa me ajudar a revisar os textos estes dias que está aqui? Você é advogada, deve ser ótima com redação.

– Não. Estou falando de outra coisa. Quero ajudá-lo mesmo. Qual o próximo passo que você vai dar agora?

– Tenho que fazer o orçamento dos equipamentos, pois acho que o dinheiro dado pelo primeiro patrocinador ainda não será suficiente. Então, uma boa cotação será o mais importante. Você pode me ajudar a levantar esses preços. Que tal?

– Lufe, este projeto é tão lindo e me sinto tão orgulhosa de poder presenciar sua trajetória até aqui que com muito gosto digo: vou comprar para você todo o equipamento de que precisa. Tudo. Pode considerar isso. E vamos comprar novos. Amanhã mesmo vamos ao centro. Este é um excelente investimento. Tenho certeza. O que acha?

– O que é isso, Aline? Está louca?

– Louca não, estou orgulhosa. Já não disse que o que tenho aprendido com você não tem preço? E, afinal, para mim, esses valores não são tão altos. Além do mais, não está fazendo isso por lucro direto, e sim com uma intenção linda de tocar as pessoas de uma forma muito sincera. Quero muito saber que faço parte disto também. Venha, me dê um abraço. Que você tenha muita sorte com seu projeto. Sinto que com certeza será um grande sucesso. E então, aceita?

– Claro que sim! Agora quem está arrepiado sou eu!

– Mas não quero que conte para ninguém, combinado? – disse ela – Não gosto de ficar aparecendo.

– Combinadíssimo! Tudo o que você quiser!

Era impressionante a velocidade de realização que eu estava presenciando. Ainda na tarde daquele mesmo dia, eu tinha pedido por uma direção para conseguir os equipamentos, sem saber que o destino estava preparando uma surpresa ainda maior e mais abençoada. Realmente, eu estava no caminho certo. Percebia como a espiral positiva em que eu estava vivendo se tornava cada vez mais ascendente e mais rápida em mostrar os resultados. Ao me conectar sem medos àquela força, as coisas aconteciam de forma impressionante. Podia sentir isso com muita certeza.

No dia seguinte, fomos juntos ao centro da cidade. Seria perto da rua Tottenham Court Road que poderíamos conseguir os melhores preços.

Aline não tinha dificuldade alguma com o dinheiro, mas fiz questão de buscar os preços mais baratos e apenas os equipamentos de fato necessários para aquele projeto específico. Começava a me dar conta do absurdo que estava sendo meu projeto. Afinal de contas, eu havia me autoconsiderado fotógrafo desde a conversa que tive com meu amigo Leandro na cozinha de casa alguns meses atrás, mas, na verdade, nunca frequentei um curso de fotografia, ou mesmo havia me graduado em artes ou qualquer especialidade nesse ramo.

– Sabe, Aline – comentei, enquanto os atendentes finalizavam a compra com o cartão de crédito –, eu não sou fotógrafo. Mas algo me diz que minha alma sempre foi. Ainda não conheço técnicas ou mesmo especificações sobre os equipamentos tão bem quanto gostaria, mas tenho estudado, e sei que algo dentro de mim quer falar através de imagens. Fico constrangido por você investir todo esse valor sem que eu ao menos tenha curso formal nessa área.

– Lufe, como pode me dizer uma coisa dessas? Desde que conheci você, só me surpreendo com seu talento em fotografia. Lembra-se do dia em que nos conhecemos? Você passou a tarde comigo e minha família nos fotografando.

– Lembro, sim, claro!

– E quando fomos ao Castelo de Windsor? Lembra? Até hoje meus pais dizem que são as fotos mais lindas que já tiveram. Então, pergunto a você: o que é ser fotógrafo? É saber toda a técnica dos equipamentos ou ter essa alma com a sensibilidade aguçada para captar momentos tão lindos e verdadeiros? Você decide. Para mim, técnica se aprende, mas seu talento, amigo, é algo que vem de dentro, mais forte do que possa imaginar.

– Nossa, que lindo. Obrigado. Tenho estudado muito os vários livros de fotografia que o Luca tem em seu escritório. É só uma questão de tempo. Com certeza vou me concentrar ainda mais em aprender a técnica.

– Isso mesmo! E enquanto isso, mãos à obra que seu projeto o espera – falou, me entregando a sacola. – Agora é com você.

Naquela noite, eu passei horas estudando a nova câmera, os manuais e as técnicas, testando cada detalhe daquela que seria minha parceira inseparável. Ela seria o elo que me ligaria às pessoas fotografadas e, ao mesmo tempo, seria a responsável por capturar a essência que eu gostaria de ressaltar em cada uma das personagens reais retratadas. Eu me misturaria a ela e ela, a mim, nos tornaríamos uma só energia.

Primeiros fotografados

EU PASSAVA LONGOS PERÍODOS meditando e me conectando à essência primordial da exposição. Revivia partes importantes do caminho que havia trilhado até ali. Era como uma segunda leitura dos acontecimentos ou uma análise de tudo que eu havia vivido. Ao fotografar as pessoas que passaram por minha vida em Londres, procuraria ressaltar a importância de saber enxergá-las além do que os olhos poderiam ver, mesmo quando os encontros fossem breves e as afinidades, limitadas.

Decidi dar a cada uma delas uma palavra que representasse o que eu sentia da conexão entre nós. Escolheria uma qualidade que mostrasse o que eu mesmo havia visto e sentido naquela pessoa. Seria meu ponto de vista pessoal, minha forma de saber enxergá-la em energia, para além da visão.

Aquelas pessoas comuns, amigos ou desconhecidos, que faziam ou fizeram parte do meu caminho, se tornariam inspirações.

Chegou o dia de me encontrar com o primeiro fotografado.

Senti um forte impulso de procurar o rapaz da Pizzaria Vesúvio, aquele que visualizei na sessão de meditação como o desconhecido que eu trazia para o grupo de energia. Muitas das mensagens que eu havia recebido vieram de completos desconhecidos até então. Queria, agora, registrar aquele momento e, certamente, ele seria um ótimo exemplo de alguém que faz a diferença no caminho de quem está atento aos sinais positivos.

Conversamos por um curto tempo. Era impressionante como se comunicava com os olhos e tinha o sorriso sempre aberto. Eu imaginava a quantidade de pessoas que circulavam em frente à pizzaria todos os dias e para quantas delas ele distribuía alegria. Aquilo, sim, era uma expansão de energia autêntica. Aquele rapaz, ainda que sem a intenção, influenciava de modo positivo a vida de muita gente, apenas sorrindo – e isso agora poderia ser mostrado por meio de minhas fotografias.

Ele era paquistanês e gostava de ser chamado de Tom. Para ele, eu escolhi a palavra SIMPLICIDADE. Por causa da forma simples de encantar e contagiar a todos com seu intenso brilho no olhar.

Voltei para casa emocionado com a primeira sessão de fotos. Entendia melhor a luz que aquela exposição poderia transmitir.

No dia seguinte, já estava agendado o segundo personagem. Não queria perder o ritmo.

Consegui localizar uma pessoa que passou muito rápido por minha vida, mas tinha sido muito importante no início da minha experiência em Londres. O patrocinador do Carnaval de Notting Hill, que havia encomendado e comprado minhas primeiras fotos, quando eu ainda nem me imaginava fotógrafo.

Seu nome era David e ele era representante de bebidas – energéticos, refrigerantes e cervejas – em toda a Inglaterra. Tinha um espírito guerreiro muito forte e transmitia uma poderosa segurança no olhar. Revelava uma especial admiração por pessoas que realizavam seus próprios projetos. Ficou muito feliz e surpreso ao receber o convite e se emocionou ao saber o quanto me influenciou.

A palavra que mais o representaria era CONFIANÇA, por ter valorizado um simples desconhecido e com aquele gesto ter plantando uma semente importante no início da minha vida em Londres.

Passei os dois dias seguintes elaborando o evento de abertura da exposição. Poderia até parecer antecipado, mas não para mim. Era mais fácil determinar o que fazer e agir de acordo com o planejamento. Além disso, os patrocinadores precisavam ver que o projeto era sério e tinha data para acontecer.

Determinei que a abertura fosse em três meses a partir daquela data. Eu estava disposto a me dedicar 24 horas por dia para conseguir cumprir. Precisava encontrar o local perfeito para expor o trabalho. Lembrei-me da casa de eventos brasileira CopaLeblon, em Convent Garden, região central e valorizada de Londres, onde tínhamos passado o último Réveillon.

Conhecia Stuart, o dono inglês, desde a época em que trabalhava no jornal. Mais uma prova de que minha trajetória tinha sido necessária: todos os contatos que conheci desde que me mudei para a Inglaterra estavam sendo muito receptivos ao meu novo projeto pessoal.

A casa era bem conceituada. O espaço parecia perfeito. Recebiam ali, em média, setecentas pessoas por dia. Fui recebido calorosamente por Stuart. Expliquei todos os detalhes da exposição, como pretendia montar os quadros, atrair a atenção da mídia e como seria importante para o CopaLeblon estar envolvido. Stuart não só adorou a ideia, como também me deu apoio completo, oferecendo a casa sem custo algum e ainda servindo gratuitamente o coquetel de abertura, com bebidas e comidas brasileiras. Totalmente inesperado, especialmente porque Stuart falava com uma empolgação contagiante. Ele estava tão eufórico e tocado pelo conceito do projeto, que me ofereceu os contatos de uma cervejaria brasileira que estava iniciando suas atividades na Inglaterra.

– Qual dia você acha que seria o ideal para o lançamento? – perguntei.

– Acredito que segundas-feiras são os dias mais indicados.

– Que tal 10 de abril? Assim tenho tempo suficiente para terminar as fotos e produzir o evento.

– Quem vai ajudá-lo a produzir?

– Ninguém, farei tudo sozinho.

– Sozinho? Artes gráficas, impressões, fotos, evento, assessoria de imprensa, convites, patrocínios etc.? Como acha que vai dar conta de tudo?

– Não se preocupe. Será uma longa e trabalhosa jornada, mas que ninguém pode fazer por mim, se é que me entende.

Passamos a próxima hora andando pelo enorme espaço e escolhendo a locação perfeita para a exposição. Logo na entrada, ficava a chapelaria, uma pequena cafeteria e uma lojinha de CDs, DVDs e livros brasileiros. Subindo uma escada larga, chegava-se a um corredor de cerca de 2,5 metros de largura por 10 metros de comprimento que levava ao enorme salão principal, onde as bandas se apresentavam e um grande público se aglomerava todas as noites. Eu faria uma instalação artística naquele corredor. Um espaço perfeito, visto que as pessoas obrigatoriamente passariam por ali.

– Vou "envelopar" este corredor. De forma que ele fique com cara de galeria de arte, como uma grande caixa branca por onde as pessoas vão passar.

Voltei para casa confiante e logo comecei a desenhar as artes e os painéis que iriam preencher aquele espaço. Precisava orçar tudo e acrescentar nos próximos projetos de patrocínio. Dentro do meu planejamento, os valores estariam muito altos. Conseguiria pagar a produção de forma apertada, mas não sobraria nada para meu sustento durante aqueles três meses seguintes.

– Louco! Louco! Não é assim que sempre me chamam? Pois se acham que sou maluco, vai ser assim que vou seguir com este projeto. Serei louco de acreditar que as coisas simplesmente vão acontecer.

Eu estava confiante.

Experiências

ENTREI EM CONTATO COM BRIAN, o representante da cervejaria brasileira em Londres, que me atendeu com grande interesse. Agendamos um café na cafeteria do próprio CopaLeblon. Era um inglês jovem e muito entusiasmado com o sucesso que sua cerveja começava a fazer em terras britânicas.

Mostrei o projeto com entusiasmo inigualável. Eu tinha certeza de tudo que estava falando. Sabia defender cada detalhe de todo o processo, inclusive a noite de abertura. Explicava tudo com desenvoltura, desde as instalações das fotos até o processo de assessoria de imprensa, mas sempre dando ênfase ao motivo real da exposição: mostrar que estereótipos são limites impostos por nós mesmos e que eles nos limitam a vivermos o melhor das relações humanas.

Brian se lamentou ao ver os valores dos investimentos. Disse que não tinha verba de patrocínio naquele momento.

– Não diga não, Brian. Quando dizemos não imediatamente, estamos colocando um limite em nossa criatividade, e nossa mente deixa de procurar soluções. Se acredita neste projeto e se gostou da ideia, não diga não. Quem sabe você encontra uma forma de estarmos juntos nesta exposição?

Fui embora tranquilo depois daquele encontro. Sentia a fluidez da espiral positiva agindo. Se fosse para ser, seria; senão, algo melhor estaria a caminho.

Já na manhã seguinte, eu recebi a esperada ligação de Brian. Ele estava empolgado. Havia tido uma ideia. Sugeriu fornecer o valor solicitado em produtos. Ou seja, o CopaLeblon poderia comprar as bebidas da cervejaria para o abastecimento normal da casa noturna e, com isso, eu teria o dinheiro necessário para o pagamento de despesas da exposição.

Stuart concordou com boa vontade e, juntos, celebramos a entrada do mais novo patrocinador. Tudo se encaixava perfeitamente.

Eu vivia momentos de tanto prazer que nem percebia que trabalhava. Sentia-me revelando minha própria essência, de dentro para fora, como sempre sonhei. Se eu seguisse por este caminho – de amar o que fazia –, jamais trabalharia novamente.

Com a verba do novo patrocinador garantida, agora, eu precisaria me dedicar às próximas fotos. Lembrei-me de uma história que talvez tivesse sido o embrião da minha ida para Londres. Um ano antes de sair da TV em que trabalhava, no auge da minha desilusão com a rotina de trabalho, tive uma crise grave de estresse. Por orientação médica, entrei no primeiro voo para Buenos Aires e larguei toda a rotina para trás.

Já no voo de ida conheci Renata, uma paulista que estava vivendo uma história idêntica à minha: estresse e decisão drástica de viajar sem planejar. Por que nós dois estávamos fazendo a mesma loucura por motivos semelhantes e indo para o mesmo lugar? Não tínhamos sido levados àquele destino sem motivo. Eu estava estressado e infeliz com a rotina que levava. Renata, que ocupava um cargo importante num banco em São Paulo, sentia a mesma coisa.

Conversamos muito sobre aquele nosso momento e, juntos, decidimos mudar nossas vidas, sair do país e deixar todo o estresse para trás. Daríamos a nós mesmos a chance de conhecermos o que o mundo tinha para nos mostrar.

Menos de um ano depois de nos encontrarmos em Buenos Aires, ela se mudou para Nova York e, logo depois, para Londres, assim como eu. Nos reencontramos para celebrar a conquista que prometemos um ao outro. Aquela seria a próxima fotografada, pois Renata era determinada e cheia de objetivos.

Ela cursava mestrado em Administração de Investimentos. Além de representar muito bem todas aquelas pessoas que decidem um dia se arriscar e se jogar na vida, tratava com muita responsabilidade sua formação profissional. Em meio a centenas de homens e mulheres de ternos pretos, ela se destacava com sua força de vontade brasileira. Com graça, nunca deixou de lado os seus sonhos e se orgulhava ao vê-los sendo realizados.

A foto foi feita na London Bridge, num momento em que uma multidão de engravatados se apressava na ida ao trabalho em Bank, centro financeiro da capital inglesa. Para ela, escolhi a palavra EDUCAÇÃO, a base de todo o sucesso, podendo ser desde o simples domínio da língua até os mestrados mais difíceis como o dela.

Naquela mesma semana, eu agendei para fotografar os amigos Derrick e Denise, o casal que me convidou para morar temporariamente na casa deles enquanto viajavam. Eles nem tinham noção da importância desse convite em minha vida e o tanto que aquela casa foi um templo de encontro comigo mesmo. O amor que sentiam entre si era contagiante. Mostrei todo esse carinho numa foto delicada, dentro do estúdio musical no primeiro andar da casa. Ela estava radiante num vestido vermelho. Ele, como de costume, apareceu fazendo uma expressão bem-humorada, arrancando uma risada encantadora da esposa. Para eles, escolhi a palavra PARCERIA. No amor, no trabalho e na vida.

Seguindo as sessões fotográficas, lembrei-me de Marianne, aquela moça linda que conheci na Praia Mole em Florianópolis, quando ela fazia malabarismos sob a luz do pôr do sol com seu marido, Rick. Escolhi o Hyde Park como cenário.

Sua conexão espiritual estava relacionada com o dia a dia, com as coisas simples da vida. Ela sempre foi uma luz brilhante. A natureza em todas as suas formas de expressão tinha uma participação enorme no modo como Mari interagia com as energias da cidade. Era comum vê-la dançando com malabares nos parques de Londres. Estudava inglês e, ao mesmo tempo, técnicas avançadas de meditação. Nas horas vagas, ela trabalhava como babá, transmitindo uma crescente energia de positividade para as crianças que, com certeza, eram abençoadas com carinho, doçura, amor e paciência – tudo que Mari cultivava em suas horas de estudos sobre autoconhecimento.

A foto que captei teve uma magia especial. Ela estava delicadamente abraçando uma árvore como se sentisse toda a força da natureza presente em seu próprio ser, enquanto ao fundo, um pouco desfocado, aparecia Rick fazendo malabarismo com cordas coloridas em tons de rosa e verde-limão.

A palavra mais apropriada para aquele casal foi ESPIRITUALIDADE, algo que eles já me transmitiram antes mesmo de a viagem começar, como uma certeza de que algo maior me chamava nessa jornada até a cidade de Londres. Eu jamais esqueceria como me influenciaram de uma forma mais intuitiva a tomar a decisão de seguir meu caminho sem medos.

– Lufe, estou apaixonada pelo seu projeto – disse Mari. – Ele se conecta perfeitamente com o que tenho estudado. Gostaria muito de lhe apresentar uma amiga chamada Rita.

A princípio, eu não tive certeza se deveria ou não fotografar alguém que ainda não tinha passado por minha vida, mas logo percebi que era justamente sobre isso que eu estava falando, ou seja, deixar os canais abertos para que pudesse perceber todos os sinais. Se a Mari sentiu que deveria me apresentar uma amiga, por que dizer não?

E foi assim que uma mineira jovem e bonita, e que construía uma nova fase de sua vida em Londres, entrou para a exposição. Rita trabalhava em bancos no Brasil, mas foi na capital inglesa que descobriu seu verdadeiro dom. Tornou-se professora em uma conceituada escola internacional que recebia alunos do mundo todo. Há quase três anos se especializava em crianças com deficiências (PcD). Entre eles, havia um chamado John, um lindo e pequeno americano que tinha grau elevado de autismo. A energia e a conexão entre aquelas duas almas mostrava que, com amor e carinho, qualquer dificuldade poderia ser superada. Agendei para fotografá-los no belíssimo Regent's Park durante o intervalo de uma das aulas.

Acompanhei emocionado o trabalho de Rita e senti como se estivesse recebendo um presente delicioso do universo ao poder vivenciar aquele momento.

– Sabe, Lufe – dizia Rita –, os médicos lá nos Estados Unidos sempre disseram que o John jamais seria capaz de fazer algumas coisas simples, como correr ou nadar. Eu nunca aceitei a limitação e aposto todo o amor do mundo nestas crianças. Hoje, depois de apenas um ano, o esporte que ele mais gosta é a natação. Ele adora nadar e faz isso muito bem. Por isso, eu fico tão feliz em participar deste projeto. Sinto como a energia positiva que passamos aos outros faz bem não só para eles, mas também para nós mesmos.

Fiquei olhando aqueles dois brincando no parque. Com certeza, havia ali uma troca de energia magnífica. Rita o pegou no colo, e, por um instante, John pareceu se perder em seus olhos, e então consegui captar aquele momento. Eu me perguntava quem estaria aprendendo mais naquela relação. Na verdade, os dois aprendiam muito. Isso porque havia uma doação de amor natural por parte de John, que era criança, e porque Rita estava sempre de coração aberto para que aquela troca mágica acontecesse. A palavra mais apropriada para aquela mulher com tamanha dedicação foi CARINHO.

Cássia

A EXPERIÊNCIA COM OS DOIS mexeu muito comigo e decidi ficar por ali sozinho meditando no parque. Queria internalizar aquele momento e, ao mesmo tempo, chamar mentalmente as outras pessoas que eu gostaria de fotografar. Queria a mesma vibração emocionante.

Nesse processo meditativo, um nome não saía da minha cabeça: Cássia, a amiga que me convidou para pintar o palco do Carnaval de Notting Hill, logo em meu primeiro mês na cidade. Ela fez uma diferença muito grande em minha vida – mas, logo após o Carnaval, ela seguiu para o Brasil e nunca mais nos falamos.

Por que o nome dela não saía da minha mente? Peguei a mochila com a câmera e, quando já ia deixando o Regent's Park, me rendi à insistência da minha intuição e liguei para seu antigo número, certo de que ela não atenderia.

O telefone chamou insistentemente. Eu estava prestes a desligar, quando uma voz feminina atendeu.

– Cássia? Não me diga que você está em Londres!

– Estou de volta, meu amigo. Cheguei há pouco mais de três meses.

– E por que não me ligou? Estou morrendo de saudades!

– Mil desculpas, estou mesmo em falta com todos os meus amigos, mas é por uma boa causa.

– Que tal me falar pessoalmente? Também tenho tantas coisas para te contar, você nem imagina.

– Claro. Estou no Hampstead Heath. Que tal vir aqui me encontrar? Podemos tomar um café no Kenwood House.

Fiquei surpreso e também feliz por minha intuição de contatá-la. E, obviamente, estava curioso imaginando o porquê de seu nome não sair da minha cabeça. Eu me sentia apreensivo ao tentar entender os caminhos da espiral positiva.

Segui rapidamente de Regent's Park para Hampstead Heath. Cássia era guerreira, uma mulher com muita bagagem e histórias de vida. Divertida, alegre, pra cima, confiante, arrojada, *fashion*. Era comum vê-la dedicando a maior parte do seu tempo a ajudar os outros. No período todo em que esteve no Brasil, criou sua própria marca de acessórios e agora a comercializava por meio de seu site na internet. Vendia para Grécia, Arábia Saudita, Emirados Árabes Unidos. Estava feliz com sua nova fase e voltava definitivamente a Londres para tocar seu negócio dali para o mundo.

Contei sobre a exposição, e Cássia ficou lisonjeada com o convite para ser uma de minhas retratadas.

– Vamos fazer sua foto agora mesmo! – eu disse.

– Não poderia ser em hora melhor, Lufe. Estou numa fase muito feliz e adoro este lugar, este parque.

A foto para a exposição foi tirada em frente a Kenwood House, em Hampstead Heath, num dia frio, mas ensolarado, em que tomamos uma sopa quentinha e um café com bolo, rindo das maravilhas e surpresas da vida. A ela dei a palavra MOVIMENTO.

Dar para receber

SENTIA UMA ESPÉCIE de bombardeio de energia dentro de mim após as últimas fotos. Não entendia o porquê, mas a cada pessoa que fotografava, eu ficava mais e mais conectado com minha própria essência interior. Alguma coisa acontecia numa esfera mais poderosa do que somente a realização das fotografias. Precisava descobrir o que era, então, ficaria cada vez mais atento para perceber as revelações no tempo certo.

Decidi me dedicar à produção da exposição. Estava ainda muito preocupado com os custos altos e a necessidade de patrocinadores para viabilizar o projeto. Dormia poucas horas por dia, pois desenvolvia pessoalmente as artes gráficas, a seleção das fotos e os tratamentos das imagens, além de buscar fornecedores e produtores para que o evento fosse o mais profissional possível.

Os dias passavam rápido, e a todo momento eu me perguntava se daria tempo de honrar a data planejada. Estava exausto de trabalhar sem parar.

Nos momentos em que ficava desanimado, eu me lembrava das meditações e da força que sentia quando me via trilhando o caminho escolhido por mim mesmo. Precisava me concentrar nessa imagem, e não no desânimo, mas, quando falta dinheiro, tudo fica mais difícil. Os custos cresciam, e eu ainda não tinha noção de como viabilizaria todo o projeto – muito menos como poderia garantir sobras para minhas despesas do dia a dia.

Foi quando recebi uma ligação da Cássia.

– Estou precisando fotografar minha nova coleção de acessórios para colocar no meu website – disse ela. – Mas não tenho como pagar a você.

– Não se preocupe, o universo sempre retribui pelas formas mais inesperadas. Além disso, devo a você muito mais do que isso. Quando você precisa?

– Urgente. Você pode amanhã?

Fiquei confuso. Queria muito que já fosse um trabalho pago, é claro. Ao mesmo tempo, não tinha como negar o pedido de uma das minhas fotografadas, especialmente Cássia. Queria ajudá-la, apesar de não ser o momento ideal para mim.

Naquela noite, antes de dormir, fiquei sentado na cama, pensando sobre tudo. Respirava fundo e mentalizava meu caminho ideal, criando uma imagem perfeita de realização. Se estava sendo chamado para um trabalho no outro dia que, aparentemente, parecia um desvio dentro da agenda da minha exposição, que eu então seguisse com amor e boa vontade. Nada do que se faz está realmente fora do caminho se estamos ligados de verdade com a espiral positiva. E disso eu já tinha certeza.

O dia seguinte amanheceu sob chuva forte e muito frio. Eu me perguntei milhões de vezes o motivo de ter aceitado o pedido de minha amiga. Eu poderia ajudá-la, mas não precisava parar o que estava fazendo ou atrasar meu cronograma. Sabia que, algumas vezes, precisava ser um pouco mais egoísta, mas não conseguia dizer não. Será que ela não poderia esperar para depois da exposição? Não, ela precisa para agora, e eu iria ajudar. Respondia em minha briga mental, enquanto preparava os equipamentos.

Saí de casa sob o temporal. Nas costas, a mochila com a câmera. Nas mãos, o tripé e um minúsculo guarda-chuva. Subi a rua até o ponto de ônibus tentando não pensar muito no frio e na possibilidade de meus equipamentos molharem.

Cheguei ao endereço indicado vinte minutos antes do combinado. Encontrei uma marquise e logo me abriguei. Estava congelando de frio à espera de Cássia, quando olhei para o lado e vi uma grande placa amarela com os dizeres: Digital Solutions.

– Digital Solutions? – perguntei a mim mesmo. – O que será que eles fazem? Será que imprimem fotos?

Fui até a recepção da empresa.

– Bom dia – eu disse, fechando o guarda-chuva e me aquecendo.

– Bom dia – respondeu a simpática recepcionista.

– Eu sou fotógrafo e gostaria de saber se vocês imprimem fotos em grande formato.

– Imprimimos, sim. Você gostaria de falar com um de nossos consultores comerciais?

– Consultores comerciais? Ah, não... Não precisa. Estou esperando uma cliente. – Dei uma ênfase na palavra cliente para mostrar que era fotógrafo profissional. – Infelizmente, não posso me demorar, entende?

– Sim, claro. Somente eles poderão lhe passar todos os serviços que podemos oferecer.

– Você tem um cartão com os telefones e o site? Dou uma olhada nos serviços e entro em contato na semana que vem.

– Tudo bem, tenho aqui o cartão – ela disse, estendendo a mão em minha direção.

Quando estava prestes a pegá-lo, ela puxou de volta e falou:

– Mas ainda acho que seria melhor você falar com um de nossos atendentes.

Sorri e ela finalmente entregou o cartão me olhando com uma expressão enigmática.

Estava me preparando para sair, quando olhei para fora, pela porta de vidro e, vendo a chuva cair incessantemente naquele dia de frio terrível, resolvi ficar ali dentro por mais alguns minutos, protegido e aquecido.

Sentia o silêncio misturado ao barulho relaxante das águas. Minha alma parecia se entregar a um estado de paz e tranquilidade.

Olhei para a recepcionista que me devolvia um semblante iluminado. Sorria. Retribuí. Ela, com voz serena, me perguntou pela última vez:

– Você tem certeza de que não quer mesmo falar com um dos nossos?

Sabia que não podia ser coincidência ela me perguntar de forma tão angelical três vezes a mesma pergunta. Fiquei olhando aquela mulher que continuava sorrindo como se estivesse em *slow motion*. Todos os músculos do meu rosto relaxaram e somente meus olhos arregalaram como em estado de hipnose. Precisava entender como as mensagens chegavam até mim. Queria estar com a alma aberta para reconhecê-las. Continuei olhando para a recepcionista como se estivesse em estado de transe. Podia ler seus lábios dizendo lentamente.

– Você tem certeza?

As palavras "falar com um dos nossos" pareciam ecoar em minha mente.

– Sim. Por favor, gostaria de falar com um deles, sim, obrigado – respondi quase que por impulso.

– Ótimo! – exclamou ela, sorrindo.

Naquele instante, a porta dos fundos da sala se abriu e ela perguntou:

– Junior, você poderia falar com este cliente?

Senti mais uma vez como se a vida estivesse me impulsionando.

Junior, como ela o havia chamado, me convidou a subir pelo elevador.

– Venha comigo, amigo. Como posso ajudá-lo?

– Bem, sou fotógrafo e estou fazendo uma exposição fotográfica aqui em Londres.

Expliquei rapidamente enquanto subíamos pelo elevador. Saímos em um andar onde várias pessoas trabalhavam. Junior, ou Paul, como ele se apresentou mais tarde, me mostrou todos os maquinários e as diferentes formas de impressão. Conheci a empresa rapidamente e peguei seus contatos.

Passei a tarde fotografando os acessórios de Cássia. Foi divertido – gostávamos da companhia um do outro.

Sobretudo, estava feliz em saber que tinha encontrado a Digital Solutions e que aquela empresa só tinha aparecido em meu caminho porque, inicialmente, me dispus a ajudar alguém, mesmo num momento que precisava me concentrar no meu projeto pessoal. Um movimento de dar para receber.

Fiquei com aquele aprendizado na cabeça e segui adiante.

Outras palavras

O DIA SEGUINTE AMANHECEU ensolarado e fui novamente ao Hyde Park, onde tinha marcado de fotografar Michele.

Ela ainda trabalhava no café da manhã do hotel e vivia no mesmo apartamento que moramos juntos. Estava feliz e era adorada em seu emprego. Já não reclamava de Londres nem da vida e contava empolgada sobre as várias viagens pela Europa que fizera nos últimos meses.

Eu era imensamente grato pela presença dela em minha vida nos primeiros meses na Inglaterra. Havia aprendido muito com ela, principalmente, sobre como não me deixar levar por influências negativas e nem me desanimar quando sou testado.

Michele, sem notar, tinha me despertado como um ser humano forte, capaz de realizar tudo aquilo que se dispusesse a fazer. Para ela, eu escolhi a palavra CERTEZA, pois era o grande sentimento capaz de tirar as pessoas de uma visão negativa e colocá-las de volta no caminho positivo das realizações. Quando há a certeza absoluta de uma luz divina que nos guia, qualquer situação pode ser transmutada para o nosso bem.

Fotografá-la me deixou com um sentimento de nostalgia. Eu estava muito sensível naqueles dias, e a saudade da família ficou ainda mais forte.

Um consolo foi a expectativa da chegada de Anne, minha grande amiga, que esteve presente em momentos importantes dessa jornada em Londres, como a decisão sobre qual casa eu deveria morar, ou quando me acompanhou ao Mercado das Flores. Ela havia viajado por quarenta dias pela Índia, Nepal e Sri Lanka, e nem fazia ideia do projeto que eu havia criado. Com certeza, sua companhia seria um grande apoio, porque ela era apaixonada pela forma como eu enxergava a vida.

Anne chegou à noite e foi do aeroporto para minha casa. Estava linda, iluminada e relaxada, apesar do cansaço. Carregava uma mochila enorme e muitas histórias que não parava de contar.

Passar todos aqueles dias na região da Índia fez uma transformação maravilhosa em sua alma. Não tive dúvidas. Ela seria uma das mulheres mais bacanas a serem fotografadas, pois era um exemplo inspirador para muitos jovens que sonhavam em viajar o mundo com uma mochila nas costas e sem rumo. Anne queria muito isso. O sonho dela sempre foi ver seu passaporte recheado com os mais diferentes carimbos, dos mais exóticos países. Como jornalista, queria sentir na pele as experiências de vida e a diversidade cultural de outros povos. Percorreu quatorze países em onze meses e descobriu que correr atrás dos sonhos, às vezes, cansa o corpo e estressa a mente, mas que os resultados libertam a alma.

Ela levava uma vida corrida em Londres, estudando inglês e trabalhando para agências de hospitalidade como garçonete em festas e bares. Com o dinheiro que ganhava, viajava e realizava o sonho que alimentou durante muitos anos. Isso era inspirador para mim e, com certeza, para milhares de pessoas no mundo todo.

A foto dela foi tirada no dia seguinte, quando ela estava ainda sob os efeitos das energias da Índia e do Nepal. Com muito orgulho, posou com a mochila suja e ainda cheia. Nas mãos, o passaporte completamente tomado de carimbos, como sempre quis.

A palavra que mais a representava era AVENTURA.

Anne fazia com que eu me sentisse mais próximo de minha família e, por isso, desde que eu chegara a Londres, nós nos aproximamos muito.

Sua volta de viagem, num momento em que eu estava mergulhado no projeto da exposição, foi perfeita. Hillary estava viajando, a casa estava vazia e ela poderia não só se hospedar ali, como também me ajudar, pois àquela altura já estava cansado de produzir tudo sozinho.

O que eu não imaginava era que ela se tornaria meu grande apoio emocional, ajudando a selecionar as fotos, conversando sobre as percepções de cada pessoa e preparando os primeiros esboços de assessoria de imprensa. Ela também cuidava das coisas mais simples com as quais eu, às vezes, nem me preocupava. Foram inúmeras as vezes em que ela chegou em casa ao cair da noite, depois de um dia inteiro trabalhando como garçonete, e me encontrou em frente ao computador selecionando fotos e trabalhando no projeto da festa de lançamento. Quase sempre a conversa era a mesma:

– Oi, amore, como foi o dia? – perguntava ela.

– Foi maravilhoso, Anne! Você não vai acreditar no que aconteceu – eu respondia, empolgadíssimo com o progresso do projeto.

– E você, já comeu? Almoçou?

– Esqueci de comer hoje, mas não mude de assunto, veja aqui estas fotos, qual você prefere?

– Adoro seu projeto, mas adoro muito mais você chegar na festa vivo e saudável. Está louco? Dá para ver na sua cara que não está se alimentando bem.

Era claro que eu estava vivendo num mundo paralelo de realizações. Esquecia-me até mesmo de coisas básicas, como comer e dormir.

Uma noite daquelas, após o jantar, Anne me ajudou na escolha de uma foto muito especial. Queria mostrar uma mulher extraordinária que me incentivou muito a construir um projeto autoral. Nadia morava em Londres há muitos anos e trabalhava com o mercado de luxo, representando joias e relógios de marcas famosas. Era muito elegante, sofisticada e conectada com a sociedade londrina.

Na época em que estive sem trabalhar, Nadia me enchia de entusiasmo para seguir minha vida desprendido de empregos e buscar um projeto a que pudesse me dedicar de corpo e alma. Agora, eu tinha orgulho de convidá-la a fazer parte do que um dia me incentivou a construir.

Sua foto foi tirada em Primrose Hill, onde ela tinha seu escritório de representações. Na verdade, aquele era o bairro onde eu mais desejava morar. Charmoso com suas casinhas coloridas e uma colina que dava uma visão maravilhosa de Londres aos seus pés.

A foto escolhida com a ajuda de Anne foi uma em que Nadia dava uma risada gostosa, alegre e contagiante. Uma mulher com certeza inspiradora e cheia de vida. A palavra escolhida para representá-la foi CONEXÃO.

Fotografando significados

UMA AMIGA DE ANNE estava chegando em Londres para uma temporada de um ano de estudos e me ofereci para acompanhá-la até o aeroporto.

Levei meu equipamento fotográfico. Chegamos ainda cedo e, enquanto tomávamos um café, contei a ela minha intenção.

– Estou querendo fotografar sua amiga.

– Como assim? Você nem a conhece.

– É verdade, não sei quem é, como é, nem o que vai fazer em Londres.

– Então por que quer fotografá-la para sua exposição?

– Exatamente por isso, porque nunca sabemos quem são as pessoas que chegam, quais os sonhos que têm, os planos e projetos pelos quais sempre batalharam... Mas uma coisa nós dois sabemos muito bem.

– O quê?

– Que todos os sonhos e as realizações começam com uma história muito parecida com esta que vou fotografar agora.

– Acho que estou começando a entender, continue...

– Quero fotografá-la para mostrar que o fato de você batalhar durante anos de sua vida, fazer planos e projetos, largar tudo para trás em nome desse sonho, chegar a um país desconhecido, sem falar a língua, é motivo de muita inspiração.

– É verdade! Ei, veja, lá está ela. Oi, Fernanda! – Anne gritou, empolgada.

Ela aparentava ter no máximo 20 anos, tinha expressão calma e um jeito recatado de menina de família.

Depois de tanto planejamento, ela deixou o Brasil e chegou ali para vivenciar seus sonhos e cumprir seus objetivos como tanta gente fez e tanta gente ainda vai fazer. Houve dúvidas? Questionamentos? Medos? Claro que sim, mas com aquele sorriso aberto, o que mais se destacava era a sensação de confiança.

Fernanda representava todas as pessoas que querem evoluir pessoal e profissionalmente. Eu tinha me visto na mesma situação apenas pouco mais de um ano antes.

O que seria dela? Que história seria construída?

A foto, tirada dentro do metrô, mostrava um olhar distante, enquanto Fernanda viajava nos pensamentos sobre a nova vida que tinha escolhido. Eu me perguntava até onde aquela visão alcançava, pois os olhos dela poderiam ver a uma distância do tamanho dos seus sonhos.

Para aquela mulher e para aquele momento, escolhi a palavra ESPERANÇA.

Muitas vezes, me perguntava por que eu destacava aquelas pessoas simples e aparentemente sem uma história de sucesso extraordinária, mas logo concluía que aquele era o verdadeiro sentido de tudo que estava fazendo.

Ao longo da minha trajetória, desde que decidi sair em busca de mim mesmo e de minha verdadeira missão, aprendi não só como me entender internamente, mas também como me conectar com algo mais real nas outras pessoas. Era isso que eu estava procurando mostrar para mim e para os outros. Aquilo, sim, parecia fazer sentido em minha vida.

Estava no caminho certo e me percebia mais forte, mais vivo, lúcido e alerta a cada um dos convidados que fotografava. E, assim, outras pessoas igualmente marcantes foram chamadas a fazer parte da exposição, como o DESAFIO de Robert, o filipino que trabalhou comigo na empresa financeira e que não só havia duvidado de minhas capacidades como gerente, como também contagiara a todos com seus medos antes da apresentação do plano de marketing. Eu o adorava, pois ele foi uma peça fundamental para que eu vencesse aquela barreira de falar em público com meu inglês precário, tendo que buscar forças em minha fé. No dia da foto, rimos muito.

Fotografei também a DELICADEZA de Angélica, da agência de turismo, que, com uma dedicação sem igual, encaminhou meu currículo para o departamento de RH da M&Tony's, me levando a ser contratado como diretor de marketing. Ela, assim como seu nome, era um anjo que transmitia alegria verdadeira.

A DISPONIBILIDADE de Lola, a gerente do café da manhã do hotel, meu primeiro emprego, foi a próxima. Ela não só acreditou em mim quando eu mais precisei, mesmo sabendo das limitações do idioma e da falta de experiência, como também deu uma chance de ouro para Michele. Lola foi paciente, compreendendo e nos enxergando muito além da aparente incompetência para o cargo. Eu era muito grato a ela, e a foto tirada mostrava o grande carinho que ambos guardávamos um pelo outro.

O "sim" de Lola, um dia, me levou a viver a inspiradora AMIZADE de Elaine, Heitor, Aline, Larissa e Verônica, a linda família que conheci no hotel quando eu ainda era garçom. Eles, de diversas maneiras, mudaram minha vida. Jamais esqueceria o momento de verdadeira conexão com a luz, quando eu pedi com muita fé para que uma porta se abrisse em meu caminho, e quase imediatamente nos conhecemos. Eu os havia fotografado em sua primeira viagem a Londres durante um passeio ao Castelo de Windsor e decidi usar aquela foto para representá-los.

Outra história que marcou minha trajetória foi a SINTONIA com Hélio, meu amigo fotógrafo e primeiro professor das técnicas fotográficas. Era emocionante imaginar como ele surgiu em minha vida e como contribuiu para o meu despertar inicial como fotógrafo. Não só tínhamos vivido uma intensa troca de experiências, como também visualizado coisas semelhantes em Amsterdã. Fotografar um profissional como ele era sempre um desafio, mas sua foto ficou natural e verdadeira, mostrando a admiração mútua entre dois grandes amigos.

Entre tantas pessoas interessantes, uma que também chamou minha atenção foi Jane, a gerente do Champagne Bar. Eu me lembrava com carinho da crise de risos que tive enquanto ela me dizia que não me daria o emprego. Ela precisava fazer parte da exposição, pois tivemos uma forte conexão, contrariando qualquer expectativa que pudesse haver. Jane sabia que eu a compreendia; eu, em contrapartida, a enxergava muito além daquela aparente casca de autoritária. Jane me surpreendeu quando descobri a pessoa sensível e cheia de sonhos que ela era, e me mostrou como se conectar à verdadeira alma da pessoa e não às máscaras do dia a dia.

A ela dei a palavra SURPRESA, pois assim deveria ser a vida, cheia de surpreendentes revelações por trás de cada aparente certeza.

O cara

O FATO DE HILLARY estar viajando bem quando eu precisava montar a exposição ajudava muito. Certamente, se ela estivesse em casa, me desmotivaria dia e noite. Eu precisava aprender alguma coisa importante daquela relação com ela, por isso não me desligava e nem saía daquela casa. Como estava envolvido em uma busca para enxergar o lado mais positivo das pessoas, achava incoerente não me harmonizar dentro da minha própria casa.

De qualquer forma, meu plano era terminar todo o projeto antes da sua volta à Inglaterra, pois suas palavras fortes, ditas na cozinha, ainda ecoavam em minha cabeça, trazendo uma mistura de desânimo e de garra:

– Uma exposição fotográfica? Você não é capaz. Você não é capaz! Não é capaz! Não é capaz! – soava como um eco em minha mente. – Exposição é só para fotógrafos muito famosos, querido. Me faz um favor, desista disso e arranje um emprego normal, vai?

Cada vez que aquela lembrança vinha à tona, eu me recolhia. Internamente, eu estava transformando aquela experiência negativa de descrença numa poderosa energia de impulso. Era como utilizar as próprias armas do inimigo a meu favor. Vivia uma emoção diferente e um aprendizado para a vida toda ao mostrar para mim mesmo, e não para ela, que seria capaz de fazer tudo aquilo que fosse justo em meu coração.

Eu ainda precisava fazer a cotação de preços com as empresas de impressão. Tinha projetado transformar um corredor largo em galeria de arte, mas ainda não sabia como iria pagar todos os custos daquilo. Lembrei-me de Paul, ou Junior, que eu havia encontrado na empresa de impressões digitais quando fui fotografar os acessórios de Cássia. Encontrei facilmente seu cartão, pois era de cor amarelo-ouro com letras pretas. Ele parecia brilhar em meio aos inúmeros papéis na mesa de trabalho.

Agendamos um encontro às 4 horas da tarde daquele mesmo dia. E lá estava eu, pontualmente, na recepção da Digital Solutions. Tinha levado comigo o projeto inicial e duas ou três fotos impressas para que Paul tivesse uma ideia do que se tratava, além das medidas certas de cada imagem e os croquis dos painéis que iriam compor todo o ambiente da galeria.

Seria um pedido grande, e eu estava disposto a conseguir um bom desconto. Eu precisava lhe explicar o conceito do projeto para que ele realmente gostasse e me apoiasse de alguma maneira. A porta do elevador se abriu.

– Olá – disse Paul, sorridente, vestindo um terno cinza-claro com uma camisa rosa e gravata escura.

– Olá, Paul, como está? Muito obrigado por me receber hoje.

– Está maluco? Você é meu cliente, nossa empresa depende disso. Por favor, me acompanhe, vamos nos sentar ali na sala de reuniões. Aceita uma água ou um café?

– Muito gentil, acho que um café seria ótimo. O frio lá fora está de congelar.

Enquanto ele saía para pegar o café, eu me concentrei ainda mais. Fechei os olhos e, mais uma vez, entreguei às mãos divinas toda a conversa que viria. Em minha mentalização, eu pedia para que minhas palavras fossem dirigidas com harmonia e que chegassem até ele da melhor forma, para que a essência daquele trabalho fosse compreendida.

Paul vinha andando sorridente, e eu podia vê-lo através das paredes de vidro. Abriu a porta da sala e foi direto ao assunto.

– Vamos lá, estou curioso sobre seu projeto.

– Na verdade, este é um trabalho muito especial, envolvendo muito mais do que fotografia. São pessoas reais como eu e você.

– Estou gostando. E como pretende imprimir estas fotos?

– Trouxe aqui as medidas de cada uma. Além disso, eu tenho as placas, os painéis e as impressões dos catálogos e panfletos.

– Nossa, será um bom volume de trabalho.

– É por isso mesmo que lhe peço um orçamento baixo, Paul. Estou realizando tudo sozinho e preciso que seja viável.

– E quantas fotos serão?

– Ainda não sei ao certo. Vou fotografar até o último minuto. Quero deixar livre para que essas pessoas cheguem até mim.

– Você não tem nem ideia?

– Não.

– Vou ver o que consigo para você.

– Sabe, Paul, não é todo dia que aparecem artistas interessados em mostrar as pessoas reais que nos cercam. Gosto muito do trabalho de fotógrafos ao redor do mundo que mostram a pobreza na África, cenas de guerras, destruição e sofrimento, mas o que estou tentando fazer aqui é algo ainda mais difícil. É olhar para uma situação cotidiana e encontrar um sentimento de emoção, de carinho com o próximo. Londres é uma cidade que está sempre correndo. E, muitas vezes, deixamos de ser atenciosos com aqueles que fazem parte do nosso dia a dia, entende?

– Sim, entendo muito – ele disse, com olhar compenetrado.

– Pois então, esta exposição é nada mais que um convite a mim, a você e a todos nós para que olhemos para as pessoas ao nosso lado e enxerguemos uma energia além do que os olhos podem ver.

Mostrei a ele todo o projeto escrito e as fotos que já tinha feito. Falei um pouco sobre cada pessoa que eu já havia fotografado, dando uma descrição de como seria cada detalhe que estaria mostrando na exposição.

– Seu projeto nos faz refletir com o coração. Tenho certeza que será um sucesso.

– Obrigado, Paul. Desde que comecei, eu tenho visto muita gente se emocionar. Sem querer ser abusivo, você poderia falar com o pessoal do departamento de marketing da empresa, ou até mesmo com os donos, para saber se eles não me dão um desconto? Outras empresas estão entrando com patrocínio e apoio, mas não tenho um valor alto o suficiente. Se aceitar, podemos colocar sua marca em todo material impresso. O que acha?

– Nós não fazemos esse tipo de parceria, Lufe, mas...

– Não diga não – interrompi. – Apenas fale com os donos e com o departamento de marketing. Quem sabe eles se identificam com o projeto?

– Mas o que você realmente quer de nós?

– Um desconto razoável para que eu tenha a condição de realizar essa exposição com a qualidade que ela merece. Só isso.

– Pode deixar que farei o possível.

Peguei minhas coisas e, quando nos dirigíamos ao elevador, Paul me interrompeu.

– Espere, para onde você está indo?

– Para Holborn. – Não quis dizer que estava indo para a escola de inglês. Quis manter a pose de fotógrafo respeitado.

– Bem, posso lhe dar uma carona.

– Sério? Não precisa, o ônibus passa bem aqui perto.

– Mas estou mesmo indo naquela direção e, assim, podemos continuar nossa conversa. Gostei muito desse assunto.

– Claro, se não for incômodo para você, tudo bem.

– Aguarde em frente à empresa. Vou pegar o carro.

Paul apareceu com um Mustang prata, último modelo. Realmente as comissões no departamento comercial deviam ser altas na Inglaterra.

– Sabe, Lufe, sempre me interessei muito por esses assuntos mais humanos e de valorização das pessoas. É algo que venho procurando há muito tempo e nossa conversa de hoje me inspirou bastante.

– Que bom, Paul. Eu também tenho procurado entender melhor como funciona a troca de energias entre as pessoas e como podemos enxergar a realidade ao nosso redor de uma forma mais verdadeira.

– O que você acha que devo fazer?

– Eu não tenho essa resposta, amigo, mas uma coisa posso lhe dizer: percebo que é mais simples do que eu pensava. O que precisamos entender é que a grandiosidade está na simplicidade. Se começarmos a sentir o mundo ao nosso redor com a alma pura, podemos vivenciar milagres inacreditáveis. Ei, fico ali naquela esquina.

– Quando podemos nos ver novamente?

– Depende de você. Fico esperando sua resposta com o orçamento, mas, por favor, não exagere e tente conseguir um bom desconto com o pessoal do marketing!

– Pode deixar. Procuro você em breve.

– Ok. Obrigado pela carona.

Desci do carro com uma sensação incrível. Aquele homem e sua busca me inspiraram ainda mais a continuar com fé. Sabia que as pessoas precisavam acordar sobre este assunto – e meu projeto poderia ser um catalisador importante.

No dia seguinte, marquei de fazer um *happy hour* com os amigos da escola no Shakespeare Head, um *pub* da vizinhança. Estavam coreanos, chineses, japoneses, espanhóis, brasileiros, italianos etc. O bom de estudar nessas escolas é que, além de nos sentirmos jovens estudantes, temos a oportunidade de conviver com diversas culturas.

Assim que chegamos lá e nos acomodamos, meu celular tocou.

– Lufe? Onde você está?

– Quem fala? – perguntei, com dificuldade de entender o sotaque britânico muito carregado.

– Aqui é o Paul, da Digital Solutions. Onde você está?

– Bom... É... – Me contive em responder por dois motivos: eu estava num *pub* bebendo com amigos e aquela era uma ligação profissional; eram todos estudantes, bem mais jovens, e eu tinha a intenção de me mostrar como fotógrafo respeitado, e não como estudante de inglês. Então, fiquei confuso.

– Lufe? – insistiu Paul. – Onde você está?

– Estou num *pub* em Holborn.

– Posso me encontrar com você? Chego aí em dez minutos.

Estranhei a disposição daquele inglês, que chegou ainda mais rápido que o planejado e facilmente se integrou aos estudantes, apesar de destoar de todos por usar terno e gravata.

– Venha, vamos comigo ao bar. Gostaria de pagar uma *pint* para cada um de vocês.

– Como, Paul? Você não precisa – retruquei.

– Não preciso, mas gostaria muito.

Comprou duas jarras grandes de cerveja e serviu meus amigos. Estava lisonjeado e ao mesmo tempo confuso, afinal, tinha conhecido aquele homem no dia anterior e, hoje, ele fazia questão de se juntar a estudantes no bar e pagar bebidas para todos.

Assim que meus colegas se serviram, Paul chamou para um brinde.

– Por favor, todos, atenção, gostaria de propor um brinde especial.

– Brinde especial? – perguntei curioso.

– Sim, muito especial! Quero que brindemos, pois este cara aqui – dizia, enquanto me abraçava – entrou ontem em minha empresa, me mostrou um dos projetos mais bacanas que já pude ver e agora vamos fazer algo que nunca fizemos em cerca de trinta anos desde a fundação da companhia.

– O quê, Paul? Estou ficando nervoso...

– Nossa empresa vai patrocinar todos os seus custos de impressão para a exposição.

– Todos?! Painéis, fotos, catálogos, tudo?

– Sim, amigo, tudo. Você merece!

Eu estava com os olhos cheios de lágrimas e um forte *download* de emoções veio à minha mente de uma só vez. Enquanto olhava para o rosto de Paul, que parecia brilhar à minha frente, toda aquela história de ajudar Cássia a fotografar seus produtos em um dia frio de chuva – de me doar para alguém que precisava mesmo num momento em que deveria pensar mais em mim do que nos outros – passava pela minha cabeça, me deixando tonto e sem voz.

Sim, somente porque eu aceitei ajudar quem precisava, estava agora sendo ajudado. A ligação da amiga, na verdade, tinha sido uma mensagem. Uma chance de fazer a coisa certa. A única forma de eu ser levado até Paul. Estava muito feliz por ter escolhido a opção certa, de estar atento e sensível aos sinais mais sutis.

– Lufe, escutar as coisas que você me disse, da forma como falava de cada pessoa fotografada, me despertou alguma coisa que não tem preço. Quem está em dívida com você agora sou eu.

– Do que está falando? – perguntei ainda emocionado.

– Eu me sentia muito sem esperanças e sem motivações na vida quando você apareceu. Sempre tive tudo de que precisei e nunca batalhei por coisa alguma com tanta garra como vejo você fazendo. Seu projeto pessoal me inspira muito. E vê-lo lutando por algo que não é exclusivamente para você, e sim para o bem de tantas pessoas, me mostrou o que realmente sempre quis. Tenho hoje uma nova percepção do que fazer da minha vida.

– Que máximo, Paul. Nem imagina como fico feliz em saber que você foi tocado dessa maneira, mas de qualquer forma... Como conseguiu convencer o pessoal do marketing? O que disse a eles?

– Lufe... Meu pai é o fundador da empresa. Sou eu quem decide tudo lá dentro.

– Você... Você... É o dono?

Permaneci estático, deixando as lágrimas caírem livremente, enquanto me lembrava do momento em que escutei a voz da recepcionista da empresa naquele dia de chuva e frio insistindo para falar com "um dos nossos". Sabia que a secretária estava sendo usada por alguma força espiritual. A voz dela e a forma como falava eram diferentes, e a insistência em me colocar em contato com o tal... Junior!

Sorri, abracei fortemente o novo amigo e comemorei muito com todos ali presentes. Mais do que um patrocínio importante, eu ganhava ali um aprendizado que levaria para a vida toda.

Mais fotos

PAUL SE IDENTIFICOU tanto com o conceito fundamental da exposição que não se comportava apenas como um patrocinador, e sim como um grande parceiro na criação da exposição, sempre empolgado e disposto a tornar aquele evento algo inesquecível. Estava seriamente comprometido em expandir aquela mensagem ao maior número de pessoas possível.

Ungido desse sentimento de expansão de positividade, convidei uma mulher muito especial para ser a próxima fotografada. Janaína, uma amiga que conheci na escola de inglês e que era uma experiente terapeuta em essências florais.

Janaína tinha uma missão. Seguindo um chamado interno, mudou-se para Londres para ajudar as pessoas a transformarem seu modo de vida e seus ambientes de trabalho em um espaço que fosse profundamente enriquecedor para o corpo e para a alma. Por meio do seu trabalho, ela encorajava seus clientes a desabrocharem de dentro para fora. Ao libertar o melhor de suas verdades interiores, despertavam o poder de criar sua própria felicidade, seu sucesso e sua abundância.

Não poderia escolher um lugar melhor para fotografá-la do que o meu preferido em Londres: o Mercado das Flores em Columbia Road. A foto foi tirada em uma manhã de domingo ensolarado e mostrava a conexão dela com as flores e as forças universais.

– Lufe, meu amigo – disse ela. – Nós todos temos uma missão na vida. Todos nós temos uma forma de contribuir para o mundo em que vivemos, mas alguns têm uma luz especial. Algo que contagia as pessoas e faz com que elas fiquem melhores a cada encontro.

– Acredito muito nisso, Janaína. Essa é a verdade que mais procuro.

– Continue procurando, pois vejo que você, baseado em tudo o que tenho estudado, vive essa energia intensamente.

– Tenho me dedicado com amor especial a essa causa.

– Sua missão é importantíssima e, olhando de fora, consigo ver como você está num momento fundamental de amadurecimento interno e de fortalecimento da sua luz pessoal.

– Você pode ver?

– Sim, e vejo também como tem uma influência positiva em todos que estão em contato com você.

– Confesso que fico emocionado.

– Estou sendo sincera e profissional. Tenho estudado há muitos anos e consigo enxergar em você a síntese de muitos ensinamentos a que me dedico.

– Mas o que tenho feito é algo muito simples e autodidata. Não sei até onde realmente está correto. Tenho ainda tantas coisas a aprender, Janaína, tantas...

– Algo me diz que está no caminho certo. Você está quase lá.

– Mas eu... Eu... Quero dizer... Eu... Já lhe disse alguma coisa sobre minha busca?

– Não precisa, amigo, não precisa. Eu consigo ver claramente.

– Mas... Como... Como... – Eu tentava me expressar, sem sucesso, olhando diretamente nos olhos dela.

– Não diga nada... Continue concentrado em seu interior... Você está quase lá – disse ela sabiamente.

– Como você sabe?

– Eu não sei... Eu sinto... Porque quando a luz de uma pessoa se expande com tamanha força a ponto de ultrapassar os limites do corpo e atingir tantas outras em seu caminho, é porque ela conquistou o poder de despertar, contagiar e estimular outras almas a seguirem o curso positivo.

– Que caminho você me vê seguindo?

– O iluminado caminho do encontro consigo mesmo. E isso, meu amigo, sinto com muita força, pois estou impressionada com o poder que o envolve neste momento. Tenho certeza de que também sente, mas imagino que não tenha ideia da real dimensão disso. E muito mais está por vir neste momento final. Continue concentrado.

Ficamos em silêncio por algum tempo. Comunicávamos somente com troca de olhares, que pareciam dizer muito mais do que palavras. Eu, quieto, refletia sobre tudo que aquela mulher sábia havia me dito.

Para Janaína, escolhi a palavra SENSITIVIDADE.

Na semana seguinte, eu agendei fotos com a mulher do designer que trabalhou comigo na M&Tony's. Sempre ouvi falar sobre suas capacidades e suas conquistas, mas nunca tive a chance de conversar por muito tempo com ela. Queria fotografá-la, pois me via inspirado por sua história. Ela seria para mim um estímulo para o futuro.

Amanda sempre foi estudiosa e alguma coisa a fazia acreditar que conseguiria ser uma profissional de renome internacional. A foto foi marcada para ser tirada na sede da empresa em que trabalhava, uma consultoria mundialmente conhecida e respeitada como uma das mais importantes do planeta. O edifício, imponente, todo em vidro, chamava a atenção à beira do Rio Tâmisa. Entrei tímido, com meu equipamento fotográfico. Pediram que a aguardasse em um salão de espera, que era na verdade uma enorme sala envidraçada e decorada com móveis de design moderno. Havia ali cadeiras, mesas, bancos, sofás coloridos e um bar cheio de estilo onde se servia café.

"Será que ela não vai me chamar para subir?", pensei, já procurando onde poderia fotografá-la naquele ambiente, mas ao mesmo tempo curioso para conhecer o restante do prédio.

Sentei-me no sofá vermelho vivo com um encosto mais alto que o de costume. Era confortável e imponente. Provavelmente era também de algum designer famoso e custava uma pequena fortuna.

– Bom dia, Lufe, que bom que você veio.

– Bom dia, Amanda. Eu que agradeço por me receber. Espero não estar atrapalhando seu trabalho.

– Imagina, você nem sabe como estou orgulhosa de ter sido escolhida para participar deste projeto.

– Amanda, preciso te escutar falando um pouco de você mesma. Pois, pelo que imagino, sua foto será um ponto alto da exposição.

– Bem, não tenho muito, mas vamos lá. Sempre acreditei que conseguiria ser bem-sucedida em qualquer coisa à qual eu me dedicasse. Sabe quando a gente acredita que tem uma força superior nos guiando? Você já sentiu isso?

– Estou sentindo isto nesta fase da minha vida.

– Para mim, sempre foi assim. Eu trabalhei no Brasil nesta mesma área de consultoria. Lá mesmo já me destaquei de uma forma bacana e meu chefe me indicou para um estágio aqui na Inglaterra, que é a sede de nossa empresa.

– Então, quer dizer que você está fazendo um estágio aqui. Por quanto tempo?

– Não, Lufe. Isso foi no início. O chefe daqui ficou muito satisfeito com meu desempenho e, ao final, me chamou para fazer parte de sua equipe e morar definitivamente aqui em Londres.

– E agora você faz parte da equipe deste chefe?

– Até o mês que vem.

– Por quê? Já está terminando o contrato?

– Na verdade, fui promovida e vou assumir a chefia de desenvolvimento de novos negócios. Vou ter minha própria equipe.

– Vai se tornar chefe?

– Isso mesmo.

– E quem acreditaria olhando pra você assim, com esta carinha de menina de 20 anos?

– Venha, vamos subir. Acho que a sala de reuniões será o melhor lugar para fotografarmos.

Subimos por um elevador todo de vidro que dava para uma área central parecida com uma praça interna. Lá no topo do edifício ficavam as salas de reuniões. Havia uma reservada para nós.

– Como vocês conseguem trabalhar com esta vista? – perguntei, surpreso.

Dali, podia-se ver ao longe o horizonte de Londres, o Tâmisa. E bem ali aos meus pés estavam a Prefeitura, com seu design arrojado, a Tower Bridge e a Tower of London. Mais para a esquerda, tinha-se a linda visão que ia até a Millenium Bridge, e a cúpula da Saint Paul Cathedral.

– Deslumbrante! – exclamou ela.

– Admirável! – respondi. – Não só a vista, mas saber que você está aqui com esta conquista toda. Vamos, quero fotografá-la com esta mesma emoção que sinto agora.

Fizemos uma foto linda. Ela estava bem relaxada em sua cadeira, os olhos brilhando com intensidade. Escolhi a palavra PERSISTÊNCIA. Era sua essência. Pura e totalmente fruto da força de vontade.

Conversar com Amanda me fez lembrar de meu melhor amigo, Leandro. Bem-sucedido, jovem, competente e humilde ao mesmo tempo.

Esta exposição, esta nova profissão e até mesmo este novo Lufe tinham muito da influência de Leandro. Ele havia me despertado, sob forte pressão, em um momento em que precisava de uma sacudida mais intensa para me trazer de volta ao caminho principal. Que participação importantíssima Leandro teve neste meu caminho!

Eu o tinha fotografado à beira do lago em Kensington Gardens, andando naturalmente enquanto dava uma risada maravilhosa sob um céu azul do verão de Londres. Ele usava uma camiseta vermelha. Pronto, esta foto iria para a exposição. Com a bem escolhida palavra DESPERTAR.

Embaixada

A DATA DA EXPOSIÇÃO se aproximava. As horas pareciam voar, e muitas coisas já estavam bem encaminhadas. Eu já tinha o patrocínio da M&Tony's, da cervejaria, CopaLeblon e da Digital Solutions. Agora, precisava de um apoio cultural. Queria que os órgãos brasileiros em Londres reconhecessem a obra que eu estava realizando.

Agendei uma reunião com o ministro da Cultura da Embaixada Brasileira na Inglaterra.

– Bom dia, senhor, eu vim falar com o ministro da Cultura – disse, já me sentindo abusado por ter chegado até ali.

– Por favor, entre e espere aqui nesta sala – respondeu o atendente. – Ele já deve recebê-lo em alguns minutos.

– Obrigado.

Fiquei ali sentado, olhando as paredes, as revistas e os quadros.

– Bom dia, você é o Lufe? – perguntou uma senhora, com o sorriso aberto. – Meu nome é Laura, sou secretária do ministro. Ele está numa reunião muito séria e acredito que vá se atrasar.

– Entendo – eu disse, cabisbaixo e já imaginando o desfecho da conversa.

– Mas, se não estiver com pressa, ele pediu que o esperasse. Para mim seria um prazer lhe fazer companhia enquanto o aguardamos.

– Que simpático da sua parte, muito obrigado. Espero sem problemas.

– Conte-me da sua exposição, estou curiosa – disse ela, com atenção.

Expliquei a ela todo o conceito, como estava mostrando as pessoas que são exemplos incríveis de vida e positividade em Londres. Via que os olhos dela brilhavam. Até sua respiração mudou. Podia perceber como Laura entendia a essência do projeto.

– Realmente, o ministro tem de conhecer seu trabalho. Poucas vezes aparecem exposições assim, tão reais e focadas no lado bonito das pessoas nesta cidade. Estou muito feliz em ver você se preocupando com esse tema, pois eu também trabalho numa organização que ajuda e promove artistas brasileiros aqui em Londres.

– Sério? Que máximo! Como é o seu trabalho?

– Há muitos e muitos anos venho desenvolvendo essa atividade. É uma organização sem fins lucrativos que ajuda todos os tipos de artistas e expressões de artes brasileiras aqui na Inglaterra. Já tivemos os mais variados casos. Porque é muito fácil ter patrocinadores, casas e galerias dispostos a expor quando já é famoso, mas ali ajudamos aqueles sem nenhuma perspectiva.

– Conta para mim algum caso. Adorei seu trabalho.

– Ajudamos desde um violinista que um dia tocava pelas ruas e chegou às salas de concertos até pintores e novos artistas que expõem nas grandes lojas de departamentos, assim como pequenas peças de teatro e dança. São ações até pequenas, mas que estimulam a base do artista, entende? Dão a eles coragem para continuar, para seguir investindo em seu talento, seja qual for.

– Estou apaixonado por sua disposição em ajudar o próximo. Parabéns, Laura!

– Tenho feito isso há tanto tempo, meu filho... Uns vinte anos – ela falou, com ar maternal.

– Laura, você é o máximo. Dedica-se há vinte anos a uma organização sem fins lucrativos que ajuda brasileiros a seguirem seus talentos e dons artísticos. Isso é belíssimo.

– Obrigada. Fico lisonjeada. E por falar nisso, como andam as pessoas que você está fotografando?

– Estão ótimas. Está ficando cada dia mais enriquecedor e cheio de emoções. Você vai ficar orgulhosa.

– E quantas serão ao total?

– Boa pergunta. Não estou me limitando. Vou fotografar até o momento final. Estou deixando a energia fluir livremente. Tem tanta gente interessante. Dá vontade de mostrar todo mundo.

– E como você está fazendo para pagar todos esses custos? Tem conseguido bons apoios?

– Sim, muito bons e conectados com a mesma energia da exposição. Mas, cá entre nós, preciso muito de um último patrocinador para fechar as cotas e pagar os custos totais do evento.

– Não quero desanimá-lo, mas não acredito que a embaixada irá ajudá-lo financeiramente, pois todos os investimentos são definidos no final do ano anterior e valem para todo o ano vigente.

– Não se preocupe, Laura. Na verdade vim aqui por outro motivo.

– E que motivo é esse?

– Senhora Laura, o ministro acabou de chamá-los para a reunião. Está livre para recebê-los – avisou o rapaz da recepção.

Passei os minutos seguintes falando com empolgação sobre o projeto, as pessoas, os planos de divulgação, até ser interrompido pelo ministro.

– Acho seu projeto bacana, mas não vejo como posso ajudá-lo. Quem sabe você não o inscreve para o ano que vem?

– Ano que vem?

– Sim, temos edital sempre no fim do ano.

– Ministro, o senhor não está entendendo. Preciso abrir esta exposição em menos de um mês, não posso esperar o ano que vem.

– Acho que você é que não me entendeu bem! Não temos espaço livre na galeria. Está tudo fechado com outros artistas. E tem mais: não temos um centavo de investimento, então se procura…

– Galeria? Como assim? – interrompi. – Não quero expor aqui na galeria e não vim pedir dinheiro. É só o que fazem quando o procuram?

Eu me sentia ofendido pela forma impessoal e mecânica como ele me tratou.

– Ah, não?

– Não.

– E o que deseja então? – rebateu, curioso e com um ar mais atento.

– A única coisa que realmente quero é mostrar este projeto, para que fique consciente de que ocorrerá esta exposição aqui em Londres e que você possa se orgulhar de ela ser promovida por um brasileiro fotógrafo – disse, sem pensar.

– Como?

– Estou realizando esta exposição e isso já tem data para acontecer. O que eu quero é seu aval, sua parceria, sua energia.

– E como você nos vê participando?

– Primeiramente, me dizendo que gosta do tema e, depois, colocando a marca da embaixada no material de divulgação, como um apoio cultural. Não vejo minha exposição aqui em Londres sem seu apoio. Isso é importante para qualquer artista brasileiro.

– Bem, sendo assim, acho sua ideia ótima. E, com certeza, pode contar conosco – respondeu, já com ares de envolvimento e aprovação. – Traga os convites para o evento e nos responsabilizamos por enviar pelo correio para nosso *mailing*, que é grande e respeitoso.

– Isso vai ser o máximo. Obrigado.

– É o mínimo que podemos fazer para lhe dar este apoio.

– Bom... Tem mais uma coisinha que acho que poderia me ajudar.

– E o que seria?

– Estive pensando, será que o embaixador não poderia escrever o prefácio do meu catálogo? – perguntei, com grande insegurança.

– Ele poderia, sim, sem problemas, mas...

– Mas...

– Mas acho que tenho uma ideia ainda melhor. Acho que você poderia convidar a embaixatriz, pois ela não é somente a esposa do embaixador. Ela também é diplomata de formação e ocupa uma posição importante aqui. Além de tudo, é escritora.

– Acha mesmo que ela vai aceitar?

– Preciso verificar. Temos hoje uma reunião e falarei com ela. Ligo para você assim que obtiver uma resposta.

– Obrigado.

– Não seja por isso. Vá até a sala de marketing e solicite a eles que passem a você os logotipos da embaixada e o orientem como funciona nosso site cultural. Vou ligar agora mesmo dizendo que está a caminho.

Saí dali entusiasmado. Quando eu estava descendo as escadas, escutei meu nome:

– Lufe! Lufe!

Era a secretária, que me chamava com entusiasmo.

– Oi, Laura, foi ótima a conversa com o ministro...

– Que bom, mas quero lhe falar sobre outra coisa. Acho que tenho uma ideia que pode dar certo.

– E o que seria? – perguntei, reparando como aquele projeto conseguia fazer as pessoas se sentirem envolvidas e parte do time.

– Você me disse que precisava de um patrocinador. Acho que poderia apresentá-lo para a Companhia de Petróleo!

– Companhia de Petróleo, Laura? Mas será que eles vão querer?

– Não sei, mas o diretor novo acabou de assumir e dizem que ele é muito acessível. Aqui está o telefone da secretária dele. Ela se chama Tereza. Vou ligar pessoalmente para ela dizendo que você vai contatá-la, mas tem uma coisa...

– Pode falar...

– Você precisa ligar logo, pois, além de ele ter assumido há pouco tempo, a empresa está em polvorosa por causa da chegada do presidente na semana que vem.

– O presidente do Brasil está vindo a Londres?

– Sim. E você precisa agir rápido.

Agenda

MINHA MENTE VIAJAVA com as conquistas recentes e com as possibilidades que estavam chegando. Depois de algumas oportunidades de patrocínio, agora, eu tinha o contato com a Companhia de Petróleo na Europa. Realmente, o caminho iluminado ao qual eu estava conectado atraía, de forma quase mágica, as pessoas, as empresas e as oportunidades de que eu precisava para concretizar o que havia desejado.

Depois de muito ensaiar, tomei coragem e liguei para a secretária do diretor.

– Bom dia, poderia falar com a Tereza, por favor?

– Pois não, aqui é ela.

– Olá, meu nome é Lufe, sou fotógrafo. Quem me deu seu contato foi a Laura, da Embaixada Brasileira.

– Oi, Lufe, como está? Que bom que ligou. Ela me telefonou ontem e me contou sobre seu projeto. Fiquei encantada. Parece muito lindo. Como podemos ajudá-lo?

– Bom, eu preciso mostrar este projeto ao diretor da Companhia.

– Vou tentar conseguir uma horinha para você. Quem sabe daqui a quinze dias, pois até lá está quase impossível. Estamos preparando tudo para a chegada do presidente. Precisamos fazer uma apresentação da empresa e isso tem tomado muito o tempo dele.

– Quinze dias?

– Pode ser?

– Ai, Tereza... Sei que não nos conhecemos ainda, mas preciso falar com ele ainda esta semana, antes de o presidente chegar.

– Esta semana?

– Sim, Tereza... Por favor, não diga não. Fique com isso na cabeça. Se você achar que tem uma horinha, por favor, me encaixe. Este projeto precisa muito ser apresentado a ele o quanto antes.

– Mas por que essa pressa toda?

– Porque a data da exposição se aproxima. Se eu só puder encontrá-lo daqui a duas semanas, será tarde demais, entende? Por favor...

– Não posso prometer, mas vou deixar anotado. Se tudo der certo, ligo para você, combinado?

Eu me senti muito estranho depois daquela ligação. Primeiro, porque eu havia falado com uma pessoa de tantas responsabilidades como se já fosse uma amiga de longa data. Segundo, eu tinha quase implorado a ela que me colocasse em pauta na frente das prioridades do presidente do Brasil. Dava risadas de mim mesmo. Eu não podia ser uma pessoa séria – ou estava totalmente envolto pela influência das forças que me guiavam.

Tratei de me preparar para a reunião que teria na manhã seguinte. Tinha agendado com um empresário brasileiro para apresentar o projeto e conseguir a cota final de patrocínio. Ele tinha uma empresa de transportes que estava crescendo muito em terras inglesas. Era um homem de negócios bem-sucedido – e eu estava muito esperançoso em conseguir seu apoio.

Chequei o endereço. Ficava perto do estádio de Wembley.

– Minha nossa, como posso chegar até lá?

Consultei o guia "A to Z" de mapas. Seria fácil chegar, mas levaria um bom tempo de metrô, incluindo várias trocas de estações. Estava tudo preparado.

Minhas aulas naquela tarde começariam às 3 horas da tarde. Quando estava me arrumando para sair de casa rumo à escola, o celular tocou. Atendi, todo atrapalhado.

– Alô? – falei com pressa, quase deixando o telefone cair no chão.

– Alô, Lufe? Aqui é a Tereza, da Companhia de Petróleo, tudo bem?

– Oi, Tereza, tudo ótimo! – respondi, parando tudo o que estava fazendo e sentindo o coração bater mais forte.

– Você não sabe o que aconteceu!

– O quê? – perguntei, já preocupado.

– Eu estava andando pelo corredor da empresa e topei com o diretor. Falei com ele sobre sua exposição e seu pedido de uma reunião urgente.

– E ele?

– Você não acredita. Ele disse para marcar a reunião para amanhã! Não é o máximo? – comemorou ela.

– A que horas, Tereza? Estou muito feliz e agradecido pelo que você está fazendo.

– Está agendado para 2 horas da tarde, ok?

– Ótimo, perfeito. Você é demais, Tereza... Quer dizer...

A tal reunião com o empresário brasileiro estava agendada para o meio-dia, e eu acreditava mais na possibilidade de dar certo com ele do que com a Companhia de Petróleo. Em frações de segundos, reagi e perguntei sem pensar nas consequências.

– Ah... Você acha que pode ser às 2:30?

– Como? – respondeu Tereza, completamente sem reação.

– Desculpe, Tereza, tenho uma reunião agendada para o meio-dia e fico com medo de me atrasar.

– Lufe, chegue às 2:30 que dou um jeito de ele nem perceber esse atraso, ok? – ela disse, com uma voz já menos empolgada.

Teria de ser tudo rigorosamente cronometrado. Precisava estar pontualmente ao meio-dia no escritório do empresário, que ficava muito distante. Em meus planos, precisava ter uma conversa de no máximo uma hora. Saindo de lá às 1 hora da tarde, teria tempo para chegar ao centro de Londres, onde ficava a sede da Companhia de Petróleo. Estava tranquilo. Tudo daria certo.

Vai dar certo

NA MANHÃ SEGUINTE, acordei confiante e determinado.

Foco número 1: conseguir o patrocínio do empresário.

Foco número 2: conhecer o pessoal da Companhia de Petróleo, já pensando em projetos futuros.

Eu tomei banho, peguei minhas coisas e saí com um bom tempo de antecedência. Fiz o caminho indicado pelo mapa até chegar em Wembley.

Estava nevando quando saí da estação de metrô.

Cheguei ao escritório do empresário faltando vinte minutos para o meio-dia. Pensava que, se ele me atendesse antes do horário marcado, sairia mais cedo e, assim, não me atrasaria para o encontro com o diretor da Companhia de Petróleo.

Estava tudo sob controle, até que:

– Ele não está, quem gostaria? – disse a recepcionista da empresa.

– Sou Lufe, fotógrafo que está realizando uma exposição fotográfica. Marcamos hoje uma reunião aqui ao meio-dia.

– Bem, se está marcado, ele deve chegar a qualquer momento. Sente-se, por favor. Aceita um chá?

Fiquei tranquilo, pois estava mesmo adiantado – e, como era de costume na Inglaterra, ser pontual era ser educado. Com certeza ele chegaria a tempo.

– Ele já chegou? – perguntei à secretária ao meio-dia.

– Não sei exatamente quando chegará. Ele nunca nos diz.

Eu começava a me preocupar.

O tempo foi passando, passando e, quando o empresário chegou, já faltavam quinze minutos para 1 hora da tarde. E ele ainda demorou cerca de quinze minutos para me atender, despachando coisas mais urgentes. Claro que eu estava nervoso, mas decidi fazer bem feito uma só reunião do que duas malfeitas. Quando entrei na sala, já era 1 hora e 5 minutos.

Fui recebido com atenção.

– Desculpe-me pelo atraso, Lufe. Não era minha intenção, mas com essa neve caindo aí fora, as coisas perderam um pouco o controle. Parece que tudo começa a atrasar de alguma maneira. O trânsito estava lento, e eu precisava de atenção redobrada. Mas, enfim, me conte sobre seu projeto.

Em menos de cinco minutos, contei-lhe toda a história, a energia, a força maior que me guiava, a valorização das pessoas que nos cercam, a forma como contribuímos para um dia a dia melhor em ações simples e reais... Quando fui interrompido pelo empresário, que começou a falar sobre sua empresa, suas conquistas e um projeto incrível que ele havia criado desenvolvendo combustível autossustentável e ecologicamente correto. Contou-me sobre todo processo de fabricação e utilização em seus caminhões e sobre como sua empresa transportadora não precisava depender dos postos de combustíveis comuns.

– Sua empresa é o máximo e seu exemplo, ainda maior. Parabéns, sua história é inspiradora.

– Pois então, você não acha que deveria fazer uma exposição sobre homens como eu?

– Como? Desculpe?

– Sim, empresários e pessoas que estão fazendo a diferença como nós. Por que você só escolheu gente comum? Não quero criticar, mas o povo gosta de ver gente bem-sucedida. Pense nisso.

– Quem sabe na continuação do projeto a gente não faz só com empresários? – respondi, tentando desenvolver a conversa, mas percebendo o interesse do empresário em trabalhar o próprio nome e atrair a mídia para si mesmo.

Saí de lá confuso, pois não sabia dizer se ele iria ou não me patrocinar. Até aquele momento, todos os envolvidos na exposição eram pessoas que, de alguma forma, se conectavam com a ideia, sem dúvidas ou incertezas.

Corri como um louco pela rua que estava escorregadia e coberta de neve.

– Estou ferrado! Não acredito nisso! Como pude ser tão ingênuo achando que daria tempo? Mas, também, por que aquele homem se atrasou tanto? E nem acho que valeu a pena!

Desci as escadas do metrô correndo e cheguei à plataforma esbaforido. Nada de trem.

– Onde está o metrô? – Eu andava de um lado para outro nervoso.

De repente, uma voz feminina no alto-falante disse:

– Desculpe-nos pelo transtorno, mas os trens estão com atrasos em sua rota normal devido ao mal tempo e à neve.

Não adiantava ficar nervoso. O caminho que eu percorria só atraía situações certas. Se eu estava atrasado, se nevava, se os trens estavam demorando, era porque devia ser desta forma. Se a reunião com o diretor da Companhia tivesse que acontecer, ela aconteceria. Se não, era porque não estava nos planos divinos.

Eu fechei os olhos e fiquei em silêncio. Minha alma se tranquilizou. Sentia uma força tremenda, como se a espiral positiva que eu tanto experimentava estivesse percorrendo meu corpo por dentro e por fora. Aquela espiral parecia tocar cada célula minha e, de alguma forma, ela me conectava com a cidade de Londres. Eu podia sentir as pessoas sorrindo, a neve caindo, o trem chegando... Abri os olhos.

O trem estava ali, parando à minha frente. Não sabia dizer quantos minutos haviam passado, mas decidi não olhar no relógio.

O tempo de realizações perfeitas é diferente do tempo dos homens. Sentia que iria chegar lá na hora certa, no momento ideal para que minha energia fluísse em harmonia com a energia das pessoas que eu iria encontrar.

Entrei no trem, sentei-me, sorri para mim mesmo e voltei a fechar os olhos.

Sabia que até chegar ao centro eu não poderia fazer nada. Tinha de ficar ali sentado, sem tensão ou nervosismo.

Calmamente, eu peguei o celular e mandei uma mensagem para Tereza dizendo que estava a caminho. A mensagem não foi enviada, pois não havia sinal no subsolo do metrô.

Nada me abalava. Agora, eu me concentrava no momento em que o trem pararia na estação de Bond Street. Dali, sim, dependeria de mim correr, correr e correr para amenizar o atraso injustificável. Devido à neve ininterrupta, o trem estava muito mais lento e demorava mais tempo nas estações do que de costume.

– Próxima estação, Bond Street – anunciou uma voz masculina nas caixas de som. – Cuidado com o vão entre o trem e a plataforma.

Eu fiquei a postos na saída, como um atleta concentrado para correr a corrida da sua vida. Precisava ser o mais ágil possível.

As portas se abriram, e eu disparei como um louco.

Em minhas mãos, uma pasta preta com o projeto a ser mostrado e algumas fotos.

Subi as escadas rolantes correndo, passei pela catraca, subi mais um vão de escadas, até chegar à saída da Oxford Street.

Levei ainda uns segundos para me localizar. Atravessei a rua que estava molhada pela neve já derretida. Entrei por uma rua estreita e corri até chegar quase sem ar à portaria do prédio.

Dentro do elevador, tentei arrumar a camisa, limpar o suor da testa e parecer um pouco mais respeitável, mas eu estava ofegante. Enfim, olhei o relógio: 4 horas da tarde. Duas horas de atraso. Em um país respeitado pela famosa pontualidade.

A porta do elevador se abriu. Saí no corredor e, antes de tocar a campainha, eu fechei os olhos e procurei me acalmar. Estava seguindo um caminho iluminado até ali. Precisava finalizar aquele projeto. Estava mesmo muito atrasado para o compromisso, mas tinha me planejado bem. Então, eu não me sentia culpado. Acreditava que, se eu me encontrava naquela situação, era porque algo bom me aguardava. Respirei fundo e disse baixinho:

– Que minha desvantagem seja a minha maior vantagem.

Falado isso, quase que por impulso, eu apertei a campainha. Um jovem de cerca de 20 e poucos anos atendeu e me convidou para entrar.

– Como posso ajudá-lo?

– Estou procurando pela Tereza.

– Ela o está aguardando, senhor?

– Espero que ainda esteja...

Quase que de imediato, uma senhora de cabelos loiros apareceu, muito bem penteados, olhos brilhantes, andar calmo e expressão serena, usando um blazer colorido e calças bege. Fiquei encantado com a luz que ela emanava. Meu coração se acalmou por completo.

– Você é a Tereza?

– Sim, sou eu mesma...

Totalmente sem protocolo, eu a cumprimentei com dois beijinhos nas bochechas e dei um abraço carinhoso, como se já a conhecesse há muitos anos.

– Desculpe-me, por favor. Eu orei tanto, mas eu orei, orei, oreeeeeei tanto para conseguir as reuniões de que precisava, mas esqueci de orar para o metrô ser mais rápido – disse e comecei a rir, achando graça de mim mesmo por ter dito aquela verdade absurda.

Ela sorriu de forma simpática, notando que eu estava visivelmente emocionado.

– Você orou muito? – perguntou uma voz masculina, surgida não sei de onde. Uma voz segura, forte, mas ao mesmo tempo com uma grande energia de compreensão.

Olhei atrás de Tereza, e ali estava um homem que acabara de chegar na recepção. Nem eu nem ela o tínhamos notado antes.

– Você orou muito? – perguntou novamente aquele homem.

– Sim, orei muito mesmo. É o que mais tenho feito ultimamente!

– E você sabe que, quando a gente pede, as coisas acontecem?

– Sim, eu sei – falei seguro, retribuindo o sorriso.

– Por favor, entre, temos muito o que conversar.

Foi assim que conheci oficialmente Elpton, o diretor da Companhia de Petróleo na Europa.

Elpton me fez sentir à vontade e bem recebido, enquanto Tereza providenciava café e água. Pude reparar que aquele homem poderoso se comportava de forma simples, humilde e sorria com os olhos de forma inspiradora.

– Me diga, meu amigo – disse o diretor –, do que se trata seu projeto?

– Trata-se de uma exposição fotográfica sobre como perceber as pessoas além do que os olhos podem ver.

– Interessante. Como você está pensando em fazer isso?

– Estou concentrado em fotografar não as pessoas em específico, mas o modo que podemos enxergá-las além das impressões visíveis, as mais fáceis, sem julgamentos, entende?

– Acho que sim.

– A intenção é perceber melhor os dons especiais de cada um, a beleza interna e rica de cada indivíduo e, assim, compreender como as pessoas interagem com a nossa própria energia.

– Estou gostando, Lufe, por favor, continue.

– Tento mostrar por meio destas fotografias que existe uma forma diferente de observar as pessoas que nos cercam. Uma forma mais pura e verdadeira. Uso estas pessoas de exemplo, mas elas não representam nada, apenas inspiram a todos. É como se estivesse convidando você para enxergar, de uma maneira que nunca fez antes, seus amigos, seus companheiros de trabalho, as pessoas que simplesmente passam por sua vida no dia a dia, conhecidos ou não.

– Isso é muito interessante.

– O que eu quero é que as pessoas acreditem em algo maior. Parece muito utópico e distante, mas não é. Acho fácil monges meditarem e encontrarem a paz nas montanhas do Tibete. Acho lindo as pessoas procurarem a verdade interior na Índia, mas o que quero é estimular pessoas como você, eu, a Tereza, o vizinho, o garçom, o empresário, o padeiro, o motorista, os amigos, os filhos, os pais, enfim, todos que vivem nas grandes cidades a encontrarem seus propósitos maiores no local onde vivem, sem precisarem abrir mão da vida que levam, entende? Em meio ao trânsito, à rotina, às contas a pagar e aos inúmeros compromissos que assumimos na vida moderna. Saber que podemos viver sob uma espécie de energia positiva que faz com que tudo seja mais sinergético, mais conectado com uma força de realização que beneficie a todos. Isso tudo começando do básico, do simples, sem grandes teorias.

– Estou gostando da forma como fala...

– Quando aprendermos a olhar para o lado e enxergar com o coração as pessoas que nos cercam, teremos um encontro magnífico com nós mesmos. Não se trata aqui de fotos de gente comum simplesmente. Trata-se de pessoas nos inspirando a todo momento.

– Você tem razão – comentou Tereza.

– Sabe, pessoal, vamos abrir a mente para observar além do que os olhos podem ver. É disso que estou em busca para mim mesmo e para todos aqueles que eu conseguir contagiar. A exposição é só um meio, não exatamente um fim. Quem sabe, Tereza, quem sabe, Elpton, quando a gente aprender a admirar as belezas verdadeiras de cada indivíduo, aprenderemos a enxergar a nós mesmos sem ideias preconcebidas ou tentativas de enquadramento da sociedade. Temos muito o que aprender e, por isso, mostro este projeto para vocês. Neste momento, estou dedicando minha vida a ele... Quem sabe não conseguimos juntos contagiar muita gente?

Eu falava com entusiasmo, enquanto Tereza estava quieta do outro lado da mesa, com as mãos próximas à boca. Seus olhos verdes brilhavam. O diretor começou a falar alguma coisa com fervor. Eu podia ver seus lábios se mexendo, mas não eram meus ouvidos que escutavam o que Elpton dizia, era todo o meu corpo. Era um som abafado, com eco.

– Faz muitos anos que não tenho a oportunidade de ver alguém falando com tanta paixão de um projeto – disse. – E mais: parece que faz anos que estou em busca desta sabedoria que você está mostrando tão naturalmente. Quero que saiba que, nesta pequena conversa que tivemos, despertou em mim alguns sentimentos que há tempos tenho vontade de expandir. Hoje você ainda não entende, mas, em breve, vai ver como sou eu quem está ganhando mais neste encontro. Hoje quem mudou a minha vida foi você.

– Obrigado, mas o que preciso é algo muito concreto também.

– Precisa do patrocínio, não é? Tenho que fazer algumas ligações e contatos com a Companhia no Brasil – falou firmemente Elpton. – Mas quero que saia desta sala com a certeza de que estaremos com você, nem que eu tenha de pagar do meu próprio bolso.

– Sério mesmo?

– Sério – disse ele. – Conte com a gente e seja sempre bem-vindo a este escritório.

– Posso contar com vocês na noite de abertura da exposição?

– Não só estarei lá, como baterei palmas! – Elpton falou com entusiasmo, palavras que nunca esqueceria.

Demos um abraço caloroso, e ele saiu para seus compromissos. Fiquei emudecido e, por algum tempo, ainda o observei caminhando em direção à sua sala.

Voltei-me para Tereza. Nossos olhares se encontraram. Existia ali, naquele ambiente, uma energia que tinha uma força muito maior que o encontro de nós três. Algo mágico tinha acontecido naquela sala.

– Você é uma pessoa muito especial, Lufe, e sabe que tem uma missão bonita. Fico feliz em participar disto – disse ela.

– Tereza, você deve ser uma espécie de anjo. Sabia que Deus usa as pessoas para fazer suas ações? Você, com certeza, é uma bênção que está sendo colocada em minha vida.

Ela sorriu enquanto me acompanhava até a porta.

– Você pode vir até minha sala por um segundo? – perguntou, no meio do caminho.

Foi até sua mesa e, antes de me entregar o cartão com os dados para onde eu deveria enviar os detalhes burocráticos do patrocínio, abriu uma gaveta, pegou algo. Eu tinha a nítida sensação de já ter visto aquele olhar revelador antes.

– Faz alguns anos que eu tenho este livro aqui, nesta mesma gaveta, à espera de alguém para quem eu devesse entregá-lo. As palavras escritas aqui estavam à sua espera, meu querido Lufe. Leia-o. Pois você é a própria manifestação do que elas dizem aqui.

Estendeu a mão e me entregou um livro antigo, cujo título frisava a importância de nunca desistir dos sonhos que alimentam nossas almas. Ao ver a capa com aqueles dizeres, eu me emocionei. Tinha acabado de fechar o último patrocínio da exposição fotográfica, que era minha meta e meu desejo, mesmo contra uma infinidade de obstáculos. Nunca havia desistido e agora, naquele momento final, estava recebendo uma mensagem divina entregue pelas mãos angelicais daquela mulher, mostrando que tinha valido a pena acreditar e nunca desistir dos meus sonhos.

– Lufe, meu querido – disse ela, colocando sua mão direita sobre meu ombro esquerdo –, uma pessoa como você, que tem seus sonhos tão contagiantes e tão à flor da pele, precisa saber como mantê-los vivos e, sempre que possível, ajudar outras pessoas a cultivá-los.

Saí pela porta de vidro do prédio. Olhei para o céu, que àquela hora estava com as cores do fim de tarde. Senti uma luz clara e uma paz inigualável. Olhava para o alto com os olhos brilhando, quase imóveis. Não escutava nada, somente um silêncio mágico. A respiração ainda continuava difícil. Por alguns segundos, senti como se estivesse fora do meu corpo físico, e isso me pareceu horas de êxtase.

Fui baixando a cabeça calmamente e, aos poucos, retomei a consciência. Pude ver algumas pessoas olhando diretamente para mim, me admirando com curiosidade. O silêncio continuava. Troquei olhares com um desconhecido, que retribuiu com um sorriso iluminado, como se soubesse o que tinha se passado na última hora. Devagarzinho, ele sumiu na multidão, enquanto eu continuava imóvel na esquina. Mas aquele rosto ficaria gravado na minha mente para sempre.

Desci a rua ainda sem muita noção da realidade. Caminhava como se estivesse flutuando, maravilhado com toda aquela sensação de realização. A respiração continuava ofegante, e eu não conseguia me equilibrar. Felicidade deixa a gente zonzo. Decidi não insistir, pois estava sob forte impacto emocional e ainda não sabia como reagir.

Assim que cheguei a Oxford Street, entrei na loja de departamentos Selfridges.

Subi as escadas rolantes até o andar masculino. Precisava ficar parado num lugar seguro. Vi um sofá confortável e, por alguns instantes, decidi ficar ali. Sentei e procurei respirar fundo. Precisava me conectar com a realidade outra vez. Fui me acalmando, me acalmando e, lentamente, comecei a sentir a textura do couro do sofá, a pasta que eu carregava em minhas mãos, o ar que eu respirava. Os olhos já conseguiam focar as imagens à minha frente. Percebia com mais clareza onde eu estava, as cores das camisetas penduradas nas araras e as pessoas entrando e saindo.

– O senhor está bem? Precisa de alguma ajuda? – perguntou um vendedor que se aproximara.

– Como? – perguntei, ainda confuso.

– O senhor tem certeza de que está se sentindo bem?

Enchi os pulmões de ar e, com um suspiro que saiu de uma só vez, sorri, enxuguei as lágrimas nos olhos e disse:

– Acho que nunca me senti tão bem nesta vida, acredite.

Fotos e palavras

EU NÃO PRECISAVA MAIS correr atrás de patrocinadores. Mas ainda havia muitas coisas para fazer – em pouco tempo. Algumas pessoas importantes para fotografar, artes gráficas a serem terminadas e os últimos detalhes a serem cumpridos, antes de imprimir todo o material promocional. Logo depois, viria assessoria de imprensa e diversos outros itens.

Na manhã seguinte à reunião com a Companhia de Petróleo, convidei uma das pessoas mais marcantes em minha trajetória em Londres para fazer parte da exposição: Margareth, a diretora do departamento de recursos humanos da M&Tony's.

ALEGRIA, esta foi a palavra dada a ela pela imensa felicidade que me proporcionou e por seu sorriso sempre aberto e sincero. Era o universo retribuindo de formas inesperadas. Margareth era uma inspiração inesquecível.

No dia seguinte, fui até o bairro de Camden Town, mais conhecido por ser frequentado por um público alternativo, mundialmente famoso nos anos 1980 pelos punks e seus cabelos coloridos. Encontrei-me com Skye, uma amiga brasileira de origem japonesa que tinha uma história muito interessante para contar. Seu escritório ficava em uma sala pequena, com vista para a praça onde acontecia um dos mercados de comidas mais interessantes nos fins de semana em Camden Town, próximo ao canal onde ficavam os barcos de passeio.

Skye tinha se mudado para Londres a fim de estudar inglês havia quase dez anos. Seu objetivo era ficar seis meses, mas ela se apaixonou pela cidade e por todas as oportunidades que aquele lugar trazia. Com o passar do tempo, trabalhou em diversos empregos, muitos deles como publicitária, graças à sua formação acadêmica no Brasil, até criar seu próprio negócio, um website especializado em dar dicas e orientações a brasileiros na Inglaterra. Tornou-se o portal brasileiro para imigrantes. Ajudava milhares de conterrâneos em sua chegada à cidade. Era um caso de sucesso.

Descemos as escadas e fomos até o canal. Fiquei já com a câmera a postos e ia fazendo os primeiros cliques para deixá-la mais à vontade.

– Skye, vá até a ponte e me esquece. Eu vou ficar por aqui.

– E o que eu faço?

– Nada, apenas pare, pense na sua vida e veja-se agora, depois de tantos sacrifícios e lutas. Respire fundo, feche os olhos, agradeça e sinta-se uma vitoriosa.

– Fico até emocionada...

– Então, vá. Não pense na foto, e sim na vida e em você mesma.

Skye foi até a ponte e pareceu se esquecer de mim. Eu podia perceber o sorriso, a alegria dela em ser quem era e em recordar as histórias que viveu. Em um determinado momento, quase sem querer, abriu um sorriso doce e sincero enquanto estava de olhos fechados – este foi o clique definitivo. Consegui captar a essência daquela mulher, com um fundo dourado pelas folhas secas de uma árvore chorona que descia seus galhos até tocar o canal. Tornou-se uma das fotos mais belas da exposição. A ela dei a palavra DETERMINAÇÃO.

Segui a semana toda fotografando. Registrei a MUDANÇA de Nicola, o italiano que tinha o sonho de se tornar psicólogo e que me abriu o caminho do mundo profissional da fotografia ao me apresentar o fotógrafo famoso que se tornou meu instrutor. Sua foto foi tirada em uma livraria com mais de 100 anos, na mesma semana em que ele comemorava sua decisão de comunicar aos chefes que sairia da Câmara de Comércio Italiano para seguir sua nova profissão.

Fotografei também Luca, o fotógrafo italiano. Que mestre fenomenal ele tinha sido! Sem saber, despertou minha visão para reconhecer os pequenos mentores da vida ao me mostrar o processo de me reconhecer dentro da profissão de fotógrafo. A palavra ideal para Luca era TALENTO, não só por sua competência admirável, mas por toda a inspiração e incentivo que abriram minha mente para entender o caminho da fotografia que mais se encaixava na minha essência.

Outra pessoa com quem tive uma troca muito grande durante este caminho foi Júnior, o amigo ator que reencontrei trabalhando no Champagne Bar. Percebi que não só somos tocados pelas pessoas que nos cercam, mas que também temos muita importância na vida dos que estão à nossa volta. Júnior passava a maior parte dos dias reclamando e se lamuriando da má sorte de ser garçom e não conseguir emplacar como ator. Procurei influenciá-lo com a espiral positiva. Acabou se tornando protagonista de quatro documentários de diferentes emissoras da TV inglesa, além de participar de alguns filmes de Hollywood como figurante. Fotografar Júnior para aquela exposição era mostrar que sempre existem OPORTUNIDADES esperando por nós.

Uma imagem marcante que nunca saiu da minha cabeça foi aquela manhã em que conversei com Marli, a diretora financeira da M&Tony's. Suas palavras de incentivo, a forma como me fez entender a responsabilidade do que eu estava realizando e como era importante ter uma crença inabalável em nossa missão de vida. Fotografei-a com sua filha no parque e escolhi a palavra FÉ, mostrando o que ela mais me incentivou a seguir.

Eu estava empolgado com minha capacidade de mostrar pessoas tão interessantes e tão diferentes ao mesmo tempo. Como havia me comprometido comigo mesmo, iria fotografar até o último momento. Queria deixar o caminho livre para essas pessoas chegarem até mim. Foi, então, que procurei Arthur.

Ele tinha sido o primeiro a reconhecer que Londres me chamava. Desde Floripa, naquela noite em um bar, ele já sabia da importância que a cidade teria em minha busca pessoal. Não só chamou minha atenção para esta mudança, como também me recebeu com o carinho de um irmão em sua casa, junto com sua namorada e seu inesquecível pai. Arthur passava longos meses viajando, e tive apenas três ou quatro chances de encontrá-lo desde que havia me mudado de Notting Hill. Ele levava uma vida muito corrida, mas por sorte estava na cidade naqueles dias.

Eu contei a ele todo o conceito da exposição e como ela mostrava as pessoas importantes que passaram por meu caminho, com o intuito de despertar em outras pessoas o reconhecimento de que os amigos, ou mesmo os desconhecidos, podem ser transformadores em nossas vidas.

– Obrigado pelo convite. Meu pai vai ficar muito feliz em ver o que está realizando.

– Arthur, não! Por favor. Você não pode contar a ele.

– Por que não?

– Esta é uma longa história, mas é só entre mim e ele. Tenho a intenção de fazer uma surpresa para o velho Frank. Confie em mim, ok?

– Não pode me contar?

– Você acha que ele ficaria feliz ou aborrecido de ver uma foto dele exposta nesta exposição?

– Olha, ele é muito imprevisível. Nós nunca sabemos como vai reagir, mas este tema que está abordando é bem conectado com a vida dele e, vindo de você, acho que vai se sentir honrado. Penso que vale o risco.

– Pois estou decidido a corrê-lo.

– Conte comigo. Não vou dizer nada.

A foto de Arthur foi tirada em um superclose dos olhos. Eu queria mostrar o brilho no olhar que sempre percebi neste amigo desde a primeira noite. Registrava a importância de saber enxergar a alma de uma pessoa e entender a luz especial de cada um, assim como Arthur um dia me enxergou e me ajudou a começar o grande caminho da minha vida.

Para ele dei a palavra RECONHECIMENTO, mostrando que precisamos saber reconhecer não só as pessoas e os momentos especiais em nossas vidas, mas também a nós mesmos inseridos nesses encontros.

Na casa do embaixador

O TELEFONE TOCOU enquanto eu tratava as imagens, no fim de semana. Era o ministro da Cultura da Embaixada Brasileira.

– Falei com a embaixatriz, e ela adorou a oportunidade de escrever o prefácio da sua exposição. Antes, ela gostaria de recebê-lo pessoalmente na residência oficial do embaixador para conversarem sobre o projeto. Você pode amanhã às 4 horas?

Fiquei mudo. Residência oficial do embaixador? Uau! O ciclo estava mesmo se fechando – ou melhor, se abrindo cada vez mais. Faltavam apenas três ou quatro pessoas a serem fotografadas. As artes estavam prontas. Os patrocínios, finalizados. O local e o coquetel, agendados. E agora... o aval da embaixatriz!

No dia seguinte, pontualmente às 4 horas da tarde, eu entrava pela porta principal da residência oficial do embaixador do Brasil. A entrada era imponente. Tinha uma escada de mármore gigantesca que se abria em duas, dando acesso a dois corredores laterais no andar de cima. Fiquei abismado com os lustres, os tapetes, os quadros, os vasos com flores e, ao mesmo tempo, o clima de aconchego e bem-estar.

Um mordomo havia aberto a porta e, educadamente, me conduzido a uma antessala, ao lado esquerdo da escadaria.

– Por favor, senhor, sente-se que vou avisá-la de sua chegada – disse ele.

– Obrigado – respondi, enquanto observava a decoração. Tinha um ar mais clássico, com poltronas, cadeiras estofadas, sofás, enfeites, almofadas com babados e uma lareira, de um estilo que só havia visto em filmes e na visita ao Castelo de Windsor. As janelas eram enormes. Havia também muitos livros de arte e objetos trazidos de viagens internacionais.

Eu estava acanhado, pois me encontrava ali na tal residência oficial, em uma sala maravilhosamente bem decorada, ao lado daquela escadaria de mármore imponente, após ter sido conduzido por um mordomo vestindo fraque, à espera da embaixatriz – que, ao que tudo indicava, iria escrever o prefácio do catálogo da minha exposição fotográfica em Londres.

"Acho que sonhei longe demais!", eu pensava.

Não sabia como me comportar em situações tão diplomáticas, nem ao menos o que fazer ou falar. Resolvi me sentar em uma poltrona que ficava no canto esquerdo de quem entra na sala, ao lado do sofá principal. Me acomodei ali e esperei, admirando tudo à minha volta.

Fechei os olhos por um instante e orei pedindo que nossas energias estivessem em harmonia.

– Boa tarde, Sr. Lufe, tudo bem? – falou uma senhora de cerca de 60 anos, baixa e muito simpática.

– Boa tarde – respondi, já me levantando.

– Por favor, permaneça sentado. A embaixatriz me pediu para lhe fazer companhia por alguns instantes. Ela se desculpa pelo atraso, mas está finalizando uma reunião importante. Assim que terminar, virá ao seu encontro.

– Tudo bem. Obrigado pela gentileza.

– Você aceita um chá?

– Sim, por favor.

Ela solicitou ao mordomo chás e biscoitos e, sorridente, voltou a conversar comigo.

– Você trabalha com a embaixatriz? – perguntei, pensando ser uma assessora pessoal.

– Na verdade trabalho com todos os embaixadores que passam por aqui. Eles vão e eu fico.

– Imagino que por aqui já tenham passado muitas pessoas importantes, não é?

– Muitas, meu filho, muitas como nem imagina.

Sorri, talvez com expressão curiosa, pois logo ela continuou.

– Por exemplo, a embaixatriz anterior era muito amiga da princesa Diana.

– É verdade, me lembro muito disso.

– Coitadinha daquela princesa – disse ela.

– Por quê? – perguntei, tentando esticar a conversa.

– Ela vinha para cá e chorava tanto, coitada.

– É mesmo? Pobre princesa – comentei.

– Ela sempre se sentava nessa poltrona onde você está agora.

Arregalei os olhos, engasguei com o biscoito, comecei a tossir e quase deixei o chá cair, acabando com minha tentativa de parecer refinado.

– Você está dizendo que Diana, a princesa de Gales, se sentava aqui, nesta poltrona onde estou sentado agora? Esta aqui? – perguntei, enquanto a xícara tilintava em minhas mãos trêmulas e minhas nádegas começavam a formigar na poltrona.

– Essa era a poltrona preferida dela. Vinha para cá a fim de fugir das confusões da sua vida e ficava horas sentada aí, conversando e chorando com a embaixatriz.

Ameacei me levantar na hora, mas a senhora me fez permanecer sentado no mesmo lugar.

– Tenho que confessar que este é um sentimento um tanto quanto estranho... Estar sentado aqui, onde tanta coisa deve ter sido dita.

Nesse momento, a embaixatriz entrou na sala.

– Mil desculpas pelo meu atraso, estava terminando alguns assuntos que não poderiam esperar.

– Não se preocupe, já me sinto honrado por me receber aqui – respondi, achando o cúmulo me ofender por um atraso mínimo depois de ter atrasado duas horas na reunião com a Companhia de Petróleo.

– Então, me fale de seu projeto. Pelo que o ministro me disse, achei muito interessante e fiquei feliz em fazer parte.

Mostrei a ela quem eram as pessoas, o que faziam e como pretendia divulgar a exposição. Preocupei-me em dar detalhes que a fizessem compreender o universo do projeto, assim seria mais fácil escrever o prefácio.

Expliquei-lhe sobre a percepção das mensagens, a importância de estar aberto para o que a vida nos indica por meio das pessoas, de como é revelador darmos valor aos detalhes do nosso dia a dia. Queria inspirar muitas pessoas em suas buscas pessoais.

– Lufe, me sinto agora ainda mais honrada em receber seu convite.

– Imagina, eu é que estou lisonjeado com sua participação. Sou iniciante no campo da fotografia, mas um eterno aprendiz nessa busca por um sentido mais real das relações humanas.

– Escreverei um texto à altura do sentimento que você acaba de me despertar.

As últimas fotos

ESTAVA TUDO COMPLETO. Eu tinha chegado à reta final e me programei para as últimas fotos.

Bia era uma sonhadora nata. Uma amiga querida que eu havia feito na escola de inglês. Ela lutou muito para conseguir estar na Inglaterra. Batalhou sozinha por cada centavo para viabilizar seu objetivo. Adorava escutar suas conversas sobre literatura, música e filosofia. Sempre que me lembrava da Bia, me vinha à mente uma pessoa iluminada. Ela foi um grande apoio na minha vida quando fiquei sem trabalhar e com apenas cinco libras diárias para alimentação – não só me trazia sanduíches da lanchonete onde trabalhava, como também nunca duvidou de que eu tinha feito a escolha certa.

Quando vivemos um sonho em sua plenitude, atraímos uma atitude de amor e uma alegria sincera. Bia era assim, puro SONHO. Esta foi a palavra que utilizei para sua foto, feita em Leicester Square, próxima à Calçada da Fama.

De sonho em sonho, era chegada a hora de mostrar uma das mais importantes influências de minha trajetória: o Sr. Frank. Entre tantas pessoas que haviam passado por meu caminho, ele ocupava um lugar de destaque. Eu nunca tinha aceitado muito bem sua imposição de não mais o procurar, mas, agora, ao menos, compreendia melhor sua colocação. Se eu o tivesse procurado em todos os conflitos e dúvidas que tive desde que o conheci, jamais teria a oportunidade de amadurecer e de me encontrar sozinho – como estava fazendo.

Queria que fosse uma surpresa para ele, como havia combinado com Arthur.

Escolhi uma foto belíssima que tinha feito durante um passeio pelo Holland Park, quando eu vi esquilos pela primeira vez. O Sr. Frank estava entre canteiros de flores que brilhavam num tom de cor púrpura bem vivo. Ele tinha um sorriso acanhado, mas um olhar profundo de uma pessoa sábia. Foi um momento capturado de surpresa, sem poses, sem expectativas. Que saudade enorme tive dele enquanto tratava a foto escolhida para aquela homenagem carinhosa.

Seria a primeira vez que nos reencontraríamos depois de tanto tempo. Eu não tinha ainda certeza se era a ocasião certa – afinal, o Sr. Frank havia falado com muita convicção de que esse encontro deveria acontecer somente quando eu estivesse pronto.

O que é exatamente estar pronto? Quando vou saber? Mas, de qualquer forma, eu não poderia deixar de convidá-lo e decidi homenageá-lo, ele comparecendo ou não à exposição.

Ao grande Sr. Frank dei a palavra SABEDORIA.

Em busca do Sr. Frank

PAUL COLOCOU AS IMPRESSÕES gráficas em produção. Seriam panfletos, *folders*, convites, painéis, catálogo e um brinde especial. Os convites e os panfletos de divulgação foram os primeiros a ficarem prontos. Tinham ficado bem melhores do que eu vislumbrava. Separei um bom montante e levei até a Embaixada Brasileira, para que fossem encaminhados à lista de contatos.

Os textos para assessoria de imprensa foram enviados e logo começaram a chegar pedidos por fotos em alta resolução vindos das mais diversas publicações. O interesse e a aceitação tinham sido imediatos.

Coloquei os panfletos em lugares de grande circulação. Enviava também alguns convites por correio, mas boa parte eu fazia questão de entregar em mãos. Tinha prazer em fazer a maioria das coisas pessoalmente. Era como se agisse de acordo com o *slogan* da exposição:

"Que esta energia se espalhe e contagie multidões".

Trabalhava arduamente para isso.

Tomei coragem e fui até Notting Hill. Estava nervoso, mas queria procurar Sr. Frank. Fiquei parado na esquina da casa com receio de dar o passo seguinte. Enfim, tomei coragem e apertei a campainha.

Annabela atendeu já dizendo que estava descendo e que, assim, poderíamos conversar no caminho para o metrô, pois estava atrasada para um compromisso.

– Mas, Annabela... – nem tive tempo de terminar e ela já desligou o interfone.

Ela estava ainda mais bonita do que da última vez em que nos vimos. Seus cabelos estavam mais longos e aloirados. A pele parecia ter tomado sol, como se tivesse recém-chegada de uma praia do Mediterrâneo.

– Annabela, me desculpe, mas vim aqui falar com o Sr. Frank.

– Ah... Que pena, o Sr. Frank está viajando. Ele está na Espanha. Arthur comprou uma casa numa vila por lá, e ele foi conhecer e descansar um pouco. Estou aqui estes dias cuidando da casa. Aliás, o Sr. Frank quase não tem parado em Londres. Esteve viajando a maior parte do tempo desde que você se mudou.

– Você sabe quando ele volta?

– Não faço ideia, Lufe. Sabe como ele é... Não podemos prever nada.

– Sendo assim, tenho um favor a lhe pedir. Aliás, um favor e um convite a lhe fazer.

– Não vai me dizer que sua exposição já está pronta! Arthur me disse e fiquei muito feliz por você. Parabéns!

– Mas vocês não disseram nada ao Sr. Frank, não é?

– Não, não falamos nada. Quase não o vejo também. Você vai mesmo homenageá-lo?

– Sim, por isso seria ótimo se ele pudesse ir, mas gostaria que fosse surpresa.

– Imagino que, se ele estiver na cidade, com certeza vai prestigiá-lo.

– Eu espero muito que ele esteja. De qualquer forma, aqui estão os convites. Eu gostaria que todos vocês fossem.

Se possível, deixe este convite para o Sr. Frank também. Se ele chegar a tempo, seria ótimo recebê-lo no dia da abertura. Quem sabe...

– Claro. Agora, mil desculpas, mas preciso mesmo correr. Estou muito atrasada. Adorei as novidades e nos vemos lá com certeza.

Fiquei observando Annabela descendo apressada as escadas da estação Notting Hill Gate, enquanto me lamentava por não ter me encontrado com o Sr. Frank. Será que o universo ainda achava que não era o momento? Será que eu estava quebrando as regras ao convidá-lo? Nada disso importava agora que ele estava na Espanha e que, provavelmente, não poderia comparecer à exposição.

Preparativos finais

FALTAVA POUCO MAIS de uma semana para o grande dia.

– Quando a Hillary chega, Lufe? – perguntou-me Anne.

– Neste fim de semana. Estou tenso, mas acho que está tudo preparado.

– O que falta agora são apenas detalhes.

– Detalhes importantes. Vamos, Anne, vamos, me ajude a finalizar estes textos...

Não parávamos de trabalhar um só minuto.

Hillary chegou no sábado de manhã. A exposição estava marcada para a segunda-feira da semana seguinte. A casa estava em perfeita ordem, sem nenhum resquício de que nas últimas semanas houvera ali um verdadeiro batalhão de criação e produtividade.

Contei a ela sobre a ideia da exposição, mas de forma superficial.

– Veja, Hillary, tenho aqui algumas fotos para te mostrar, mas a gráfica ainda não me entregou as definitivas.

– É... São bonitas, sim, parabéns.

– Gostaria de convidá-la para a exposição. Já enviei um convite especial para seus pais. Gosto muito deles e será uma honra tê-los comigo neste momento. Se puder também, convide suas amigas. Sabe que gosto delas e será uma noite muito divertida.

– Dê para mim alguns convites que vou ver o que posso fazer. Você precisa de alguma ajuda?

– Ajuda? Não... Obrigado... Está indo tudo bem. Estamos na fase de enviar material para assessoria de imprensa.

– Quer que eu leia os textos para checar se está tudo certo com o inglês?

– Bom, acho que está tudo bem, obrigado, não precisa se incomodar. – Eu estava adorando ver como ela tinha voltado feliz e amigável.

– O que é isso, não é trabalho algum. Deixe que eu dê uma olhada.

Entreguei os textos criados para cada foto. Hillary leu atentamente e apontou alguns erros.

– Olha, está até bom, mas eu jamais teria feito desta forma. Sabe, é que nós ingleses somos mais diretos e não acreditamos muito nessas coisas de energia que você tanto insiste em defender aqui. Mas, se prefere manter assim mesmo, apontei alguns erros que acho que deveria alterar.

– Obrigado pela ajuda, Hillary. Mas, se trocarmos aqui, continua tendo o mesmo sentido? – perguntei, com ares de estudante de inglês querendo entender melhor o motivo de cada substituição sugerida.

– Opa... Opa... Opa! Como é? Quem é a inglesa aqui? Esta é a minha língua e agora você vai discutir comigo?

– Discutir? Desculpe, nunca foi minha intenção, só acho que é uma boa oportunidade de aprender, não me leve a mal...

– É só o que me faltava... Além de gastar meu tempo te ajudando, ainda ter que ver você tentando me ensinar, logo eu que sou inglesa.

– Nossa... Desculpe... Ainda sou estudante e, como tal, sou bem curioso. Se eu escrevi daquela forma, é porque pensei que estava certo. Vendo que corrigiu, nada mais inteligente do que saber o porquê e aprender. Você não acha?

– Está aqui o texto, use se quiser – ela disse, se retirando.

Na semana seguinte, começaram a chegar as publicações com as matérias sobre a exposição. Ela tinha sido capa do jornal brasileiro de Londres, com uma foto da Fernanda no metrô, aquela de seus primeiros momentos aqui em Londres, ocupando uma página inteira, além de mais quatro no corpo do jornal.

As revistas semanais brasileiras deram destaque, assim como publicações inglesas impressas e on-line. No Brasil, saiu uma matéria belíssima numa revista de circulação nacional com a foto da Skye em Camden Town. Fiquei surpreso e feliz quando vi uma matéria muito bem escrita e editada no site da conceituada BBC.

Estava tudo pronto para o grande dia. No fim de semana que antecedia o evento, Aline chegou do Brasil, fazendo uma surpresa fantástica.

– Mas você veio somente para a exposição?

– Claro que sim. Eu não perderia por nada. Não disse que acreditava muito em você? Agora que é hora de celebrarmos eu estaria longe?!

– Você é muito especial! Muito obrigado.

– Especial é o presente que meus pais lhe mandaram, com uma proposta irrecusável que tenho para você.

– Não inventa, Aline, pelo amor de Deus! Só de você estar aqui já é um grande presente.

– Ah é? Então veja isto.

Abri o pacote e encontrei um traje completo para ser usado na noite da exposição, incluindo calça, camisa, blazer, sapatos, tudo de muita qualidade e marcas famosas. Era uma atitude muito elegante daquela família – eu nem tinha parado para pensar que roupa usar neste dia tão importante.

– Aline, tenho uma coisa para lhe dizer.

– O quê?

– Sua atitude em me ajudar com os equipamentos foi muito importante e especial. Sem essa ajuda eu jamais teria feito da forma como pude fazer. Não sei se cheguei a dizer, mas escolhi uma palavra para cada pessoa que fotografei. E escolhi uma para você também.

– Para mim?

– Sim. Tudo começou com você. Para mim, este projeto tem a base sólida na palavra que escolhi para representá-la. Para se construir qualquer coisa na vida, precisamos desse sentimento.

– Que palavra é essa?

– GENEROSIDADE. Das mais simples até as mais complexas, ter generosidade com os outros é a base mais importante na construção de qualquer projeto.

– Obrigada, meu amigo. Fico feliz por enxergar essa qualidade em mim. Lembra-se de que lhe falei que meus pais haviam mandado uma proposta?

– Ai... Me dá até medo.

– Lufe, você sabe como eu e minha família adoramos você, não sabe?

– A recíproca é mais que verdadeira, Aline. Adoro vocês.

– Meus pais se sentem muito à vontade ao seu lado e sempre desejaram fazer uma viagem longa pela Europa. Eu não posso parar o meu trabalho por tanto tempo nem meus compromissos. E eles não sabem falar inglês. Não se sentem seguros para sair por aí viajando de país em país sozinhos, entende?

– Entendo.

– Meus pais me pediram para lhe fazer uma proposta que eu acho irrecusável.

– O quê? – perguntei, já com o coração saindo pela boca.

– Eles gostariam que você os acompanhasse numa viagem que querem fazer por quarenta dias pela Europa.

– Como é que é? Você deve estar louca, imagina, não tenho condições, Aline.

– Você os ajuda com o planejamento da viagem, guiando, falando inglês, os deixando seguros e, em contrapartida, não gasta nenhum centavo.

– Como?

– Você acha mesmo que eles fariam isso com outra pessoa que não fosse você?

– Não posso aceitar, minha amiga, é muito abuso.

– Veja da seguinte maneira: você trabalhou duro desde que chegou aqui. De certa forma, a vida foi lhe dando chances e mais chances de encontrar tudo aquilo que veio buscar. Hoje, olho para você e me orgulho muito da sua evolução desde que o conheci. Minha família pode e quer lhe dar esse presente. Você poderá relaxar viajando e celebrando suas conquistas. Além do mais, pode fotografar muito e aprimorar suas fotos. É uma chance imperdível e no momento certo!

– Mas... Eu... Mas... – Eu não tinha uma reação muito clara.

– Saiba que você é merecedor disso. Pense que você construiu essa confiança e que também terá a oportunidade de ajudá-los. É uma troca e, além do mais, imagine as fotos que vai poder fazer. Vamos, aceite!

– E para onde vamos?

– Não sei. Você decide. Está nas suas mãos, desde que passem pela Itália e pela Grécia nesse caminho.

– O que posso lhe dizer?

– Diga sim.

– Sim! Acho que tem razão, está chegando a hora de celebrar muita coisa. Obrigado!

Almoçamos juntos e, depois, fui acompanhar as instalações dos painéis, sem acreditar na proposta irrecusável que tinha acabado de receber.

O grande dia

RESOLVI PASSAR A VÉSPERA do evento sozinho. Estava emotivo, sentindo uma energia interna muito forte e cada vez mais intensa, trazendo revelações ainda mais velozes e claras.

Londres me chamava. Eu já sabia reconhecer isso. Precisava andar, refrescar a mente e me preparar para a montagem das fotos na manhã seguinte.

Fui caminhando até a beira do Rio Tâmisa. Passei pelo Big Ben, atravessei a ponte, passei pelo Aquário, pela London Eye e, assim, fui seguindo adiante e sentindo o vento que me acalmava. O dia estava gostoso. Naquele momento, ficar sozinho era definitivamente a melhor escolha, pois eu tinha passado por fortes emoções nos últimos meses e precisava voltar ao meu eixo de equilíbrio.

Fiz uma oração de agradecimento por tudo o que eu tinha vivido desde que comecei meu caminho. Agradecer era o que eu mais precisava fazer.

Na manhã seguinte, acordei cedo e logo cheguei ao Copa-Leblon. Mal podia acreditar que, finalmente, tinha chegado o grande dia. Eram muitos preparativos: a instalação das imagens, o vídeo que seria exibido no telão, os detalhes do coquetel, o DJ, as músicas que tocariam, o discurso de agradecimento, os últimos acertos, o corte de cabelo.

Terminamos perto das 5 horas da tarde. Antes de sair, eu pedi para ficar sozinho naquele ambiente. Pendurei a última peça da exposição. Não era uma foto. Era um espelho com a palavra INSPIRAÇÃO.

Queria que a vibração das palavras que escolhi para cada pessoa pudesse inspirar e contagiar cada um que passasse por aquele corredor.

Saí correndo para casa. Precisava tomar um banho, me arrumar e voltar a tempo de chegar antes de qualquer convidado.

Era longe. Não daria tempo.

Hillary e Aline fizeram questão de que eu fosse com elas, e seguimos os três juntos no carro da Hillary. Aline ainda terminou sua maquiagem durante o trajeto. Eu, no banco traseiro, parecia me concentrar para não ficar nervoso com tamanho atraso.

"Como posso estar atrasado no dia mais especial para mim?", eu pensava.

Chegamos às 7 horas e 45, ou seja, 45 minutos depois do horário marcado. Pulei do carro às pressas, deixando as meninas para trás. Estava usando um blazer preto, calça jeans, camisa branca listrada. Lindo, mas atrasado.

Entrei correndo. Subi as escadas que davam direto à exposição, mas no meio do caminho parei. Não conseguia mais me mover. Não entendia o que estava vendo.

Amanda, uma das fotografadas, estava chorando enquanto lia o texto de uma das fotos. Ela me viu ali parado com uma provável cara de espanto e veio até mim. Na minha mente, tudo parecia estar no mais absoluto silêncio. Eu via seus lábios se movendo, mas não escutava nada, até ela me sacudir e eu voltar ao normal.

– Isso é muito lindo. Você tem uma sensibilidade maravilhosa. Parabéns.

– Amanda, está legal mesmo? Acha que as pessoas estão gostando? Fico nervoso e com medo de subir.

– Deixe de ser louco, estão amando o que você fez... Vá... Coragem... Suba. – Ela me deu o braço, segurou forte em minha mão e insistiu para que eu subisse os degraus.

Respirei fundo e segui.

O espaço da exposição estava cheio. Muitas pessoas vieram me cumprimentar, e eu mal conseguia sair do lugar. Era tanta gente, que eu tinha a sensação de estarem meio desfocados, falando simultaneamente, como se fossem vários sorrisos, abraços e palavras positivas invadindo meu cérebro ao mesmo tempo.

Eu não tinha muita consciência sobre o que estava sentindo, então apenas sorria e agradecia.

Os convidados estavam numa espécie de êxtase coletivo. Vez ou outra vinha uma das pessoas fotografadas, e eu as abraçava com muito carinho. Estavam todas iluminadas como estrelas da noite.

– Você já foi lá dentro? – perguntou Anne, repentinamente.

– Não consegui sair da sala de exposição ainda. Como está o coquetel? Está sendo servido direitinho? Será que ainda vêm mais pessoas? Estou achando pouco, será que é muito cedo?

– Você está louco? Não tem ideia do que está acontecendo?

– Não... Do que você está falando?

– Venha e veja por você mesmo! – exclamou ela, me puxando pelo braço e abrindo a porta que dava para o grande salão principal.

A cena seguinte me deixou perplexo. Quando adentrei o recinto, cerca de trezentas pessoas me receberam com palmas calorosas. Eu nunca tinha vivido algo parecido. Fiquei ali, parado, escutando o som daquelas palmas, olhando nos olhos de tanta gente à minha frente. Um momento inesquecível, como se minha energia vital se conectasse a toda aquela vibração.

Estavam ali os convidados, meus amigos, pessoas que amava, os patrocinadores, as pessoas homenageadas naquela exposição acompanhadas por seus familiares... A maioria dos jornais de mídia brasileira em Londres estava presente. O coquetel organizado pelo bar e pela cervejaria estava sendo um sucesso entre os convidados. Eu, claro, vivia um estado de graça. No fundo, sabia que estava agradecendo muito mais do que eles imaginavam. Vez ou outra, Anne aparecia com um copo de água e alguma comida.

– Bebe esta água e come, senão você não aguenta até o fim.

No meio da festa, fui ao palco, agradeci aos patrocinadores e àqueles que tinham me ajudado até ali. Chamei cada um dos fotografados e dei a eles um presente especialmente desenvolvido por Paul. Eram porta-retratos com as respectivas fotos assinadas, assim poderiam guardar aquele momento. Foi ali, em cima do palco, que pensei em fazer uma homenagem especial ao Sr. Frank, mas ele não estava presente.

Toda aquela emoção e energia mexiam muito comigo. Não era lógico, mas compreensível para alguém que vivia o que eu estava vivenciando. Estava presente naquele momento, naquela vibração toda. Minha cabeça parecia rodopiar. Eu chegava a me sentir zonzo. A coisa foi evoluindo de tal forma, que chegou um momento que parecia o ápice ou a ponta máxima da espiral positiva, e eu precisava ficar sozinho por alguns minutos.

Pedi a Anne que despistasse as pessoas e caminhei sem chamar atenção até a área da exposição. Passei pelas portas que dividiam os dois ambientes. Elas tinham isolamento acústico, de forma que, quando se fecharam, tudo ficou em silêncio e, como que por milagre, me vi sozinho naquele corredor branco. Respirei fundo.

– Meu Deus. Estou aqui neste momento tão especial na noite de abertura da minha exposição! Em Londres! Como fotógrafo! Isto é incrível, muito obrigado.

Minha vida começou a passar por minha mente. Eu tinha saído de casa, da minha cidade, da minha zona de conforto, largado toda a segurança, para percorrer sozinho um caminho em busca de mim mesmo. Tinha um sonho forte e inabalável de me encontrar pessoal e profissionalmente. Nessa busca, passei por vários desafios, mas acreditava que uma força iluminada me levava a viver numa constante espiral positiva. Eu sentia a cada passo que estava sendo guiado.

Inúmeras vezes, fui tentado a desistir dos sonhos em prol da estabilidade e da segurança de empregos que havia conseguido.

Ilusão.

Eu sabia o que queria, mas não quais caminhos seriam precisos trilhar.

Agora eu estava ali, sentindo uma energia poderosa percorrendo todo meu corpo, vivendo um momento único na vida de uma pessoa. A abertura da minha primeira exposição fotográfica. O início oficial da minha nova carreira profissional. Muitos tinham me chamado de louco, mas eu me chamava de corajoso, guerreiro com alma de artista.

Respirei fundo, ainda muito emocionado. Comecei a reparar silenciosamente em cada uma das pessoas fotografadas ali, admirando uma a uma.

De repente, como um estalo de lucidez, comecei a perceber minha mente veloz, com uma capacidade infinita de compreensão de mim mesmo e de tudo pelo o que havia passado. Foi aí que me dei conta de que havia exposto exatamente trinta fotos.

– Trinta?! Como não percebi isso antes? Não posso acreditar. Será que... Meu Deus... Será que...

Me lembrei do dia em que meditei no Centro de Meditação de Londres. Naquela ocasião, visualizei trinta e uma luzes fortes que queriam me transmitir alguma mensagem.

– Seriam elas? Não posso acreditar! Eram trinta e uma luzes que vi naquela meditação. O que isso quer dizer?

Minha mente estava em alerta máximo, com as percepções muito aguçadas, como eu jamais havia imaginado ser possível.

Eu tive certeza de que eram elas, as tais luzes, pois as respostas me chegavam em alta velocidade. A espiral positiva devia estar em seu ápice de revelação, pois o entendimento e a compreensão de toda minha vida me espantavam por sua precisão. Talvez, por isso mesmo, senti um certo vazio, uma dúvida se havia feito as coisas certas, pois tinha visualizado trinta e uma luzes, mas ali expostas estavam somente trinta. Faltava uma foto para que tudo realmente fizesse sentido para mim.

"Devo me inserir neste grupo? Deve ser isso", eu pensava, mas isso estava representado pelo espelho que seria o reflexo de todos que passassem por ali, inclusive eu.

Eu tinha saído numa jornada em busca de algo maior sobre mim mesmo e encontrei minha própria essência ao estar aberto para reconhecer os mestres que cada pessoa tinha sido ao passar por minha vida desde o começo da viagem.

Ali, em meio àqueles amigos tão admiráveis, fui percebendo que me reconhecia em cada palavra que tinha escolhido para representá-los.

Foi uma revelação inusitada e inesperada, mas também muito clara.

Ao destinar cada palavra a uma pessoa, representando como eu as enxergava, estava, na verdade, trazendo de dentro de mim mesmo aquela mesma qualidade, sentimento e dom.

O meu crescimento real só foi possível por eu ter tido a humildade e a sensibilidade de reconhecer tantas características maravilhosas em outras pessoas.

O que eu procurava só pôde ser encontrado porque enxerguei a energia interna daqueles que passaram por minha vida.

Eu reconhecia dentro de minha própria alma todos aqueles sentimentos que me cercavam naquela galeria de fotos: a GENEROSIDADE, a DETERMINAÇÃO, o MOVIMENTO, a CERTEZA, a SIMPLICIDADE e a PERSISTÊNCIA.

A cada foto que eu olhava, a cada palavra que lia, eu concluía que era nada mais do que a minha própria vida sendo revelada para mim mesmo, como sempre havia sonhado.

Buscava algo que fosse minha verdade universal – mas encontrava muito mais.

Estava ali celebrando uma explosão interna de ESPIRITUALIDADE, ESPERANÇA, AVENTURA, MUDANÇA, RECONHECIMENTO e OPORTUNIDADES.

Eu me virei e pude ler o que diziam as fotos do outro lado: DESPERTAR, EDUCAÇÃO, PARCERIA, CONFIANÇA, INSPIRAÇÃO, DESAFIO e ALEGRIA.

Cada uma dessas palavras parecia que ecoava em meus ouvidos e libertava minha alma.

Eu reconhecia a mim mesmo por meio da exposição. Como se uma energia universal estivesse me envolvendo, sussurrando por cada poro do meu corpo e iluminando meu espírito:

– Você encontrou o que veio buscar!

CARINHO, DELICADEZA, AMIZADE, SINTONIA, SENSITIVIDADE, TALENTO, DISPONIBILIDADE, SURPRESA, SABEDORIA e FÉ, sem nunca abandonar os SONHOS.

Eram exatamente trinta palavras que brilhavam ao meu redor, despertando minha alma, que agora estava em euforia.

Sentia-me um homem realizado e feliz. Tinha encontrado minha profissão, fotógrafo, a qual seguiria com dedicação. Este seria eu, um Lufe mais completo.

Fechei os olhos e procurei silenciar minha mente. A carga energética era intensa.

A maioria das pessoas fotografadas estava na festa, menos o Sr. Frank e toda a sua SABEDORIA. Mas ele dispensava qualquer presença física para ser importante.

Neste momento mágico, eu me lembrei de meu irmão João Carlos falando comigo no telefone do aeroporto, quando embarcava para Londres:

"Existe uma coisa por lá que só você pode fazer, meu irmão. Então, não tenha medo: vá lá e faça!".

Que esta energia contagie multidões

SIM, JOÃO CARLOS: eu realmente tinha ido e realizado o que ninguém mais poderia ter feito por mim.

Quando eu abri os olhos e saí daquele transe, notei alguém ao meu lado. Era Hillary, que me observava em silêncio.

Havia algo muito diferente naquela cena. Seriam efeitos das lágrimas?

Minha visão se revelava mais compreensiva e mais clara, de uma forma que nunca tive ao olhar para Hillary. Era, com certeza, a primeira vez que eu a enxergava de verdade. Ela estava brilhando, iluminada e com um sorriso angelical. Seus olhos estavam azuis como o céu. De alguma forma, a espiral positiva estava no ápice final, me dando a clarividência máxima de compreensão sobre nossa relação.

Eu pude notar o quão importante ela tinha sido em minha vida para que eu tivesse a chance de vivenciar meu caminho em toda a sua plenitude. Hillary nada mais era do que o meu próprio espelho. Um reflexo provocado por mim mesmo. Como se todas aquelas palavras maldosas que me dizia, as descrenças em minhas capacidades, os sentimentos de inferioridade fossem, na verdade, meus próprios medos sendo confrontados dia após dia.

Ela, sem culpa nenhuma, estava sendo usada pelo universo para me mostrar que meus medos, minhas inseguranças, minhas desconfianças e meu autorrespeito precisavam ser trabalhados, compreendidos e, assim, superados. Se ela não tivesse surgido em meu caminho, eu jamais seria capaz de me encontrar tão plenamente. Eu a via agora como uma das pessoas mais importantes da minha trajetória – e por isso estava agradecido.

O curioso é que eu podia ver em seu olhar que ela sempre soube de tudo que eu acabava de descobrir. Ela tinha desempenhado o papel mais difícil e nunca desistiu de mim. Comecei a chorar.

– Lufe, sei que não tenho costume de valorizá-lo muito e nem de elogiar – disse ela. – Mas você fez. Você conseguiu. Eu reconheço sua capacidade. Parabéns!

– Obrigado – eu disse, com lágrimas nos olhos.

Dei um demorado abraço em Hillary.

– Você está feliz?

– Eu estou no caminho.

– Ainda lhe falta alguma coisa para se sentir mais completo?

– Falta, sim. Gostaria de fotografar você e te dar a palavra PERDÃO.

Ela era a trigésima primeira luz. O perdão que faltava para que eu realmente me sentisse completo. Ficamos ali, emocionados e nos abraçando, como jamais tínhamos experimentado. Ambos podíamos sentir a energia poderosa daquele momento.

– Vamos entrar para a festa? – perguntou ela.

– Preciso ficar aqui só mais uns minutinhos e já entro. Vá você. Eu a encontro lá dentro.

– Ok – disse Hillary, saindo da área da exposição.

Sentei nos degraus da escada. A emoção tinha sido forte demais para mim. Precisava me recompor. Estava ao mesmo tempo exaurido e cheio de energia.

Em silêncio, eu procurava entender o que se passava por minha alma naquele momento. O PERDÃO. A mim, a ela e à condição em que fomos colocados no percurso deste caminho. Era muita informação de uma só vez. Fiquei um pouco tonto e baixei a cabeça entre as pernas. Agradeci por todas as bênçãos recebidas e por conseguir compreender o poder daquelas luzes que despertaram minha vida.

Fiquei naquela posição por alguns minutos até sentir uma mão tocar meu ombro esquerdo.

Levantei a cabeça devagar, já me sentindo melhor. Abri os olhos.

– Sr. Frank?!

Comecei a chorar como uma criança, abraçando-o com força. Não sabia se ria ou se chorava, se chorava ou se ria. O sentimento era de pura felicidade.

– Você veio, Sr. Frank. Você veio!

– Por que o espanto? Por acaso acha que estou atrasado?

– Na verdade, não. Se o senhor tivesse chegado há apenas alguns minutos, eu certamente não estaria pronto para reencontrá-lo.

Ficamos sentados, admirando as fotos em silêncio. Bem à nossa frente estava estampado em letras grandes o *slogan* da exposição:

Que esta energia se espalhe e contagie multidões!

Permita-se viver sua Espiral pessoal. Registre nestas linhas a seguir a sua jornada de transformação.

Este livro foi composto com tipografia Adobe Garamond e impresso
em papel Off-White 80 g/m^2 na Formato Artes Gráficas.